CONVERSAS DIFÍCEIS

**BRUCE PATTON,
DOUGLAS STONE E SHEILA HEEN**
MEMBROS DO PROJETO DE NEGOCIAÇÃO DE HARVARD

CONVERSAS DIFÍCEIS

COMO DISCUTIR O QUE É MAIS IMPORTANTE

SEXTANTE

Título original: *Difficult Conversations*

Copyright © 1999 por Douglas Stone, Bruce M. Patton e Sheila Heen

Copyright do "Prefácio à edição de dez anos" e das "Dez perguntas" © 2010 por Douglas Stone, Bruce M. Patton e Sheila Heen

Difficult Conversations ® é uma marca registrada da Difficult Conversations Associates

Copyright da tradução © 2021 por GMT Editores Ltda.

Todos os direitos reservados. Nenhuma parte deste livro pode ser utilizada ou reproduzida sob quaisquer meios existentes sem autorização por escrito dos editores.

tradução: Bruno Fiuza e Roberta Clapp
preparo de originais: Cláudia Mello
revisão: Luiz Américo Costa e Tereza da Rocha
projeto gráfico e diagramação: Valéria Teixeira
capa: Helena Hennemann | Foresti Design
impressão e acabamento: Lis Gráfica e Editora Ltda.

CIP-BRASIL. CATALOGAÇÃO NA PUBLICAÇÃO
SINDICATO NACIONAL DOS EDITORES DE LIVROS, RJ

S885c

Stone, Douglas, 1958-
    Conversas difíceis / Douglas Stone, Bruce Patton, Sheila Heen ; tradução Bruno Fiuza , Roberta Clapp. - 1. ed. - Rio de Janeiro : Sextante, 2021.
    336 p. ; 23 cm.

    Tradução de : Difficult conversations
    ISBN 978-65-5564-158-5

    1. Comunicação interpessoal. 2. Técnicas de autoajuda. 3. Relações interpessoais. I. Patton, Bruce. II. Heen, Sheila. III. Fiuza, Bruno. IV. Clapp, Roberta. V. Título.

21-70021   CDD: 158.2
                                        CDU: 316.772.4

Meri Gleice Rodrigues de Souza - Bibliotecária - CRB-7/6439

Todos os direitos reservados, no Brasil, por
GMT Editores Ltda.
Rua Voluntários da Pátria, 45 – 14.º andar – Botafogo
22270-000 – Rio de Janeiro – RJ
Tel.: (21) 2538-4100
E-mail: atendimento@sextante.com.br
www.sextante.com.br

*Às nossas famílias, com amor e gratidão,
e ao nosso amigo e mentor Roger Fisher,
por sua visão e seu comprometimento*

Nota dos autores

Toda pesquisa realizada na Universidade Harvard é feita com expectativa de publicação. Nessas publicações, os autores são responsáveis pelos fatos, opiniões, recomendações e conclusões que nelas constam. A publicação de forma alguma implica aprovação ou endosso da universidade, de suas faculdades, do reitor ou de pesquisadores da instituição.

Sumário

Prefácio à edição de dez anos	9
Prefácio	16
Introdução	18

O Problema — 25

    1. Aprenda a reconhecer as Três Conversas — 26

Adotando uma postura de aprendizado — 43

A conversa sobre o que aconteceu — 45

    2. Pare de discutir sobre quem está certo:
Explore as histórias de cada um — 46

    3. Não presuma o que o outro quis dizer:
Faça a distinção entre intenção e impacto — 66

    4. Esqueça a culpa: *Mapeie o sistema de contribuição* — 80

A conversa sobre os sentimentos — 105

    5. Domine os seus sentimentos *(ou eles dominam você)* — 106

A conversa sobre a identidade — 131

6. Consolide a sua identidade: *Pergunte a si mesmo o que está em jogo* — 132

Crie uma conversa-aprendizado — 151

7. Qual é o seu objetivo? *A hora certa de abordar uma questão ou deixá-la de lado* — 152
8. Primeiros passos: *Comece pela Terceira História* — 168
9. Aprender: *Como escutar de dentro para fora* — 184
10. Compartilhar: *Expresse o que você tem a dizer com clareza e força* — 206
11. Buscar soluções: *Conduza a conversa* — 222
12. Juntando todas as pontas — 239

Dez perguntas que as pessoas fazem sobre *Conversas difíceis* — 255

Um guia para *Conversas difíceis* — 317
Notas sobre algumas organizações relevantes — 328
Agradecimentos — 332

Prefácio à edição de dez anos

Quando concluímos *Conversas difíceis*, dez anos atrás, esperávamos que se tornasse um sucesso no meio corporativo e ajudasse pessoas em seus relacionamentos. Felizmente, ambas as expectativas se tornaram realidade.

Recebemos regularmente e-mails contando histórias sobre conversas que transformaram vidas, bem como outros do tipo "Minha esposa me deu este livro e até que não foi muito ruim". Ouvimos histórias a respeito de recuperação de casamentos conturbados e de amizade entre irmãos, de conversas com uma criança sobre terror noturno e com um amigo moribundo sobre morte, amor e as pessoas que ficam. Pais e mães usam o livro para solucionar divergências quanto às estratégias de criação de filhos e para conseguir se comunicar com os adolescentes, ao passo que vizinhos o usam para descobrir o que é ou não é "um som alto demais". Somos extremamente gratos a quem dedicou seu tempo a nos contar sua história.

A recepção no meio corporativo foi fascinante. Nosso pequeno livro sobre conversas tornou-se um guia para enfrentar os piores desafios – seja como partes com interesses divergentes podem tomar decisões difíceis mas inteligentes, seja como dar feedback sobre um desempenho ruim, ou como fazer com que processos fora dos eixos voltem a funcionar e, assim, formar excelentes equipes. De novatos a CEOs, o livro ajudou pessoas a melhorar a comunicação e aumentar a motivação, deixando de lado a hipocrisia e iluminando o caminho para uma cultura de eficiência, abertura e respeito.

O mais surpreendente de tudo foi o alcance de *Conversas difíceis*. Um instrutor de dança usa o livro para ensinar tango argentino. Educadores palestinos criaram programas de comunicação a partir da edição árabe; mediadores israelenses usaram a edição em hebraico na abordagem de conflitos tanto externos quanto internos. Líderes hutus e tutsis do Burundi pós-guerra se uniram para desenvolver um programa de resolução de conflitos para jovens usando a edição francesa. Empresas multinacionais usam o livro para gerenciar os desafios de se trabalhar em meio a diferentes culturas. Traduzido para 25 idiomas (ou mais, a esta altura), ele foi baixado, segundo nos disseram, até mesmo na Estação Espacial Internacional (onde os espaços apertados podem gerar conflitos).

O livro foi usado para treinar operadores de plataformas de petróleo no mar do Norte, negociadores inupiates na encosta norte do Alasca, rica em petróleo, e líderes empresariais da Saudi Aramco. Foi usado no Boston Area Rape Crisis Center (uma unidade de atendimento e apoio a vítimas de estupro e seus familiares e amigos) e na sede e nas filiais de campo da Unaids. Médicos, enfermeiros e administradores de hospitais nos Estados Unidos o usaram para oferecer um atendimento melhor aos pacientes e para tornar seus locais de trabalho mais humanizados. No governo americano, ele é distribuído nas unidades do Departamento de Justiça, do Internal Revenue Service, do Federal Reserve e dos Correios. Um presidente exigiu que 1.600 dos principais funcionários nomeados por ele na Casa Branca o lessem. Faculdades de direito, faculdades de administração e demais instituições de ensino superior o adotam, bem como professores de ensino médio, coaches, terapeutas e sacerdotes.

Como explicar esse fenômeno? Pessoas são pessoas, nada mais.

Temos percepções, pensamentos e sentimentos, e trabalhamos e nos relacionamos com outros seres humanos que têm as próprias percepções, os próprios pensamentos e sentimentos:

- Sua empresa é estável, tem o tamanho certo e funciona em harmonia, mas você não suporta seu chefe.
- Você voa 5 mil quilômetros e dirige duas horas para visitar seu pai viúvo e idoso e as primeiras palavras que saem da boca dele são: "Você está atrasado!"

- Você tem quatro endereços de e-mail, duas contas de correio de voz e trabalha a apenas alguns metros dos seus cinco colegas de trabalho mais próximos, mas nenhum deles achou um jeito de falar com você sobre sua maneira de se comunicar, que eles aparentemente chamam de "estilo contestador".
- Por mais que você se esforce, parece que suas equipes de vendas, de produção e de desenvolvimento de produtos não se enxergam como membros da mesma organização.

Pessoas são pessoas. Isso é verdade hoje, era verdade 10 anos atrás e provavelmente não era muito diferente há 10 mil anos – "Depois de tudo que eu fiz para organizar essa caçada e torná-la um sucesso, é só isso que vai ficar para mim? *Vocês acham isso justo?!*"

Conversas difíceis não desaparecem nunca, assim como não existem cargos em que elas deixem de fazer parte da rotina. Os melhores locais de trabalho e as empresas mais produtivas têm conversas difíceis. A família do outro lado da rua, que todo mundo acha perfeita, tem conversas difíceis. Casais apaixonados e amigos de longa data têm conversas difíceis. Inclusive podemos afirmar com segurança que se envolver em conversas difíceis é sinal de um relacionamento saudável. Relacionamentos que lidam de modo construtivo com o inevitável estresse da vida são mais duradouros; pessoas que estão dispostas e aptas a "atravessar as partes difíceis" desenvolvem forte confiança umas nas outras *e* no relacionamento, porque agora elas têm o histórico de ter lidado com algo complicado e ter visto que o relacionamento sobreviveu.

Portanto, uma explicação para o interesse despertado por este livro é simplesmente o prazer e a felicidade que *as pessoas* sentem ao encontrar um caminho em meio aos dilemas dos relacionamentos, sejam eles domésticos ou profissionais. No entanto, é provável que haja uma necessidade organizacional mais ampla, que responde pelo interesse despertado na comunidade empresarial: a percepção de que o sucesso a longo prazo, e até mesmo a sobrevivência de muitas organizações, depende da capacidade delas de conduzir conversas difíceis de maneira apropriada.

Por quê? Porque saber lidar com conversas difíceis é um pré-requisito para a mudança e para a adaptação organizacional. E porque a competição globalizada, somada ao desenvolvimento tecnológico, fez com que a capacidade de mudar e de se adaptar com velocidade se tornasse uma necessidade para a sobrevivência de qualquer empresa.

Claro, indivíduos no mundo corporativo olham com certa desconfiança quando o assunto é "a próxima grande iniciativa de mudança". Basta alguém falar sobre um novo compromisso com empresas que valorizam o aprendizado, com um gerenciamento de qualidade, uma reengenharia ou qualquer outra novidade que já reviramos os olhos. Consultores aparecem com estudos que mostram o enorme valor potencial daquela abordagem inovadora, um enorme esforço é feito, mas, no fim das contas, a iniciativa chega ao fim e o resultado é apenas uma pequena fração do valor prometido inicialmente.

Em nossa opinião, isso ocorre não porque os estudos estejam errados ou sejam exagerados; o valor *está lá*, sim, para ser alcançado. Tampouco porque os indivíduos envolvidos sejam preguiçosos ou indiferentes. Muitos se dedicam de coração e se esforçam para valer nesses projetos.

Acreditamos que um dos principais motivos pelos quais iniciativas de mudança fracassam com tanta frequência é que a implementação bem-sucedida dessas iniciativas *exige*, em algum momento, que as pessoas tenham conversas difíceis – e elas não estão preparadas para fazer isso da melhor forma. É inevitável que tenham opiniões diferentes sobre prioridades, níveis de investimento, métricas de sucesso e os fatores exatos que representam uma implementação correta.

Quando cada um toma a própria opinião como sendo a correta e presume de imediato que qualquer oposição é calcada em interesses egoístas, o progresso logo se detém. Decisões são proteladas e, quando finalmente são tomadas, costumam ser impostas, sem antes conquistar a adesão daqueles que têm o dever de implementá-las. Relacionamentos azedam. Por fim, as pessoas desistem, frustradas, e aquelas que estavam no comando da iniciativa têm a atenção desviada para novos desafios ou para a *próxima* grande novidade.

A capacidade de empreender conversas difíceis de forma eficaz é fundamental, portanto, para que praticamente qualquer mudança significativa seja alcançada.

Além de dar suporte às principais iniciativas de mudança, essas habilidades são cada vez mais necessárias simplesmente para que os negócios se sustentem como de costume. A pressão incansável da concorrência forçou a maioria das empresas a crescer em escala para alcançar eficiência e conquistar poder de influência. Hoje em dia, muitas companhias têm um alcance global. Ao mesmo tempo, a necessidade de responder rapidamente ao mercado – com agilidade, flexibilidade, adaptação – levou muitas organizações a ser menos hierárquicas e a operar de uma forma que torna mais complexas a tomada de decisões e a capacidade de realização.

Essa é a receita perfeita para mais conflitos – e para mais conversas difíceis.

Reflita: as pessoas na sua empresa lidam com conflitos de maneira direta, rotineiramente e de modo adequado? Ou as trocas de e-mail e as conversas durante o cafezinho estão o tempo todo direcionadas a falar dos motivos pelos quais a empresa é disfuncional, enquanto as conversas importantes são evitadas? Como trabalhamos junto a inúmeras empresas, nos sentimos tentados a afirmar que a única razão pela qual algumas delas sobrevivem é que a concorrência é igualmente ruim em encarar as questões verdadeiramente importantes.

E a pressão para trabalhar com maiores eficácia e eficiência só tende a crescer. As empresas passaram os últimos vinte anos se concentrando no aprimoramento de processos e de tecnologia e no corte de custos, e agora não há muito mais que cortar. Pelos próximos dez (ou cinquenta) anos, ter um desempenho fora da curva vai depender de as pessoas aprenderem a lidar com os conflitos de forma mais eficaz e, inclusive, de se aproveitarem disso para obter vantagem em termos competitivos. Idealmente, conflitos e perspectivas diferentes, se gerenciados de modo adequado e com eficiência, devem se tornar um ativo competitivo – um mecanismo para agilizar a aprendizagem e a inovação.

E este é o lado bom: empresas que acreditam que essas habilidades de comunicação são uma competência essencial a ser cultivada por seus líderes deixarão todos os concorrentes para trás.

...

Nesta edição, optamos por deixar intacto o texto original. No entanto, aproveitamos o que aprendemos com todos que adotaram o livro e com nossas experiências em coaching e consultoria, e adicionamos alguns comentários sobre diversos tópicos essenciais, na forma de respostas às "Dez perguntas que as pessoas fazem sobre *Conversas difíceis*". Esperamos que esse novo material ajude você a aprofundar e ampliar sua compreensão do assunto e sua capacidade de gerenciar conversas potencialmente difíceis, e aguardamos, ansiosos, pelas novas perguntas que ele vai despertar.

Agradecimentos especiais a Rick Kot, editor das celebridades na Penguin, que nos conduziu por esse processo com inteligência, bom humor e delícias da confeitaria. Não houve um pensamento obscuro ou uma palavra fora de lugar em nosso manuscrito que Rick não tenha pegado.

Encerramos este novo prefácio com a história de uma entre as muitas correspondências com leitores que nos tocaram nos últimos anos. Tentamos responder a todas as mensagens que recebemos e, em alguns casos, elas evoluem para uma conversa, como você verá no relato a seguir.*

No início de 2002, Sheila recebeu um e-mail de Ali, que perguntava como lidar com uma situação complicada com o filho de 11 anos. Ali acreditava que o filho estava pegando o dinheiro dele escondido e, quando confrontado, o menino negou. O que fazer? "Compreendi, lendo o seu livro", escreveu ele, "que ficar tentando apontar culpados não é a abordagem correta. Eu concordo, mas há momentos em que pai e filho precisam trabalhar com a verdade."

A princípio, Sheila ficou tentada a responder simplesmente concordando que, sim, às vezes os pais precisam confrontar e/ou disciplinar uma criança, principalmente se ela está roubando e mentindo sobre isso. E ela o fez, mas acrescentou também algumas sugestões: que Ali não deixasse de perguntar ao filho acerca de seus sentimentos e suas percepções e que permanecesse aberto à possibilidade de que ele, Ali, ainda não soubesse da história toda.

Alguns dias depois, Sheila recebeu este e-mail:

---

* Ali nos deu autorização para reproduzir sua história aqui. A correspondência dele foi ligeiramente editada, para fins de concisão.

Olá, Sheila,

Agradeço enormemente o tempo que você dedicou a me dar uma resposta...

Com muita dificuldade, iniciei uma conversa com meu filho e consegui descobrir a causa do que aconteceu. Parece que, depois do terrível ataque do 11 de Setembro, ele passou a sofrer bullying na escola e, para não apanhar, era obrigado a dar dinheiro.

Ele ficou com medo de nos contar, por dois motivos: primeiro, como minha esposa e eu mantivemos contato e amizade normalmente com nossos amigos americanos, meu filho achou que não entenderíamos. Segundo, ele estava apavorado com os agressores e tinha receio de que eles tomassem alguma atitude violenta se ele os denunciasse.

Logo após o 11 de Setembro, nós tentamos explicar a situação e entender como ele se sentia, mas ele sempre se evadia, dizendo que estava tudo bem. Infelizmente, levei as palavras dele a sério e não tentei me aprofundar...

A hesitação inicial da minha parte se deu porque eu sei que ele sempre foi um garoto muito carinhoso, atencioso e honesto, e, mesmo depois de alguns incidentes, não fazia sentido que ele fosse o culpado. Tivemos uma longa conversa e estamos tentando incutir nele a confiança de poder contar com a gente, por mais difícil que seja a situação.

Agradecemos profundamente a sua ajuda.

Tudo de bom para você,

Ali

Obrigado, Ali, por compartilhar essa linda conversa com seu filho. Dedicamos esta segunda edição a você e a todos aqueles que compartilharam sua coragem e suas histórias conosco.

Douglas Stone
Bruce Patton
Sheila Heen

Prefácio

O Projeto de Negociação de Harvard ficou famoso graças a um livro sobre negociação e resolução de conflitos chamado *Como chegar ao sim*, que vendeu milhões de exemplares. Desde sua publicação, em 1981, leitores do mundo todo foram convencidos de que negociadores são mais eficazes quando, em vez de assumir uma postura de confronto, trabalham em conjunto para satisfazer os interesses de ambos os lados.

O "Método Harvard", como às vezes é chamado, insiste na importância da boa comunicação nos dois sentidos. Apesar disso, tanto nas negociações quanto no dia a dia, seja por bons ou maus motivos, geralmente *não conversamos* uns com os outros e *não queremos* conversar. E às vezes, quando *finalmente* conversamos, as coisas só ficam piores. Sentimentos como raiva, culpa e mágoa crescem. Vamos ficando cada vez mais seguros de que estamos certos e o mesmo acontece com aqueles de quem discordamos.

É esse o domínio de *Conversas difíceis*, e é isso que faz dele um livro tão poderoso e urgentemente necessário. Ele explora o que torna as conversas difíceis, por que as evitamos e por que geralmente lidamos mal com elas. Embora a pesquisa tenha surgido, no primeiro momento, do desejo de ajudar negociadores, o assunto tem implicações muito mais profundas. *Conversas difíceis* aborda um aspecto crítico da interação humana. Ele se aplica à forma como lidamos com filhos, pais, senhorios, inquilinos, fornecedores, clientes, banqueiros, corretores, vizinhos, membros da equipe, pacientes, funcionários e colegas de todo tipo.

Neste livro, meus colegas Doug, Bruce e Sheila nos pegam pela mão e nos mostram como tornar qualquer relacionamento muito mais gratificante. Os autores apresentam as posturas da mente e do coração e as habilidades de expressão necessárias para se obter uma comunicação eficaz em meio ao abismo representado pelas diferenças de experiências, crenças e sentimentos, seja nas relações pessoais, nos negócios ou em assuntos internacionais.

São as habilidades necessárias para fazer com que um grave desentendimento dentro de uma empresa, em vez de empecilho à competitividade, se transforme em combustível para a inovação. São as habilidades que todos podemos usar para tornar o casamento mais agradável e duradouro e para tornar as relações entre pais e adolescentes algo muito melhor do que uma zona de guerra. Essas habilidades podem curar as feridas que mantêm muitas pessoas afastadas. Elas oferecem um futuro melhor a todos nós.

Ao voltar para casa, depois de passar muitos anos servindo na Força Aérea do Exército dos Estados Unidos na Segunda Guerra, descobri que meu colega de quarto, dois de meus amigos mais próximos e dezenas de colegas de turma haviam morrido em combate. Desde então, tenho trabalhado para aprimorar as habilidades necessárias para lidar com as diferenças; para melhorar as perspectivas de futuro dos nossos filhos; e para atrair outras pessoas para a causa. Este livro genial e cativante de meus jovens colegas do Projeto de Negociação de Harvard me deixa otimista de que está havendo progresso nessas três frentes.

– Roger Fisher
Cambridge, Massachusetts

Introdução

Pedir um aumento. Terminar um relacionamento. Apresentar uma análise de desempenho negativa. Dizer não a alguém em necessidade. Confrontar comportamentos desrespeitosos ou ofensivos. Discordar da maioria em um grupo. Pedir desculpas.

Seja no trabalho, em casa ou do outro lado da rua, todos os dias há quem tente ou evite ter conversas difíceis.

Uma conversa difícil é qualquer assunto que você ache complicado abordar

Sexualidade, raça, gênero, política e religião vêm rapidamente à mente como assuntos difíceis de discutir, e para muitos eles realmente são. Mas o desconforto e o constrangimento não se restringem aos temas clássicos. Sempre que nos sentimos vulneráveis ou que nossa autoestima está envolvida, quando o que está em jogo é importante e o resultado é incerto, quando nos preocupamos profundamente com o que está sendo discutido ou com as pessoas com quem estamos discutindo, existe um grande potencial de enxergarmos essa conversa como algo difícil.

Todos nós temos conversas que tememos e que achamos desagradáveis, que evitamos ou enfrentamos como se fossem um remédio amargo:

Um dos engenheiros seniores de sua empresa, um velho amigo seu, se tornou um problema. A diretoria escolheu você para demiti-lo.

Você ouviu sua sogra dizendo a um vizinho que seus filhos são mimados e indisciplinados. Diante dos planos de passar o feriado na casa dela, você começa a achar que será impossível passar a semana inteira sem confrontá-la.

O projeto no qual você está trabalhando exigiu o dobro do tempo que havia sido informado ao cliente. Você não tem como não cobrar por esse tempo extra, mas está com medo de dizer isso a ele.

Você quer dizer a seu pai quanto o ama, mas teme que ambos se sintam desconfortáveis.

Você descobriu recentemente que vários colegas negros da polícia acreditam que você é subserviente diante de pessoas brancas. Você está furioso, mas não sabe ao certo se falar sobre isso vai fazer alguma diferença.

E, é claro, existem as coisas do dia a dia, conversas que aparentam ser corriqueiras mas que provocam ansiedade: devolver mercadorias sem nota fiscal, pedir à secretária que tire algumas fotocópias, dizer aos pintores que não fumem dentro da sua casa. São as interações que adiamos quando podemos e que fazemos aos trancos e barrancos quando são inevitáveis. São aquelas que repassamos mentalmente diversas vezes, tentando definir com antecedência o que dizer e depois imaginando o que realmente deveríamos ter dito.

O que torna essas situações tão difíceis de enfrentar? É o medo que temos das consequências – quer levantemos a questão, quer tentemos evitá-la.

O dilema: entre evitar e enfrentar, parece que não há um caminho ideal

Todos nós conhecemos bem esse dilema. Damos voltas e voltas em torno da mesma pergunta: Devo levantar essa questão ou devo guardá-la para mim?

Talvez o cachorro dos vizinhos não esteja deixando você dormir. "Devo falar com eles?", você se pergunta. No início, você decide não falar. "Talvez os latidos parem. Talvez eu me acostume." Mas o cachorro volta a latir e você decide que no dia seguinte vai falar com os vizinhos de uma vez por todas.

Mas agora você perde o sono por outro motivo. A ideia de brigar com os vizinhos por causa do cachorro o deixa nervoso. Você quer que os vizinhos gostem de você; talvez você esteja exagerando. Então volta a achar que é melhor não falar nada e fica mais tranquilo. Mas assim que você pega no sono o maldito cachorro volta a latir e seu ciclo de indecisão recomeça.

Parece não haver nenhuma alternativa que lhe permita dormir.

Por que é tão difícil decidir entre evitar e enfrentar? Porque, em algum nível, sabemos a verdade: se tentarmos evitar o problema, vamos nos sentir lesados, nossos sentimentos vão nos provocar uma úlcera, vamos nos questionar por que não lutamos pelo que queremos e vamos tirar do outro a oportunidade de resolver a questão. Por outro lado, se enfrentarmos o problema, as coisas podem piorar. Podemos ser rejeitados ou atacados, podemos magoar o outro de uma forma que não pretendíamos e o relacionamento pode ser prejudicado.

Não existe granada diplomática

No desespero de escapar desse dilema, começamos a imaginar se não existe uma forma de sermos tão cuidadosos e tão irresistivelmente agradáveis que no fim tudo acabe bem.

Ter cuidado é bom, mas não é a solução para conversas difíceis. Isso não vai tornar as conversas com seu pai mais íntimas nem dissipar a raiva que seu cliente vai sentir pelo aumento dos custos. Tampouco existe um jeito diplomático e simples de demitir seu amigo, de contar à sua sogra que ela te irrita ou de confrontar os preconceitos tão dolorosos de seus colegas de trabalho.

Transmitir uma mensagem difícil é como jogar uma granada. Não importa se foi pintada de ouro ou se foi atirada com ou sem força, uma granada sempre provoca danos. Por mais que você tente, não há como lançar uma granada com cuidado nem como evitar as consequências. E guardá-la para si não é a melhor escolha. Optar por não transmitir uma mensagem difícil é como ficar segurando a granada depois de puxar o pino.

Então ficamos empacados. Precisamos de conselhos mais potentes do que "Seja diplomático" ou "Procure manter a positividade". Os problemas são mais complexos do que isso; portanto, as respostas também precisam ser.

Este livro pode ajudar

Há esperança. Trabalhando no Projeto de Negociação de Harvard, com milhares de pessoas, diante de todos os tipos de conversa difícil, descobrimos uma forma de tornar essas conversas menos estressantes e mais produtivas. Uma forma de lidar com problemas difíceis de maneira criativa sem deixar de tratar as pessoas com decência e integridade. Uma abordagem proveitosa para a *sua* paz de espírito, independentemente da postura alheia.

Vamos ajudá-lo a escapar completamente do impasse da granada fazendo-o escapar da dinâmica de entrega (e recepção) de mensagens. Vamos mostrar como transformar a prejudicial troca de mensagens hostis numa abordagem mais construtiva, que chamamos de *conversa-aprendizado*.

O esforço compensa

Evidentemente, mudar a forma como você lida com conversas difíceis exige esforço. Da mesma forma que melhorar no golfe, se adaptar a dirigir em mão inglesa ou aprender um novo idioma, a mudança pode parecer estranha no começo. E pode parecer uma ameaça: sair da zona de conforto não costuma ser fácil e jamais está isento de riscos. Fazer isso requer uma autocrítica severa e, às vezes, também requer mudanças e crescimento. Porém, melhor a dor dos músculos que estão se desenvolvendo depois de um exercício novo do que a ardência das feridas de uma batalha desnecessária.

E as potenciais recompensas são excelentes. Se você seguir as etapas apresentadas neste livro, verá as conversas difíceis se tornarem cada vez mais fáceis e provocarem cada vez menos ansiedade. Você será mais eficaz e ficará mais feliz com os resultados. E, à medida que sua ansiedade diminuir e sua satisfação aumentar, vai perceber que está optando com mais frequência por ter conversas que já deveria ter tido há muito tempo.

Aliás, as pessoas com quem trabalhamos que aprenderam novas abordagens para lidar com as conversas mais desafiadoras relataram ter menos ansiedade e maior eficácia em *todo* tipo de conversa. Elas dizem ter menos receio do que os outros poderão dizer. Percebem ter mais liberdade de ação em situações difíceis, mais autoconfiança e um forte senso de integridade e de respeito próprio. Também aprendem que, na maioria das vezes, lidar com assuntos difíceis e situações constrangedoras de maneira construtiva fortalece um relacionamento. Essa é uma oportunidade boa demais para ser desperdiçada.

Não acredita? Eis algumas reflexões

Se você estiver cético, tudo bem. Pode ser que esteja lutando contra esses problemas há semanas, meses ou anos. São problemas complexos, e não é fácil lidar com as pessoas envolvidas. Como um livro pode fazer alguma diferença?

Há *limites* para quanto você pode aprender sobre as interações humanas em um livro. Não sabemos os detalhes de sua situação, o que está em jogo para você nem quais são suas fraquezas e seus pontos fortes. Mas descobrimos que, independentemente do contexto, os aspectos que tornam difíceis as conversas e as falhas de raciocínio e de atitude que compõem essas dificuldades são sempre os mesmos. Todos nós compartilhamos os mesmos medos e caímos nas mesmas poucas armadilhas. Não importa o quê nem quem você esteja enfrentando, alguma coisa neste livro poderá ajudá-lo.

É verdade que algumas situações dificilmente vão melhorar, não importa até que ponto a sua habilidade aumente. As pessoas envolvidas podem estar tão perturbadas emocionalmente, os riscos podem ser tão altos ou o conflito tão intenso que é improvável que um livro – ou mesmo uma intervenção profissional – ajude. No entanto, para cada caso verdadeiramente sem esperança existem milhares que assim parecem mas não o são. As pessoas nos procuram dizendo: "Eu queria alguns conselhos, mas é importante avisar que a situação parece incontornável." Essas pessoas estão enganadas. Juntos, somos capazes de encontrar uma ampla estrada para a mudança que acaba por ter um impacto positivo *significativo* na conversa.

É claro que você pode não estar pronto ou apto para se envolver inteiramente em uma situação ou um relacionamento difícil. Pode estar sofrendo, curando suas feridas ou apenas precisando de um tempo. Pode estar perdido de tanta raiva ou confuso sobre o que deseja. Mas, mesmo que ainda não esteja pronto para começar uma conversa, este livro pode ajudá-lo a fazer as pazes com seus sentimentos e orientá-lo na busca por um lugar mais saudável.

Precisamos procurar em novos lugares

O que podemos sugerir que você ainda não tenha pensado? Provavelmente muita coisa. Porque a pergunta não é se você está procurando com afinco a "resposta" para conversas difíceis, mas sim se está procurando nos lugares certos. No fundo, o problema não está nas suas atitudes, mas no seu raciocínio. Se você se concentrar apenas no que deve ser *feito* de outra forma nas conversas difíceis, jamais conseguirá descobrir novos caminhos.

Este livro oferece muitos conselhos sobre como conduzir uma conversa difícil. Mas primeiro, e mais importante, ele vai ajudá-lo a compreender melhor o que você tem diante de si e por que faz sentido passar de uma "postura de entrega de mensagens" a uma "postura de aprendizado". Só então você será capaz de entender e implementar as etapas de uma conversa-aprendizado.

Conversas difíceis fazem parte da vida

Por mais que você se aprimore, conversas difíceis serão sempre um desafio. Os autores aprenderam isso por experiência própria. Nós sabemos como é sentir um medo profundo de magoar alguém ou a si mesmo. Sabemos o que significa ser consumido pela culpa por causa da forma como nossas ações afetam os outros ou da forma como nos decepcionamos. Sabemos que, mesmo com a melhor das intenções, os relacionamentos humanos podem se tornar conflituosos ou se deteriorar e, honestamente, sabemos também que nem sempre temos a melhor das intenções. Sabemos como o coração e a alma são frágeis.

Portanto, é melhor que seus objetivos sejam realistas. Eliminar o medo e a ansiedade é uma meta irreal. *Reduzir* o medo e a ansiedade e aprender a lidar com o restante é mais viável. Alcançar resultados perfeitos sem correr riscos não é uma opção. Obter resultados *melhores* quando existe uma probabilidade razoável talvez seja.

E isso, para a maioria de nós, já é mais que bom. Porque, se por um lado somos frágeis, por outro somos notavelmente perseverantes.

O problema

1

Aprenda a reconhecer as Três Conversas

Jack está prestes a ter uma conversa difícil.

Ele explica: "Um dia, no fim da tarde, recebi uma ligação de Michael, um amigo e cliente ocasional. 'Estou em uma situação difícil', ele me disse. 'Preciso de um folheto sobre investimentos diagramado e impresso até amanhã à tarde.' Ele disse que o designer que costumava fazer aquilo para ele não estava disponível e que ele estava sob enorme pressão.

"Eu estava no meio de outro projeto, mas Michael era meu amigo, então deixei tudo de lado e trabalhei até tarde da noite no folheto dele.

"Na manhã seguinte, Michael aprovou o layout e autorizou a impressão. Ao meio-dia, o material estava pronto na mesa dele. Eu estava exausto, mas contente por ter conseguido ajudá-lo.

"Depois disso, voltei para o escritório e encontrei uma mensagem de Michael na secretária eletrônica:

Jack, você fez uma grande cagada! Olha, eu sei que o prazo foi curto nesse trabalho, mas... [suspiro] o gráfico sobre os lucros não está claro o suficiente e ficou um pouco desalinhado. Está um desastre. Esse é um cliente importante. Espero que você corrija isso imediatamente. Me liga assim que chegar.

"Bem, você pode imaginar como me senti em relação a *essa* mensagem. O gráfico estava desalinhado, mas era uma diferença microscópica. Liguei para Michael na mesma hora."

A conversa dos dois foi mais ou menos assim:

Jack: Oi, Michael, eu ouvi sua mensagem…
Michael: Sim. Olha, Jack, isso precisa ser refeito.
Jack: Tá, mas espera um pouco. Eu concordo que não está perfeito, mas o texto do gráfico está claro. Ninguém vai entender nada errado…
Michael: Fala sério, Jack. Você sabe tão bem quanto eu que não dá pra mandar isso desse jeito.
Jack: Bem, eu acho que…
Michael: Não tem nada que discutir aqui. Olha, todo mundo erra. Só conserta isso e bola pra frente.
Jack: Por que você não falou nada quando viu o layout hoje cedo?
Michael: Não sou eu quem deveria revisar isso. Jack, estou sofrendo uma pressão enorme pra que isso fique pronto e do *jeito certo*. Ou você veste a camisa ou não veste. Eu preciso de um sim ou de um não. Você vai refazer?
Jack: [pausa] Tá bom, tá bom. Eu refaço.

Essa interação tem todos os elementos de uma conversa difícil que está saindo dos trilhos. Meses depois, Jack ainda se sente mal por causa dessa conversa e seu relacionamento com Michael continua tenso. Ele se pergunta o que poderia ter feito diferente e o que deveria fazer em relação a isso agora.

Mas, antes de chegarmos lá, vejamos o que a conversa de Jack e Michael pode nos ensinar sobre a dinâmica das conversas difíceis.

Decodificando a estrutura das conversas difíceis

Surpreendentemente, apesar de as variações parecerem infinitas, todas as conversas difíceis têm a mesma estrutura. Quando você está tomado pelos detalhes e pela ansiedade de uma conversa difícil, é difícil enxergar essa estrutura. Mas entendê-la é fundamental para aprimorar a forma como você lida com suas conversas mais desafiadoras.

Uma conversa não é apenas o que chega aos seus ouvidos

Na conversa de Jack e Michael, as palavras revelam apenas a superfície do que está acontecendo de verdade. Para divisar a estrutura de uma conversa difícil, precisamos entender não apenas o que é dito, mas também o que *não* é dito. Precisamos entender o que as pessoas envolvidas estão pensando e sentindo mas não dizem uma para a outra. Em uma conversa difícil, é geralmente aí que reside a ação de verdade.

Veja o que Jack está pensando e sentindo durante a conversa mas não fala:

O que Jack pensou e sentiu mas não falou	O que Jack e Michael falaram
Como ele é capaz de me deixar uma mensagem dessas?! Depois de eu largar tudo, cancelar um jantar com minha esposa e passar a noite em claro, é isso que eu recebo em agradecimento?!	JACK: Oi, Michael, eu vi sua mensagem... MICHAEL: Sim. Olha, Jack, isso precisa ser refeito.
Uma reação totalmente exagerada. Nem mesmo um especialista seria capaz de dizer que o gráfico está desalinhado. Ao mesmo tempo, estou irritado comigo mesmo por cometer um erro tão besta.	JACK: Tá, mas espera um pouco. Eu concordo que não está perfeito, mas o texto do gráfico está claro. Ninguém vai entender nada errado...
Michael intimida os colegas para conseguir o que quer. Mas ele não deveria fazer isso comigo. Nós somos amigos! Quero me defender, mas não quero transformar isso numa briga. Não posso me dar ao luxo de perder Michael como cliente nem como amigo. Estou num impasse.	MICHAEL: Fala sério, Jack. Você sabe tão bem quanto eu que não dá pra mandar isso desse jeito. JACK: Bem, eu acho que... MICHAEL: Não tem nada que discutir aqui. Olha, todo mundo erra. Só conserta isso e bola pra frente.
Todo mundo erra?! A culpa disso não é minha. Você aprovou, lembra?	JACK: Por que você não falou nada quando viu o layout hoje cedo?
É isso que você acha que eu sou? Um revisor?	MICHAEL: Não sou eu quem deveria revisar isso. Jack, eu estou sofrendo uma pressão enorme pra que isso fique pronto e do *jeito certo*. Ou você veste a camisa ou não veste. Eu preciso de um sim ou de um não. Você vai refazer?
Estou de saco cheio de tudo isso. Eu sou maior do que qualquer que seja a mesquinharia que provoca essa postura dele. A melhor saída é ser generoso e refazer.	JACK: [pausa] Tá bom, tá bom. Eu refaço.

Enquanto isso, há muita coisa que Michael está pensando e sentindo mas não está dizendo. Michael está se perguntando, acima de tudo, se deveria ter contratado Jack. Ele não tinha ficado muito satisfeito com o trabalho de Jack em outras ocasiões, mas decidiu correr esse risco perante os sócios para dar outra chance ao amigo. Michael agora está frustrado com Jack e desconfiado de que encomendar o trabalho a ele não foi uma boa decisão – tanto pelo aspecto pessoal quanto pelo profissional.

O primeiro insight, então, é fácil: há muita coisa acontecendo entre Jack e Michael que não está sendo dita.

Isso é muito comum. Na verdade, a diferença entre o que você realmente está pensando e o que está dizendo é parte do que torna difícil uma conversa. Você se distrai com tudo que está acontecendo dentro da sua cabeça. Você não sabe ao certo o que deve falar e o que é melhor calar. A única coisa que sabe é que dizer o que está pensando provavelmente *não* vai tornar a conversa mais fácil.

Cada conversa difícil é, na verdade, três

Ao estudar centenas de conversas de todos os tipos, descobrimos que existe uma estrutura subjacente, e a compreensão dessa estrutura, por si só, é um poderoso primeiro passo para melhorar a maneira como lidamos com essas conversas. Ocorre que, independentemente do assunto, nossos pensamentos e sentimentos se enquadram nas mesmas três categorias ou *conversas*. E, em cada uma delas, cometemos erros previsíveis que distorcem nossos pensamentos e sentimentos e nos colocam em apuros.

Todas as coisas problemáticas que Michael e Jack dizem, pensam e sentem se encaixam em uma dessas três "conversas". O mesmo vale para as suas conversas difíceis.

1. A conversa sobre o que aconteceu. A maioria das conversas difíceis gira em torno de divergências sobre o que aconteceu e o que deveria ter acontecido. Quem disse o quê e quem fez o quê? Quem está certo, quem quis dizer o quê e quem é o culpado? Jack e Michael discutem essas questões em voz alta e em suas cabeças. O gráfico precisa *mesmo* ser refeito?

Será que Michael está tentando intimidar Jack? Quem *deveria* ter percebido o erro?

2. A conversa sobre os sentimentos. Toda conversa difícil também provoca e responde a perguntas sobre sentimentos. O que eu sinto é legítimo? É apropriado? Devo abraçar ou negar esses sentimentos, colocá-los sobre a mesa ou deixá-los fora da sala? O que fazer quanto aos sentimentos do outro? E se ele estiver com raiva ou magoado? Os pensamentos de Jack e Michael estão repletos de sentimentos. Por exemplo, "É isso que eu recebo em agradecimento?!" sinaliza mágoa e raiva, e "Estou sofrendo uma pressão enorme" revela ansiedade. Esses sentimentos não são abordados diretamente na conversa, mas mesmo assim escapam.

3. A conversa sobre a identidade. Essa é a conversa que cada um de nós tem sobre o impacto da situação em nós. Conduzimos um debate interior para saber se ela significa que somos uma pessoa competente ou incompetente, boa ou má, digna de amor ou detestável. Que impacto isso pode ter sobre a nossa autoimagem e a nossa autoestima, o nosso futuro e o nosso bem-estar? Nossas respostas a essas perguntas determinam em grande parte se nos achamos "equilibrados" durante a conversa ou se nos achamos descompensados e ansiosos. Na conversa de Jack e Michael, Jack está lutando contra a sensação de ter sido incompetente, o que faz com que se sinta um pouco desequilibrado. E Michael está se questionando se não foi tolo ao contratar Jack.

Toda conversa difícil implica lidar com essas Três Conversas; portanto, um engajamento de sucesso exige aprender a operar efetivamente em cada uma dessas três esferas. Gerenciar as três ao mesmo tempo pode parecer difícil, mas é mais fácil do que enfrentar as consequências de se envolver em conversas difíceis às cegas.

O que podemos e o que não podemos mudar

Por mais que você se aprimore nisso, existem determinados desafios em cada uma das Três Conversas que não há como modificar. Até hoje nos deparamos com situações em que desvendar "o que aconteceu" é mais complicado do que imaginávamos. Cada um terá informações que a outra pessoa desconhece, e aumentar a conscientização em relação ao outro não é nada fácil. Até hoje encaramos situações muito carregadas de emoção que nos parecem ameaçadoras, porque colocam em risco aspectos importantes da nossa identidade.

O que *podemos* mudar é como respondemos a cada um desses desafios. Normalmente, em vez de explorar as informações que a outra pessoa pode ter que nós não temos, presumimos que já sabemos tudo que é necessário para entender e explicar as coisas. Em vez de nos dedicarmos a administrar nossos sentimentos de forma construtiva, tentamos escondê-los ou botá-los para fora de maneiras que, depois, nos deixam arrependidos. Em vez de explorar os problemas de identidade que podem estar em jogo para nós (ou para o outro), seguimos em frente com a conversa, como se ela não dissesse nada sobre quem somos – e jamais fazemos as pazes com o que está no cerne da nossa ansiedade.

Compreender esses erros e o caos que eles provocam nos permite criar abordagens melhores. Vamos explorar cada uma das conversas mais a fundo.

A conversa sobre o que aconteceu: qual é a história, afinal?

A conversa sobre o que aconteceu é aquela que consome a maior parte do tempo das conversas difíceis, quando ficamos debatendo sobre as diferentes versões de quem está certo, quem quis dizer o quê e quem é o culpado. Em cada uma dessas três frentes – verdade, intenção e culpa –, é comum fazermos suposições que não nos levam a lugar algum. Esclarecer cada uma dessas suposições é essencial para melhorar nossa capacidade de lidar bem com conversas difíceis.

A suposição da verdade

Ao defendermos veementemente nosso ponto de vista, muitas vezes acabamos por não questionar uma suposição que embasa toda a nossa conversa:

eu estou certo, você está errado. Essa simples suposição provoca um sofrimento sem fim.

Sobre o que estou certo? Estou certo de que você dirige rápido demais. Estou certo de que você é incapaz de orientar seus colegas mais novos. Estou certo de que seus comentários no Natal foram inadequados. Estou certo de que o paciente deveria ter recebido uma dose maior da medicação após uma cirurgia tão invasiva. Estou certo de que o empreiteiro jogou o preço para cima. Estou certo de que mereço um aumento. Estou certo de que o folheto está bom do jeito que está. A quantidade de coisas sobre as quais estou certo daria para encher um livro.

Só tem um probleminha: eu não estou certo.

Como pode? Parece impossível. É claro que pelo menos *algumas vezes* eu devo estar certo!

Pois não está. A questão é: conversas difíceis raramente vão chegar a um consenso sobre os fatos. Elas envolvem conflitos de percepção, de interpretação e de valores. Elas não tratam do que estabelece um contrato, mas do que um contrato *significa*. Elas não tratam de qual livro de educação infantil é mais popular, mas de qual livro de educação infantil *nós* devemos adotar.

Elas não tratam do que é verdade, mas do que é importante.

Voltemos à conversa de Jack e Michael. A divergência não é sobre a precisão do gráfico. Ambos concordam que há um defeito. A divergência é sobre se vale a pena se preocupar com o erro e, em caso afirmativo, como resolver isso. Não é uma questão de certo ou errado, mas de interpretação e julgamento. É importante explorar essas interpretações e esses julgamentos. Por outro lado, a luta para definir quem está certo e quem está errado é um beco sem saída.

Na conversa sobre o que aconteceu, quando nos distanciamos da suposição da verdade, nos libertamos da tarefa de ter que provar que estamos certos e, assim, temos a oportunidade de entender as percepções, as interpretações e os valores de cada um dos lados. Isso nos permite parar de transmitir mensagens e começar a fazer perguntas, explorando a forma como cada pessoa dá sentido ao mundo. E, desse modo, oferecer nossos pontos de vista como percepções, interpretações e valores – não como "a verdade".

A invenção da intenção

O segundo argumento da conversa sobre o que aconteceu trata das intenções – as suas e as minhas. Você gritou comigo para me magoar ou só para enfatizar seu ponto de vista? Você jogou fora meus cigarros porque está tentando me controlar ou porque quer me ajudar no meu compromisso de parar de fumar? O que eu penso sobre as suas intenções afeta o que penso sobre você e, em última instância, como nossa conversa se desenrola.

O erro que cometemos no campo das intenções é simples, mas profundo: presumimos saber quais são as intenções alheias, quando, na verdade, não sabemos. Pior ainda, quando não estamos certos quanto às intenções de alguém, é grande a frequência com que concluímos que elas são más.

A verdade é que intenções são invisíveis. Podemos apenas supô-las a partir das atitudes dos outros. Em outras palavras, a gente as imagina, inventa. Mas nossas histórias inventadas sobre as intenções alheias são muito menos precisas do que costumamos achar. Por quê? Porque as intenções das pessoas, assim como a maioria dos aspectos das conversas difíceis, são complexas. Às vezes as pessoas agem com intenções contraditórias. Às vezes agem sem intenção alguma ou, pelo menos, sem nenhuma que tenha relação conosco. E, às vezes, elas agem com boas intenções que nos magoam do mesmo jeito.

Como nossa visão das intenções do outro (e a visão dele das nossas) cumpre um papel fundamental nas conversas difíceis, chegar a suposições infundadas pode ser desastroso.

O foco na culpa

O terceiro erro que cometemos na conversa sobre o que aconteceu tem a ver com a culpa. A maioria das conversas difíceis concentra uma atenção significativa em quem é o culpado por aquela confusão. Quando uma empresa perde seu maior cliente, por exemplo, sabemos que logo, logo haverá uma busca desenfreada por culpados. Não importa onde essa busca vai dar, desde que a culpa não recaia sobre nós. Com os relacionamentos pessoais não é diferente. Seu relacionamento com sua madrasta é tenso? A culpa é dela. Ela tem que parar de encher sua paciência por causa da bagunça no seu quarto e dos colegas com quem você anda.

No conflito entre Jack e Michael, Jack acredita que o problema é culpa de Michael: o momento de comunicar sua hipersensibilidade à formatação seria antes da impressão do folheto, não depois. E, claro, Michael acredita que o problema é culpa de Jack: foi Jack quem fez o layout, logo, os erros são de sua responsabilidade.

No entanto, falar sobre culpa é um pouco parecido com falar sobre a verdade: provoca divergências, negação e pouco aprendizado. Traz à tona o medo da punição e insiste em achar uma resposta do tipo "ou isso ou aquilo". Ninguém quer ser responsabilizado, muito menos injustamente, por isso concentramos nossas energias em nos defender.

Os pais de crianças pequenas sabem disso muito bem. Quando as gêmeas estão brigando no banco de trás do carro, sabemos que tentar achar uma culpada sempre vai provocar reações: "Mas ela me bateu primeiro!", ou "Eu bati nela porque ela me chamou de 'bebê'". Cada uma nega a culpa não só para não ficar sem sobremesa, mas também por um senso de justiça. Nenhuma das duas acha que o problema é exclusivamente culpa dela, porque de fato não é.

Olhando do banco da frente, é fácil ver como cada criança contribuiu para a briga. No entanto, ver como contribuímos para os problemas nos quais estamos envolvidos é muito mais difícil. Em situações que dão origem a conversas difíceis, quase sempre é verdade que o que aconteceu é resultado de coisas que *as duas* pessoas fizeram – ou deixaram de fazer. E raramente é relevante ou adequado aplicar uma punição. Quando pessoas competentes e sensatas fazem algo estúpido, a atitude mais inteligente é tentar descobrir, primeiro, o que as impediu de prever aquele desfecho e, segundo, como evitar que aquilo aconteça novamente.

Ficar falando sobre culpa é uma distração que nos impede de explorar o motivo pelo qual as coisas deram errado e a forma como podemos evitar aquilo no futuro. Em vez disso, se nos dedicarmos a compreender o sistema de contribuição, podemos aprender sobre as causas reais do problema e trabalhar para corrigi-las. A distinção entre culpa e contribuição pode parecer sutil, mas é muito válido compreendê-la, porque fará uma diferença significativa na forma como lidamos com conversas difíceis.

A conversa sobre os sentimentos: o que fazer com as nossas emoções?

Conversas difíceis não tratam apenas de fatos; elas também envolvem sentimentos. A questão não é se essas conversas vão despertar emoções fortes, mas como lidar com elas quando isso acontecer. Será que você deve dizer ao seu chefe como *realmente* se sente em relação ao estilo de gerenciamento dele ou ao colega que roubou uma ideia sua? Você deve falar para sua irmã que está magoada por ela ter continuado amiga do seu ex? E o que fazer com a raiva que muito provavelmente você vai sentir se decidir conversar com o vendedor que fez comentários machistas?

Quando há emoções fortes em jogo, a maioria de nós precisa se esforçar muito para se manter racional. Mergulhar fundo demais nos sentimentos é confuso, obscurece o bom senso e, em algumas circunstâncias – por exemplo, no trabalho –, pode parecer inadequado. Manifestar sentimentos também pode ser assustador ou desconfortável e fazer com que nos sintamos expostos. Afinal de contas, e se a outra pessoa não levá-los em consideração ou reagir sem compreendê-los de fato? E se ela recebê-los como uma ofensa ou como algo que estrague de vez o relacionamento? E, depois que tiramos os nossos sentimentos do peito, é a vez da outra pessoa. Estamos dispostos a ouvir tudo sobre a raiva e a dor que ela sente?

A mensagem que essa linha de raciocínio passa é que devemos evitar por completo a conversa sobre os sentimentos – que é melhor Jack não compartilhar sua raiva e sua mágoa e que Michael não deve falar sobre sua decepção. Melhor se ater às perguntas sobre o folheto. Melhor se ater aos "negócios".

Mas será mesmo?

Uma ópera sem música

O problema dessa linha de raciocínio é que ela não leva em conta um fato simples: conversas difíceis não apenas *incluem* sentimentos, elas essencialmente *são* sobre sentimentos. Sentimentos não são um subproduto barulhento do envolvimento em uma conversa difícil, eles são parte integrante do conflito. Ter uma conversa difícil sem falar sobre sentimentos é como encenar uma ópera sem música. Você pode até acompanhar a trama, mas não vai entender a mensagem. Na conversa de Jack e Michael, por exemplo, Jack nunca diz com todas as letras que se sente maltratado ou subestimado, mas, meses depois, ele ainda seria capaz de reviver a raiva e o ressentimento que sente em relação a Michael.

Pense em algumas das suas próprias conversas difíceis. Que sentimentos estão envolvidos? Mágoa ou raiva? Decepção, vergonha, desorientação? Você se sente tratado de forma injusta ou desrespeitosa? Para alguns de nós, dizer um simples "Eu te amo" ou um "Estou orgulhoso de você" pode parecer arriscado.

A curto prazo, dar início a uma conversa difícil sem falar sobre sentimentos pode poupar tempo e reduzir a ansiedade. Também pode parecer uma forma de evitar determinados riscos mais graves – para você, para os outros e para o relacionamento. Mas fica a pergunta: se os sentimentos são a questão, qual será o ganho se eles não forem abordados?

Compreender, administrar e falar sobre sentimentos estão entre os maiores desafios que o ser humano enfrenta. Não há nada que facilite ou elimine os riscos de se lidar com sentimentos. A maioria de nós, no entanto, tem como aprimorar o papel que desempenha na conversa sobre sentimentos. Pode não parecer, mas falar sobre sentimentos é uma habilidade que pode ser aprendida.

Debater sentimentos nem sempre faz sentido, é claro. Às vezes é melhor jogar uma pá de cal sobre o assunto. Infelizmente, a falta de habilidade em falar sobre sentimentos pode fazer com que você evite não apenas os assuntos que já morreram, mas todos os assuntos – até mesmo aqueles que ainda estão *vivos*.

A conversa sobre a identidade: o que isso diz sobre mim?

De todas as três, a conversa sobre a identidade pode ser a mais sutil e a mais desafiadora. Mas ela é de grande ajuda no nosso esforço de administrar a ansiedade e melhorar nossa habilidade nas outras duas conversas.

A conversa sobre a identidade olha para dentro: ela diz respeito a quem somos e a como nos vemos. De que modo o que aconteceu afeta minha autoestima, minha autoimagem, minha ideia de quem sou no mundo? Que impacto isso terá no meu futuro? Em quais aspectos eu duvido de mim mesmo? Em outras palavras, antes, durante e depois da conversa difícil, a conversa sobre a identidade trata do que eu digo a mim mesmo *sobre mim*.

Você pode pensar: "Eu só quero pedir um aumento para a minha chefe. Que importância tem para isso minha ideia de quem eu sou no mundo?" Ou Jack pode estar pensando: "Essa discussão tem a ver com o folheto, não comigo." Na verdade, sempre que uma conversa parece difícil, em parte é justamente porque ela trata de Você, com V maiúsculo. Algo além da aparência da conversa está em jogo para você.

Pode ser algo simples. O que ela diz sobre você quando você fala com os vizinhos sobre o cachorro deles? Pode ser que, por ter crescido em uma cidade pequena, você tenha criado uma forte autoimagem de pessoa amigável, gente boa, por isso se sente desconfortável com a hipótese de seus vizinhos o enxergarem como um cara agressivo ou uma encrenqueira.

Pedir um aumento? E se recusarem? Pior, e se a sua chefe lhe der razões muito boas para recusar? O que isso vai causar na sua autoimagem de funcionário competente e respeitado? Aparentemente, o que está em pauta é dinheiro, mas o que está lhe tirando o sono é que a sua autoimagem está em risco.

Mesmo quando é você quem está dando más notícias, a conversa sobre a identidade está em jogo. Imagine, por exemplo, que você tenha que recusar uma atraente proposta de um novo projeto do departamento de criação. A perspectiva de contar isso às pessoas envolvidas lhe causa ansiedade, mesmo que você não seja responsável pela decisão. Em parte, isso se dá porque você tem medo de como a conversa vai fazê-lo se sentir: "Eu não sou o tipo de pessoa que decepciona os outros e faz com que o entusiasmo de todo mundo escoe pelo ralo. Eu sou o tipo de pessoa respeitada por *encontrar* formas de fazer coisas, não por fechar portas." Sua autoimagem como pessoa que ajuda os outros a concretizar projetos entra em choque com a perspectiva de você dizer "não". Se você não for mais o herói, será que as pessoas vão passar a enxergá-lo como o vilão?

Mantendo o equilíbrio

Ao sentir as implicações da conversa para sua autoimagem, pode ser que você comece a perder o equilíbrio. O jovem e ambicioso chefe do departamento de criação, que lhe lembra muito você mesmo naquela idade, parece incrédulo, como se tivesse sido traído. De repente você se sente confuso, sua ansiedade dispara. E se fizer sentido abandonar aquela ideia assim tão cedo?, você se pergunta. Sem perceber, você balbucia algo sobre a possibilidade de repensarem a recusa, ainda que não tenha absolutamente nenhuma razão para acreditar que isso seja provável.

Em sua forma mais branda, perder o equilíbrio pode provocar perda de confiança em nós mesmos, perda de concentração ou nos levar a esquecer o que íamos dizer. Em casos mais extremos, pode parecer um terremoto. Podemos ficar paralisados, tomados de pânico, acometidos pelo desejo de fuga ou até com dificuldade de respirar.

O mero fato de saber que a conversa sobre a identidade é um componente das conversas difíceis pode ajudar. E, como nas outras duas conversas, você pode ir muito além de simplesmente estar ciente. Embora perder o equilíbrio às vezes seja inevitável, a conversa sobre a identidade não precisa causar tanta ansiedade quanto costuma causar. Da mesma forma que na conversa sobre os sentimentos, lidar com a conversa sobre a identidade fica mais fácil conforme desenvolvemos determinadas habilidades. Desse modo, sempre que você se vir diante da conversa sobre a identidade, poderá transformar o que costuma ser uma fonte de ansiedade em uma fonte de força.

O caminho rumo à conversa-aprendizado

Apesar de nem sempre admitirmos, nosso objetivo inicial em uma conversa difícil é provar que estamos certos, marcar uma posição ou convencer o outro a fazer o que queremos. Em suma, nosso objetivo é transmitir uma mensagem.

Depois de compreender os desafios inerentes às Três Conversas e os erros que cometemos em cada uma delas, é provável que você note que as suas intenções ao propor determinada conversa começam a mudar. Você passa a levar em conta a complexidade das percepções e das intenções envolvidas, o fato de que o problema não foi provocado só por uma pessoa, o papel central que os sentimentos desempenham e o impacto dos problemas sobre a autoestima e a identidade de cada um dos envolvidos. E percebe que a postura de transmissor de mensagens não faz mais sentido. Pode ser, inclusive, que você perceba que aquela mensagem a ser transmitida não existe mais, restando apenas algumas informações a serem compartilhadas e perguntas a serem feitas.

Em vez de tentar convencer os outros a fazer as coisas do seu jeito, você vai passar a buscar compreender o que aconteceu do ponto de vista alheio, explicar o seu ponto de vista, expor e entender sentimentos e trabalhar em conjunto para descobrir uma forma de administrar aquele problema dali para a frente. Ao fazer isso, você aumenta a probabilidade de a outra pessoa estar aberta a ser convencida e de você aprender algo que mude significativamente sua forma de enxergar o problema.

Mudar nossa postura significa convidar a outra pessoa a conversar conosco para nos ajudar a buscar uma solução em conjunto. Se queremos atingir nossos objetivos, temos muito que aprender com os outros e os outros têm muito a aprender conosco. É preciso ter uma conversa-aprendizado.

As diferenças entre uma batalha típica de mensagens e uma conversa de aprendizado estão resumidas no gráfico a seguir.

	Numa batalha de mensagens	Numa conversa-aprendizado
A conversa sobre o que aconteceu Desafio: A situação é mais complexa do que os dois lados enxergam.	Suposição: Eu já sei tudo que preciso saber para entender o que aconteceu. Objetivo: Convencer o outro lado de que eu estou certo.	Suposição: Cada um está contribuindo com diferentes informações e percepções para o debate; é provável que haja coisas importantes que nem todos saibam. Objetivo: Explorar as histórias de todos: como cada um entende a situação e por quê.

	Numa batalha de mensagens	Numa conversa-aprendizado
	Suposição: Eu sei qual era a intenção do outro.	Suposição: Eu sei qual era a minha intenção e qual o impacto que as ações do outro tiveram em mim. Não sei e não tenho como saber o que o outro estava pensando.
	Objetivo: Que o outro saiba que o que fez foi errado.	Objetivo: Falar do impacto das ações dele sobre mim e descobrir o que ele estava pensando. Além disso, descobrir o impacto que estou provocando no outro.
	Suposição: A culpa é toda do outro. (Ou: A culpa é toda minha.)	Suposição: Provavelmente ambos contribuímos para o desentendimento.
	Objetivo: Fazer com que ele admita a culpa e se responsabilize por consertar as coisas.	Objetivo: Entender o sistema de contribuição: como nossas ações interagiram para provocar isso.
A conversa sobre os sentimentos Desafio: A situação tem alta carga emocional.	Suposição: Sentimentos são irrelevantes e compartilhá-los não ajuda em nada. (Ou: Meus sentimentos são culpa do outro e ele precisa ouvi-los.)	Suposição: Sentimentos estão no cerne da situação e costumam ser complexos. Talvez eu tenha que me esforçar um pouco para entender os meus.
	Objetivo: Evitar falar sobre sentimentos. (Ou: Vamos despejar tudo no outro!)	Objetivo: Abordar sentimentos (meus e do outro) sem julgamentos nem conclusões. É preciso aceitá-los antes de abordar uma solução.
A conversa sobre a identidade Desafio: A situação ameaça nossa identidade.	Suposição: Sou competente ou incompetente, bom ou mau, amável ou não. Não há meio-termo.	Suposição: Pode haver muita coisa em jogo, psicologicamente, para ambos os lados. Todo mundo é complexo e ninguém é perfeito.
	Objetivo: Proteger minha autoimagem de tudo ou nada.	Objetivo: Compreender os problemas que estão em jogo para cada um em termos de identidade. Criar uma autoimagem mais complexa para ajudar a manter o equilíbrio.

Este livro vai ajudar você a transformar conversas difíceis em conversas-aprendizado, orientando-o a lidar com cada uma das Três Conversas de forma mais produtiva e aprimorando sua capacidade de gerenciar as três simultaneamente.

Os cinco capítulos seguintes exploram em profundidade os erros mais comuns que as pessoas cometem em cada uma das Três Conversas. Isso vai ajudar você a mudar para uma postura de aprendizado quando estiver diante de uma conversa difícil mas não se sentir muito aberto. Os capítulos 2, 3 e 4 analisam as três suposições da conversa sobre o que aconteceu. O capítulo 5 aborda a conversa sobre os sentimentos, e o capítulo 6, a conversa sobre a identidade. Esses capítulos vão ajudar você a organizar seus pensamentos e seus sentimentos. Esses preparativos são essenciais para você dar início a uma conversa difícil, qualquer que seja.

Nos seis capítulos finais, tratamos da conversa em si, começando com quando trazer uma questão à tona ou quando deixá-la para lá e, se decidir trazê-la à tona, o que você deve esperar alcançar e o que não deve – ou seja, quais os objetivos que fazem sentido. Em seguida, vamos abordar a dinâmica de como falar de forma produtiva sobre problemas que lhe são caros: como encontrar a melhor forma de começar, de perguntar e ouvir visando aprender, como se expressar com propriedade e clareza e como resolver problemas em conjunto, inclusive como colocar a conversa de volta nos trilhos caso as coisas fiquem complicadas. Por fim, vamos voltar a Jack e ver como ele pode ter uma nova conversa com Michael para ilustrar todos esses tópicos na prática.

Adotando uma postura de aprendizado

# A conversa sobre o que aconteceu

2

Pare de discutir sobre quem está certo: *Explore as histórias de cada um*

Michael tem uma versão da história diferente da versão de Jack:

Nos últimos anos eu me esforcei à beça para tentar ajudar Jack, mas parecia que uma coisinha ou outra sempre dava errado. E, em vez de presumir que o cliente tem sempre razão, ele discute comigo! Eu não sei como continuar a trabalhar com ele.

Mas o que me deixou mesmo com raiva foi que Jack estava inventando desculpas para o problema do gráfico em vez de simplesmente corrigi-lo. Ele sabia que não estava de acordo com um padrão profissional. E os gráficos de receita são o elemento crucial da apresentação sobre finanças.

Uma das "marcas registradas" da conversa sobre o que aconteceu é que as pessoas discordam. Qual é a melhor forma de juntar dinheiro para a aposentadoria? Quanto dinheiro devemos investir em publicidade? Os meninos do bairro deveriam deixar sua filha jogar bola com eles? O folheto está de acordo com o padrão profissional?

Discordar não é ruim nem necessariamente se transforma em uma conversa difícil. Discordamos das pessoas o tempo todo, e na maioria das vezes ninguém se importa muito.

Mas há momentos em que nos importamos muito. A discordância parece ser o cerne do que está errado entre nós. As pessoas não concordam com o que queremos que elas concordem nem fazem o que precisamos que elas façam. Não importa se no fim das contas conseguimos ou não o que queremos, nós nos sentimos frustrados, magoados ou incompreendidos. E, muitas vezes, a discordância se prolonga, causando estragos sempre que reaparece.

Quando há discordância, argumentar pode parecer natural, até razoável. Mas não ajuda.

Por que argumentamos e por que isso não ajuda

Pense nas conversas difíceis para você, nas quais há divergências significativas sobre o que realmente está acontecendo ou o que deve ser feito. Qual é a sua explicação para o que está causando o problema?

Achamos que *os outros* são o problema

Num bom momento, pode ser que você pense "Bem, todo mundo tem a sua opinião", ou "Toda história tem mais de um lado". Mas a maioria de nós realmente não acredita nisso. No fundo, achamos que o problema simplesmente são os *outros*.

- **Os outros são egoístas.** "Minha namorada não quer ir à terapia de casais comigo. Ela diz que é um desperdício de dinheiro. Eu digo que é importante para mim, mas ela não se importa."
- **Os outros são ingênuos.** "Minha filha tem o sonho megalomaníaco de ir para Nova York e 'ser descoberta' como atriz. Ela simplesmente não faz ideia do desafio que é."
- **Os outros são controladores.** "Sempre fazemos tudo do jeito do meu chefe. Isso me dá raiva, porque ele age como se as ideias dele fossem melhores que as de todo mundo, mesmo quando não sabe do que está falando."
- **Os outros são irracionais.** "Minha tia-avó Bertha dorme num colchão velho e gasto. Ela tem sérios problemas de coluna, mas não me deixa comprar um colchão novo para ela de jeito nenhum. A família inteira me diz: 'Rory, a Bertha é maluca, só isso. Não dá pra argumentar com ela.' Acho que é verdade."

Se é isso que estamos pensando, não surpreende que tentemos argumentar. Rory, por exemplo, se preocupa com sua tia Bertha. Ela quer e pode ajudar. Portanto, ela faz o que todos nós fazemos: se a outra pessoa é teimosa, insistimos ainda mais, numa tentativa de desfazer o que a impede de enxergar o que é mais sensato ("Se você ao menos experimentasse um colchão novo, veria como é muito mais confortável!").

Se a outra pessoa é ingênua, tentamos mostrar a ela o que é a vida de verdade e, se ela está sendo egoísta ou manipuladora, tentamos ser francos e apontar isso. Insistimos, na esperança de que as coisas mudem graças ao que dissemos.

Mas nossa insistência só provoca discussões. E essas discussões não levam a lugar algum. Nada é resolvido. Todo mundo fica achando que não foi ouvido ou que foi maltratado. Ficamos frustrados não só porque a outra pessoa está sendo irracional, mas também porque nos sentimos impotentes para mudar isso. E as brigas constantes não fazem bem ao relacionamento.

No entanto, não sabemos direito o que fazer. Não podemos simplesmente fingir que a discordância não existe, que algo não importa ou que, para nós, qualquer coisa dá no mesmo. Importa, sim, e *nem tudo* dá no mesmo. É por isso que essas situações mexem tanto conosco. Mas, se a discussão não leva a lugar algum, o que podemos fazer?

A primeira coisa a fazer é ouvir tia Bertha.

Os outros acham que *nós* somos o problema

Tia Bertha seria a primeira a concordar que seu colchão está velho e gasto. "É o colchão que eu dividi com meu marido por 40 anos, por isso me sinto segura", diz ela. "Tanta coisa já mudou na minha vida, e é bom ter um pequeno refúgio que permaneça o mesmo." Continuar com esse colchão também dá a Bertha uma noção de controle em relação à própria vida. Quando ela reclama de alguma coisa, não é porque quer respostas, mas porque gosta da conexão que sente ao manter as pessoas atualizadas a respeito do seu dia a dia.

Quanto a Rory, tia Bertha tem o seguinte a dizer: "Eu amo a Rory, mas às vezes ela é uma pessoa difícil. Ela não sabe ouvir nem se preocupa muito com o que os outros pensam, e, quando eu digo isso, ela fica muito irritada e se torna desagradável." Rory acha que o problema é tia Bertha. Tia Bertha, ao que parece, acha que o problema é Rory.

Isso levanta uma questão interessante: Por que é sempre o *outro* que é ingênuo, egoísta, irracional ou controlador? Por que nunca achamos que somos nós o problema? Se estamos tendo uma conversa difícil e alguém pergunta o motivo da discordância, por que é que nunca respondemos "Porque o que estou dizendo não faz nenhum sentido!"?

Nossa versão sobre o que aconteceu sempre faz sentido para nós

Não achamos que somos o problema porque, de fato, não somos. O que estamos dizendo *faz* sentido. O que geralmente é difícil de ver é que o que a outra pessoa está dizendo *também* faz. Assim como Rory e tia Bertha, cada um de nós tem uma versão diferente sobre o que está acontecendo. Na versão de Rory, os pensamentos e ações de Rory são perfeitamente sensatos. Na versão da tia Bertha, os pensamentos e ações da tia Bertha são igualmente sensatos. Mas Rory não é apenas uma personagem da própria história, ela também é coadjuvante na história da tia Bertha. E, na história da tia Bertha, o que Rory diz demonstra insistência e insensibilidade. Na história de Rory, o que tia Bertha diz parece irracional.

No curso normal das coisas, não prestamos atenção em como nossa história do mundo é diferente da de outras pessoas. Mas conversas difíceis surgem justamente nos pontos em que partes importantes da nossa história colidem com a do outro. Presumimos que o choque se deve a como a outra pessoa é; ela presume que se deve a como nós somos. Mas, na verdade, esse choque é resultado da simples diferença entre nossas histórias, sem que ninguém tenha se dado conta. É como se a Princesa Leia estivesse tentando conversar com Huck Finn. Não é à toa que acabamos discutindo.

Discutir nos impede de explorar a história do outro

Mas discutir não é só uma *consequência* do fracasso em perceber que nós e a outra pessoa vivemos histórias diferentes – é também parte da *causa*. Discutir enfraquece nossa capacidade de entender como a outra pessoa vê o mundo. Quando discutimos, a tendência é haver uma troca de "acusações" – ou seja, de uma síntese do que estamos pensando: "Compre um colchão novo" *versus* "Pare de tentar me controlar"; "Estou indo para Nova York para ser descoberta" *versus* "Você é ingênua"; "Terapia de casais é útil" *versus* "Terapia de casais é uma perda de tempo".

Mas nenhuma dessas conclusões faz sentido na história da outra pessoa. Logo, cada um de nós descarta os argumentos alheios. Em vez de nos ajudar a compreender nossas diferentes visões, discutir se transforma numa batalha de mensagens. Em vez de nos unir, nos separa.

Argumentar sem compreender não convence ninguém

Argumentar cria outro problema nas conversas difíceis: inibe a mudança. *Dizer* a alguém que é preciso mudar torna menos provável que isso aconteça. Isso porque as pessoas quase nunca mudam se não se sentirem compreendidas.

Vejamos a conversa de Trevor e Karen. Trevor é superintendente financeiro do Departamento Estadual de Serviços Sociais. Karen é assistente social no departamento. "Não consigo convencer Karen a entregar a papelada dela a tempo", explica Trevor. "Já falei diversas vezes que ela estava perdendo os prazos, mas nada muda. E, sempre que volto a esse assunto, ela fica irritada."

É claro que sabemos que há outro lado nessa história. Infelizmente, Trevor não sabe que lado é esse. Trevor diz a Karen o que ela deve fazer, mas ainda não teve uma conversa sobre o assunto em que os dois falem e escutem. Quando Trevor deixa de tentar mudar o comportamento de Karen – apresentando argumentos para mostrar que perder prazos é errado – e passa a primeiro tentar *compreender* Karen e depois ser *compreendido* por ela, a situação melhora significativamente:

Karen falou sobre como se sente sobrecarregada e esgotada. Ela deposita toda a sua energia nos clientes, que demandam muito. Ela estava com a sensação de que eu não dava valor a isso, e eu realmente não dava. Da minha parte, contei a ela que sou obrigado a fazer um trabalho extra quando ela entrega a papelada com atraso e expliquei em detalhes esse trabalho extra. Karen se sentiu mal e ficou claro que ela simplesmente nunca havia pensado nisso pela minha perspectiva. Ela prometeu dar mais atenção ao cumprimento dos prazos e até agora tem dado.

No fim, cada um aprendeu alguma coisa e o terreno para uma mudança significativa está preparado.

Para chegar a uma conclusão em meio a uma divergência, precisamos entender a fundo a história do outro, para ver de que modo suas conclusões fazem sentido dentro daquele contexto. E precisamos ajudá-lo a entender a história na qual nossas conclusões fazem sentido. Entender a história de cada um a fundo não necessariamente "resolve" o problema, mas, como aconteceu com Karen e Trevor, é um primeiro passo essencial.

Histórias diferentes: por que cada um vê o mundo de uma forma

À medida que nos afastamos das discussões e passamos a tentar entender a história do outro, é útil saber o porquê, em primeiro lugar, de as pessoas terem histórias diferentes. Nossas histórias não surgem do nada, não são aleatórias. Elas são construídas de uma forma muitas vezes inconsciente, mas sistemática. Primeiro, coletamos informações. A partir do que vivemos, extraímos do mundo imagens, sons e sentimentos. Segundo, interpretamos o que vemos, ouvimos e sentimos – damos sentido a todas essas coisas. Em seguida, tiramos conclusões sobre o que está acontecendo. E em cada uma dessas etapas há margem para que as histórias de diferentes pessoas acabem por divergir.

Em poucas palavras, temos histórias diferentes sobre o mundo porque cada um de nós recebe informações diferentes e depois as interpreta à sua maneira.

Durante uma conversa difícil, muitas vezes os dois lados trocam apenas as conclusões, sem explorar o campo onde acontece a maior parte da ação de verdade: as informações e interpretações que fazem com que cada um de nós veja o mundo do jeito que vê.

Origens das nossas histórias

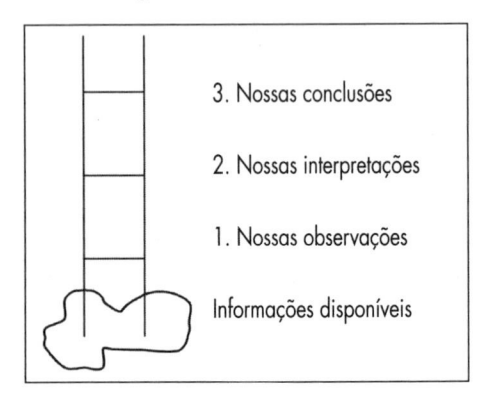

3. Nossas conclusões

2. Nossas interpretações

1. Nossas observações

Informações disponíveis

1. Temos informações diferentes

Há duas razões pelas quais todos temos informações diferentes sobre o mundo. Primeiro, à medida que cada um de nós passa pela vida – e por qualquer situação difícil –, as informações disponíveis são esmagadoras. É simplesmente impossível levar em conta todas as imagens, todos os sons, fatos e sentimentos envolvidos em determinada ocasião. Inevitavelmente acabamos notando algumas coisas e ignorando outras. E o que cada um de nós escolhe notar e ignorar será diferente. Segundo, cada um de nós tem acesso a informações diferentes.

Prestamos atenção em coisas diferentes. Doug levou seu sobrinho de 4 anos, Andrew, para assistir a um desfile escolar. Sentado nos ombros do tio, Andrew gritava de alegria enquanto jogadores de futebol, líderes de torcida e a banda marcial passavam em luxuosos carros alegóricos. Ao final do evento, Andrew exclamou: "Esse foi o melhor desfile de caminhões que eu já vi!"

Cada um dos carros alegóricos era puxado por um caminhão. Andrew, obcecado por caminhões, não enxergou nada além disso. Seu tio Doug, que não ligava para caminhões, não havia prestado atenção em nenhum deles. De certa forma, Andrew e o tio assistiram a desfiles completamente diferentes.

Assim como Doug e Andrew, o que notamos tem relação com quem somos e com aquilo a que damos importância. Alguns de nós prestam mais atenção nos sentimentos e nos relacionamentos. Outros, em status e poder ou fatos e lógica. Alguns de nós são artistas, outros são cientistas, outros, pragmáticos. Alguns de nós querem provar que estão certos; outros querem evitar conflitos ou atenuá-los. Alguns de nós tendem a se ver como vítimas, outros como heróis, testemunhas ou sobreviventes. As informações às quais atentamos variam de acordo com cada um desses fatores.

É claro que, ao final do desfile, nem Doug nem Andrew estavam pensando: "Adorei minha perspectiva particular do desfile com base nas informações nas quais prestei atenção." Cada um deles saiu de lá pensando: "Adorei o desfile." Cada um deles presume que prestou atenção no que de fato houve de significativo naquela experiência. Cada um deles presume que detém "os fatos".

Em um cenário mais sério, Randy e Daniel, colegas de trabalho em uma linha de montagem, vivenciam a mesma dinâmica. Eles tiveram várias conversas tensas sobre questões raciais. Randy, que é branco, acredita que a empresa na qual eles trabalham tem um bom histórico em recrutamento e promoção de minorias. Ele nota que, das sete pessoas em sua equipe de montagem, duas são negras e uma é de origem latina, e que o chefe do sindicato é de origem latina. Ele também descobriu que seu supervisor nasceu nas Filipinas. Randy acredita no valor da diversidade no ambiente de trabalho e reparou, de forma positiva, que, entre os funcionários promovidos recentemente, vários não são brancos.

Daniel, que tem ascendência coreana, tem uma visão diferente. Ele já ouviu muitas perguntas inusitadas a respeito de sua qualificação. Sofreu vários insultos racistas de colegas de trabalho e um de um superior. Essas experiências são muito importantes para ele. Ele também conhece vários colegas de trabalho pertencentes a minorias que foram negligenciados diante de uma promoção e notou que um número desproporcional de executivos da empresa é branco. Por diversas vezes ele ouviu os executivos falarem como se as duas únicas categorias raciais importantes fossem os brancos e os negros.

Embora Randy e Daniel tenham algumas informações em comum, há muitas outras que não são. No entanto, cada um presume que os fatos são nítidos e que a sua visão particular corresponde à realidade. A julgar por essas impressões, é como se Randy e Daniel trabalhassem em empresas diferentes.

É muito comum termos conversas inteiras – ou mesmo um relacionamento inteiro – sem nunca nos darmos conta de que cada um está prestando atenção em coisas diferentes, de que nossas opiniões são baseadas em informações diferentes.

Ninguém é capaz de nos conhecer melhor do que nós mesmos. Além de *escolher* informações diferentes, cada um de nós tem *acesso* a informações diferentes. Por exemplo, as outras pessoas têm acesso a informações particulares que nós não temos. Elas conhecem as limitações que lhes são impostas, nós não. Elas sabem quais são suas esperanças, seus sonhos e seus medos, nós não. Agimos como se tivéssemos acesso a todas as informações importantes que existem sobre elas, mas não temos. A experiência interior delas é muito mais complexa do que somos capazes de imaginar.

Voltemos ao exemplo de Jack e Michael. Quando Michael descreve o que aconteceu, ele não menciona nada sobre Jack ter virado a noite. Pode ser que ele não saiba que Jack virou a noite trabalhando, e, ainda que saiba, seu "conhecimento" quanto a isso seria muito limitado em comparação como o de Jack. Jack estava lá. Jack sabe como foi ter que lutar para ficar acordado. Ele sabe quão desconfortável foi quando desligaram o aquecimento à meia-noite. Ele sabe quão zangada sua esposa ficou por ter tido de cancelar o jantar romântico. Ele sabe quanta ansiedade sentiu ao deixar de lado outro trabalho importante para dar conta do projeto de Michael. Jack sabe, também, como se sentiu feliz por fazer um favor a um amigo.

E há muitas coisas que Jack não sabe. Jack não sabe que o cliente de Michael explodiu de raiva naquela manhã por causa da escolha de imagem em outro folheto que Michael havia produzido. Jack não sabe que os valores de receita são um tópico particularmente importante por conta de questionamentos feitos sobre algumas decisões de negócios mais recentes do cliente. Jack não sabe que o designer que trabalha para Michael saiu de licença de forma imprevista na época em que eles costumam ter uma demanda de trabalho mais elevada, afetando não só aquele projeto como também outros. Jack não sabe que Michael ficou insatisfeito com alguns dos trabalhos que Jack fez anteriormente. E Jack não sabe quão feliz Michael estava por fazer um favor a um amigo. É evidente que, de antemão, não temos como saber o que não sabemos. Mas, em vez de supor que já sabemos tudo que precisamos, devemos supor que há informações importantes às quais não temos acesso. É uma aposta com grandes chances de ser verdade.

2. Temos interpretações diferentes

"Nós nunca transamos", reclama Alvie Singer no filme *Noivo neurótico, noiva nervosa*, de Woody Allen. "A gente transa o tempo todo", retruca a namorada. "Com que *frequência* vocês transam?", pergunta o terapeuta. "Três vezes por semana!", respondem os dois em uníssono.

Uma segunda razão para contarmos histórias diferentes sobre o mundo é que, mesmo quando temos as mesmas informações, nós as interpretamos de maneiras diferentes – damos a elas significados diferentes. Eu vejo o copo meio vazio, você o vê como uma metáfora da fragilidade humana. Eu quero matar a sede, você quer poesia. Dois fatores especialmente relevantes para a forma como interpretamos o que vemos são (1) nossas experiências passadas e (2) as regras implícitas que aprendemos sobre como as coisas devem e não devem ser.

Somos influenciados por nossas experiências. O passado dá sentido ao presente. Muitas vezes, somente no contexto da experiência passada de uma pessoa é que podemos entender por que o que ela está fazendo ou dizendo faz algum sentido.

Para comemorar a conclusão de um longo projeto, Bonnie e suas colegas de trabalho juntaram dinheiro para levar a supervisora da equipe, Caroline, para jantar em um restaurante bacana. Durante o jantar, Caroline praticamente só reclamou: "Tudo é tão caro", "Como eles têm coragem de cobrar isso?" e "Não é possível. Cinco dólares por uma sobremesa?!". Bonnie voltou para casa envergonhada e frustrada, pensando: "Sabíamos que ela era mão de vaca, mas aquilo foi lamentável. Nós pagamos justamente para que ela não precisasse se preocupar com dinheiro, e mesmo assim ela reclamou do preço de tudo. Ela estragou a noite."

Embora a história na cabeça de Bonnie fosse que Caroline era mesquinha, Bonnie finalmente decidiu perguntar a ela o motivo daquela reação tão contrariada diante do custo de comer num restaurante. Depois de refletir um pouco, Caroline explicou:

Acho que é por eu ter crescido durante a Grande Depressão. Ainda ouço minha mãe quando eu era pequena, me preparando pra ir pra escola de manhã. "Carrie, deixei uma moeda em cima da mesa para você comprar o almoço!", ela dizia. Ela ficava muito orgulhosa por poder pagar o meu almoço todos os dias. Quando eu estava com uns 8 ou 9 anos, uma moeda já não dava mais pra pagar o almoço. Mas eu jamais tive coragem de dizer isso a ela.

Muitos anos depois, mesmo uma refeição com preço moderado parecia uma extravagância para Caroline quando filtrada pelas lembranças e pelos sentimentos daquela experiência.

Toda opinião arraigada que você tem é profundamente influenciada por suas experiências passadas. Onde passar as férias, como repreender seus filhos, o percentual a investir em publicidade – tudo isso é influenciado por aquilo que você observou em sua família e pelo que aprendeu ao longo da vida. Na maioria das vezes, não estamos cientes de como essas experiências afetam nossa interpretação do mundo. Nós simplesmente acreditamos que é assim que as coisas são.

Aplicamos diferentes regras implícitas. Nossas experiências geralmente se transformam em "regras" pelas quais pautamos nossa vida. Quer estejamos cientes delas ou não, todos seguimos essas regras. Elas nos dizem como o mundo funciona, como as pessoas devem se comportar, como as coisas deveriam ser etc. E exercem uma influência significativa na história que contamos sobre o que está acontecendo entre nós e o outro durante uma conversa difícil.

Os problemas surgem quando essas regras entram em colisão.

Ollie e Thelma, por exemplo, estão presas em um emaranhado de regras conflitantes. Por serem representantes de vendas, elas passam muito tempo juntas na estrada. Uma noite, elas combinaram se encontrar no saguão do hotel às 7h da manhã do dia seguinte para terminar de preparar uma apresentação. Thelma, como sempre, chegou às 7h em ponto. Ollie apareceu às 7h10. Não era a primeira vez que Ollie chegava atrasada, e Thelma ficou tão frustrada que teve dificuldade de se concentrar durante os primeiros 20 minutos da reunião. Ollie ficou frustrada por ver que Thelma estava frustrada.

Esclarecer as regras implícitas que cada um aplica inconscientemente é muito útil. A regra de Thelma é "Atrasos demonstram indiferença e falta de profissionalismo". A regra de Ollie é "Perder a concentração no que é importante por causa de algo tão pequeno é falta de profissionalismo". Como Thelma e Ollie enxergam a situação através das lentes das próprias regras implícitas, uma acha que a outra está agindo de forma inadequada.

Nossas regras implícitas geralmente assumem a forma de coisas que as pessoas "deveriam" ou "não deveriam" fazer: "Você deve gastar dinheiro em educação, mas não em roupas", "Você nunca deve criticar um colega na frente dos outros", "Você nunca deve deixar o assento da privada levantado, apertar o tubo de pasta de dentes pelo meio ou deixar as crianças passarem mais de duas horas vendo TV". A lista é interminável.

Não há nada de errado em ter essas regras. Na verdade, dependemos delas para organizar nossa vida. Mas, quando você se vê diante de um conflito, é válido explicitar suas regras e incentivar a outra pessoa a fazer o mesmo. Isso reduz muito a chance de você entrar em um duelo imprevisto por causa de regras conflitantes.

3. Nossas conclusões refletem nossos interesses

Por fim, quando pensamos sobre por que cada um de nós tem as próprias histórias sobre o mundo, não há como contornar o fato de nossas conclusões serem parciais, de elas geralmente refletirem nossos interesses. Buscamos informações que confirmem nosso ponto de vista e damos mais peso a essas informações. Assim temos ainda mais certeza de que nosso ponto de vista está correto. O professor Howard Raiffa, da Harvard Business School, demonstrou esse fenômeno quando deu a pessoas em equipes um conjunto de fatos sobre uma empresa. Ele disse a algumas das equipes que elas teriam de negociar para comprar a empresa e a outras que elas teriam de vender a empresa. A seguir, pediu a cada equipe que avaliasse a empresa da forma mais objetiva possível (não o preço que elas atribuiriam para a compra ou a venda, mas o que elas acreditavam que realmente valia). Raiffa descobriu que os vendedores, do fundo do coração, acreditavam que a empresa valia, em média, 30% mais do que o valor justo de mercado avaliado independentemente. Os compradores, por sua vez, estipulavam um valor 30% menor.

Cada equipe desenvolveu uma percepção egoísta, sem nem notar que o estava fazendo. Elas se concentravam mais nos aspectos que eram consoantes com aquilo em que queriam acreditar e tendiam a ignorar, deixar de lado e prontamente esquecer os que não eram. Nosso colega Roger Fisher registrou bem esse fenômeno em uma reflexão irônica sobre o tempo em que advogava: "Às vezes eu não conseguia convencer o juiz de que eu tinha razão, mas eu sempre convencia a mim mesmo com sucesso!"

Essa propensão a desenvolver percepções inconscientemente tendenciosas é demasiado humana e pode ser perigosa. É preciso ter uma boa dose de humildade em relação à "veracidade" das nossas histórias, principalmente quando há algo importante para nós em jogo.

Passe da certeza à curiosidade

Existe apenas uma forma de descobrir a história de outra pessoa: por meio da curiosidade. Em vez de se indagar "Como é que eles podem pensar desse jeito?!", pergunte a si mesmo: "Será que existem informações que eles têm e eu não tenho?" Em vez de se questionar "Como eles podem ser tão irracionais?", pergunte-se: "Como será que eles enxergam o mundo de modo que esse ponto de vista faça sentido?" A certeza nos deixa trancados do lado de fora das histórias alheias; a curiosidade nos deixa entrar.

Curiosidade: a porta de entrada para as histórias dos outros

Vejamos a divergência entre Tony e sua esposa, Keiko. A irmã de Tony acabou de dar à luz seu primeiro filho. No dia seguinte, Keiko está se preparando para visitá-la na maternidade. Para sua surpresa, Tony diz que não vai visitar a irmã com ela, que vai ficar vendo futebol na TV. Quando Keiko pergunta por quê, Tony resmunga algo sobre aquele ser um "grande jogo" e acrescenta: "Vou dar uma passada no hospital amanhã."

Keiko fica profundamente incomodada com aquilo. Ela se pergunta: "Que tipo de pessoa acha que futebol é mais importante que a família? Essa é a coisa mais egoísta, superficial e ridícula que já ouvi!" Mas ela guarda essa certeza para si mesma e, em vez de dizer "Como você é capaz de fazer uma coisa dessas?", ela maneja sua transição para uma postura de curiosidade. Ela se pergunta o que Tony sabe que ela não sabe, de que forma ele enxerga o mundo, para que sua decisão pareça fazer algum sentido.

A história que Tony conta é diferente da que Keiko imaginou. Do lado de fora, Tony está assistindo a um jogo na TV. Mas, por dentro, é uma questão de saúde mental. Ele trabalha 10 horas por dia, de segunda a sexta, sob condições extremamente estressantes, depois chega em casa e brinca com os dois filhos, fazendo tudo que eles querem. Depois de lutar para botá-los na cama, ele passa um tempo com Keiko, conversando principalmente sobre o dia dela. Por fim, ele cai na cama. Para Tony, o momento de assistir ao jogo é o único, durante a semana toda, em que ele realmente consegue relaxar. Seu nível de estresse diminui, quase como se ele estivesse meditando, e tirar aquelas duas horas somente para si tem um impacto significativo em sua capacidade de encarar a semana seguinte. Como Tony acredita que, para a irmã, não faz diferença se ele for hoje ou amanhã, ele escolhe o que é melhor para sua saúde mental.

Claro, esse não é o fim da questão. Keiko precisa compartilhar sua história com Tony e, depois que tudo estiver às claras, eles poderão decidir, juntos, o que fazer. Mas isso jamais acontecerá se Keiko simplesmente presumir que já conhece a história de Tony, não importa quanto ela acredite estar certa a princípio.

Qual é a *sua* história?

Uma forma de abandonar a postura preguiçosa de achar que já analisou determinada questão de todos os ângulos possíveis é ativar a curiosidade a respeito daquilo que você não sabe sobre *si mesmo*. Isso pode parecer algo estranho com que se preocupar. Afinal de contas, você está o tempo todo com você; não é óbvio, então, que esteja bem familiarizado com sua perspectiva?

Em uma palavra, não. O processo pelo qual moldamos nossas histórias sobre o mundo geralmente acontece tão rápido e de modo tão automático que nem temos consciência de tudo que influencia nossos pontos de vista. Por exemplo, quando vimos o que Jack estava realmente pensando e sentindo durante sua conversa com Michael, não havia nada sobre o aquecimento ter sido desligado nem sobre a irritação de sua esposa por ele ter cancelado o jantar. Nem mesmo Jack estava totalmente ciente das informações por trás de suas reações.

E que regras implícitas são importantes para ele? Jack pensa "Não acredito que Michael é capaz de me tratar assim", mas não sabe que isso se baseia em uma regra implícita de como as pessoas "devem" tratar umas às outras. A regra de Jack é algo como "Você sempre deve demonstrar apreço pelos outros, independentemente de qualquer coisa". Muitos de nós concordam com essa regra, mas ela não é uma verdade absoluta, é apenas uma regra. A regra de Michael pode ser "Amigos de verdade podem ficar com raiva um do outro sem necessariamente levar isso para o lado pessoal". A questão não é qual regra é melhor, mas o fato de elas serem diferentes. Jack, no entanto, não terá como descobrir isso a menos que reflita sobre quais são as regras subjacentes à sua história acerca do que aconteceu.

Lembre-se da história de Andrew e seu tio Doug no desfile. Nós nos referimos a Andrew como "obcecado por caminhões". Essa descrição é do ponto de vista de seu tio. Tio Doug está ciente de "como Andrew é", mas está um pouco menos ciente de como ele mesmo "é". Andrew é obcecado por caminhões se usarmos como parâmetro o nível de interesse de seu tio Doug por caminhões, que é zero. Mas, do ponto de vista de Andrew, tio Doug pode ser considerado um "obcecado por líderes de torcida". Em meio a tantas outras crianças de 4 anos, é mais provável que o ponto de vista de Andrew seja a norma.

Abrace as duas histórias: adote a "postura do *e*"

Pode ser muito difícil ficar curioso sobre a história de outra pessoa quando você tem sua história para contar, e mais ainda se você acredita que apenas uma história pode ser a história certa de verdade. Afinal de contas, a sua é completamente diferente da história do outro e faz muito mais sentido para você. Parte da ansiedade envolvida no processo de ativar a curiosidade pode ser dissipada com a adoção do que chamamos de "postura do *e*".

Via de regra, presumimos que devemos aceitar ou rejeitar a história do outro e que, para aceitar a do outro, é preciso abandonar a nossa. Mas quem está certo entre Michael e Jack, Ollie e Thelma ou Bonnie e sua chefe, Caroline? Quem está certo entre uma pessoa que gosta de dormir com a janela aberta e outra que prefere a janela fechada?

A resposta é que a pergunta não faz sentido. Não opte por uma entre duas histórias; abrace ambas. Essa é a "postura do *e*".

O conselho de abraçar as duas histórias pode cheirar a falsidade. Pode soar como "Finja que as duas histórias estão certas". Mas, na verdade, ele sugere algo bem diferente. Não finja nada. Não se preocupe em aceitar ou rejeitar a história da outra pessoa. Primeiro, se esforce para entendê-la. O simples ato de entender a história da outra pessoa não requer que você desista da sua. A "postura do *e*" faz com que você reconheça que a maneira como *cada um* enxerga as coisas é relevante, a maneira como cada um se sente é relevante. Não importa o que você vai decidir fazer no fim das contas, não importa se a sua história influencia a do outro ou vice-versa, ambas são importantes.

A "postura do *e*" se baseia na suposição de que o mundo é complexo, que você pode ficar magoado, irritado e ofendido *e* que os outros podem ficar igualmente magoados, irritados e ofendidos. Eles podem dar o melhor de si mesmos *e* você pode achar que não foi o bastante. Você pode ter feito algo estúpido *e* os outros também terem contribuído significativamente para agravar o problema. Você pode ficar furioso com os outros *e* também sentir amor e apreço por eles.

A "postura do *e*" abre espaço para você manifestar integralmente seus pontos de vista e seus sentimentos, sem ter que desvalorizar os pontos de vista e os sentimentos de outra pessoa. Da mesma forma, você não precisa abrir mão de nada para ouvir a outra pessoa falar sobre como ela sente ou vê as coisas de outro jeito. Visto que é possível que vocês tenham informações ou interpretações diferentes, as duas histórias podem fazer sentido ao mesmo tempo.

Pode ser que, à medida que as compartilham, vocês comecem a mudar, em resposta a novas informações ou a diferentes perspectivas. Ainda assim, podem não chegar às mesmas conclusões, e tudo bem. Às vezes as pessoas têm divergências legítimas, mas, mesmo nesses casos, a pergunta mais útil não é "Quem está certo?", e sim "Agora que entendemos um ao outro de verdade, qual seria a melhor forma de lidar com esse problema?".

Duas exceções que não são exceções

Você pode estar pensando que o conselho de fazer a transição da certeza e da discussão para a curiosidade e a "postura do *e*" geralmente faz sentido, mas que deve haver exceções. Vejamos duas perguntas relevantes que podem parecer exceções mas não são: (1) E quando eu *sei* que tenho mesmo razão? e (2) A recomendação de "entender a história da outra pessoa" se aplica sempre? Até mesmo quando, por exemplo, estou demitindo um funcionário ou terminando um relacionamento?

Eu tenho *mesmo* razão

Existe uma velha história sobre dois sacerdotes discutindo sobre como pôr em prática a palavra de Deus. Em espírito de conciliação, um finalmente diz ao outro: "Você e eu vemos as coisas de formas diferentes, e tudo bem. Não temos que concordar. Você pode pôr em prática a palavra de Deus do seu jeito e eu porei em prática a palavra de Deus do jeito dele."

Nossa disposição a pensar assim pode ser bem grande. Mesmo que você veja a história da outra pessoa com genuína atenção e empatia, isso não o impede de tropeçar no passo seguinte e achar que, por mais que aquela história faça sentido para ela, você continua estando "certo", e ela, "errada".

Por exemplo, a conversa que você teve com sua filha sobre ela parar de fumar. Você sabe que está certo de que fumar faz mal e que quanto mais cedo ela parar, melhor.

Justo. Sobre essas duas coisas, você *tem* razão. Mas eis aqui o problema: *no fundo, não é disso que trata essa conversa*. Ela trata de como você se sente em relação ao fato de sua filha fumar, do que ela deve fazer em relação a isso e do papel que você deveria desempenhar. Ela trata do medo e da tristeza que você sente quando a imagina ficando doente e da sua raiva de se sentir impotente para levá-la a parar. Trata da necessidade dela de se sentir independente, de romper com a imagem sufocante de "boa menina". Trata dos sentimentos conflitantes que ela tem diante de algo que a faz se sentir bem e ao mesmo tempo a assusta. A conversa trata de muitos problemas complexos entre vocês dois que precisam ser explorados. Não tem a ver com o fato de fumar fazer mal à saúde. Vocês dois já estão de acordo quanto a isso.

Mesmo quando parece que o debate é sobre o que é verdade ou não, você pode achar que estar com a razão não faz muita diferença. Seu amigo pode negar que é alcoólatra e que a bebida está afetando o casamento dele. Mas, ainda que o mundo inteiro concorde com a sua avaliação, insistir em dizer que você está com a razão e tentar convencê-lo a admitir isso provavelmente não vai ajudar você a ajudar seu amigo.

O que *talvez* ajude é conversar com ele sobre o impacto que o alcoolismo dele tem sobre você e, além disso, tentar entender a história dele. O que o mantém em negação? O que significaria para ele admitir que tem um problema? O que o impede? Enquanto você não entender a história dele e não compartilhar a sua com ele, não terá como ajudá-lo a encontrar uma forma de mudar a trajetória dele para melhor. Nesse caso, você pode estar certo e seu amigo pode estar errado, mas isso não faz a menor diferença.

Quando é preciso dar más notícias

E se você precisa demitir alguém, terminar um relacionamento ou informar a um fornecedor que vai reduzir as encomendas em 80%? Em muitas conversas difíceis você não tem o poder de impor o resultado unilateralmente. Mas, ao demitir alguém, terminar um relacionamento ou reduzir encomendas, você tem. Em tais situações, é normal nos questionarmos se a história da outra pessoa ainda é relevante.

A maior parte da dificuldade em demitir ou terminar com alguém se situa nas conversas sobre os sentimentos e sobre a identidade, que exploraremos adiante. Mas a questão de diferentes perspectivas também é importante. Lembre-se de que entender a história da outra pessoa não significa que você tenha que concordar com ela nem exige que você abandone a sua. E o fato de estar disposto a tentar entender o ponto de vista do outro não diminui o poder que você tem para implementar sua decisão nem para deixar claro que ela é definitiva.

Aliás, a "postura do *e*" provavelmente é a posição mais poderosa a se adotar ao dar início a uma conversa difícil que exige que você comunique ou ponha em prática más notícias. Se está terminando com alguém, isso permite que você diga: "Estou terminando com você porque é a coisa certa para mim [eis o porquê] *e* entendo que você está magoada e acha que deveríamos tentar novamente *e* eu não vou mudar de ideia em relação a essa decisão *e* entendo que você acha que eu deveria ter sido mais claro sobre minha confusão anteriormente *e* não acho que isso faz de mim uma pessoa ruim *e* entendo que já fiz coisas que a magoaram *e* sei que você fez coisas que me magoaram *e* sei que eu posso me arrepender dessa decisão *e* ainda estou processando tudo. *E, e, e.*

O "*e*" ajuda você a manter a curiosidade *e* a clareza.

Antes de seguir em frente, primeiro descubra onde está

Em sua trajetória para aprimorar a forma de lidar com as conversas difíceis, você vai notar que a questão de como cada um dá sentido ao mundo nos acompanha da mesma forma que a lua no céu noturno. É como um farol, do qual você pode se valer não importa onde esteja nem com qual problema difícil esteja lidando.

Conseguir entender o outro e a si mesmo de forma mais profunda não significa que as diferenças vão desaparecer nem que você não vai precisar resolver problemas reais e fazer escolhas reais. Não significa que todos os pontos de vista são igualmente válidos nem que é errado ter opiniões arraigadas. No entanto, isso vai ajudá-lo a avaliar se suas firmes convicções fazem sentido à luz de novas informações e de interpretações diferentes, além de ajudar o outro a levar em consideração o potencial dessas convicções.

Não importa aonde você queira chegar, entender – ou seja, visualizar-se dentro da história do outro – deve ser o primeiro passo. Antes de definir como seguir em frente, você precisa descobrir onde está.

Os dois capítulos a seguir se aprofundam em dois aspectos problemáticos de nossa história – nossa tendência a interpretar equivocadamente as intenções dos outros e nossa tendência a nos preocuparmos demais em achar culpados.

3

Não presuma o que o outro quis dizer: *Faça distinção entre intenção e impacto*

A questão de "quem teve intenção de quê" é fundamental em nossas histórias sobre o que está acontecendo em meio a uma conversa difícil. Intenções influenciam fortemente o julgamento que fazemos dos outros: se alguém tinha a intenção de nos machucar, nosso julgamento é mais severo do que se a pessoa nos machucasse por acidente. Estamos dispostos a ser incomodados por uma pessoa se ela tiver um bom motivo; ficamos irritados se achamos que ela não se preocupa com o impacto da ação dela nos outros. Embora ambos bloqueiem a passagem do mesmo jeito, reagimos de formas diferentes a uma ambulância e a um BMW estacionados em fila dupla em uma rua estreita.

A batalha das intenções

Vejamos a história de Lori e Leo, que estão em um relacionamento há dois anos e têm uma briga recorrente que causa sofrimento a ambos. O casal estava em uma festa promovida por alguns amigos e Lori estava prestes a se servir de mais sorvete quando Leo disse: "Lori, por que você não para de tomar sorvete?" Lori, que luta contra o excesso de peso, lançou um olhar enfurecido para Leo e os dois passaram algum tempo se evitando. Ao final daquele dia, as coisas pioraram ainda mais:

> LORI: Eu fiquei muito magoada na festa com o jeito como você me tratou na frente dos nossos amigos.

Leo: O jeito como eu te tratei? Do que que você está falando?

Lori: Sobre o sorvete. Você se comporta como se fosse meu pai ou algo assim. Você tem necessidade de me controlar ou de me botar pra baixo.

Leo: Lori, eu não queria te magoar. Você disse que estava fazendo dieta, e só estou tentando te ajudar a não sair dela. Você é defensiva demais. Interpreta tudo como um ataque, mesmo quando eu estou tentando ajudar.

Lori: Ajudar?! Você acha que me humilhar na frente dos meus amigos é ajudar?

Leo: Olha, simplesmente não tem como argumentar com você. Se eu falo alguma coisa, você acha que estou tentando te humilhar, mas, se não falo, você me pergunta por que eu deixei você comer além da conta. Estou de saco cheio disso. Às vezes fico achando que você começa essas brigas de propósito.

Essa conversa deixou tanto Lori quanto Leo irritados, magoados e se sentindo incompreendidos. O pior é que é uma conversa que eles já tiveram diversas vezes. Eles estão envolvidos em uma típica batalha sobre a intenção: Lori acusa Leo de magoá-la de propósito e Leo nega. Eles acabam presos em um ciclo que não entendem como funciona e do qual não sabem como escapar.

Dois erros fatais

Mas existe saída. No entanto, dois erros fundamentais nessa conversa a tornam infinitamente mais difícil do que ela precisa ser – um da parte de Lori, outro da parte de Leo. Quando Lori diz "Você tem necessidade de me controlar ou de me botar pra baixo", ela está falando sobre as intenções de Leo. O erro dela é presumir que sabe quais são as intenções de Leo, quando na verdade não sabe. É um erro comum, mas muito prejudicial – e o cometemos o tempo todo.

O erro de Leo é presumir que, depois de esclarecer que não tinha má intenção, Lori não tem mais por que ficar chateada. Ele diz "Eu não queria te magoar", diz que na verdade estava tentando ajudá-la. Tendo explicado isso, ele acha que o assunto está encerrado. Por conta disso, ele não se concentra em entender o que Lori está sentindo nem por quê. Esse erro também é comum e prejudicial na mesma medida.

Por sorte, com um pouco de atenção, ambos podem ser evitados.

O primeiro erro: nossas suposições sobre as intenções do outro costumam estar erradas

Para analisar o "erro de Lori", é preciso entender como nossa mente funciona ao criar histórias sobre as intenções alheias e aprender a identificar as suposições questionáveis a partir das quais essas histórias são construídas. Eis aqui o problema: embora as intenções dos outros em relação a nós sejam um tema extremamente sensível, a verdade é que não sabemos quais são essas intenções. Não há como saber. As intenções dos outros existem apenas no coração e na mente deles. São invisíveis para nós. Independentemente do nosso grau de certeza quanto às intenções dos outros, essas suposições costumam estar incompletas ou totalmente equivocadas.

Fazemos suposições sobre intenções a partir do impacto que elas nos causam

O primeiro erro pode ser atribuído, em grande parte, a um erro básico: fazemos suposições quanto às intenções das outras pessoas com base no impacto provocado pelas ações delas. Ficamos magoados, logo, elas pretendiam nos magoar. Nós nos sentimos humilhados, logo, elas pretendiam nos humilhar. Esse raciocínio é tão automático que nem nos damos conta de que a nossa conclusão é uma simples suposição. Abraçamos de tal forma nossa história sobre as intenções alheias que perdemos a capacidade de imaginar que essas intenções poderiam ter sido diferentes.

Pensamos o pior sobre o outro. Suposições feitas com base no impacto das ações dos outros sobre nós raramente são positivas. Quando um amigo chega atrasado à sessão de cinema, não pensamos "Nossa, aposto que ele esbarrou com alguém que estava precisando de ajuda". Provavelmente o que passa pela nossa cabeça é "Que egoísta. Ele nem se importa em me fazer perder o começo do filme". Quando o comportamento de outra pessoa nos magoa, presumimos o pior.

Margaret caiu nesse padrão. Seu quadril foi operado por um cirurgião renomado, um homem que ela achava antipático, com quem era difícil conversar. Quando Margaret se arrastou até o consultório para a primeira consulta após a cirurgia, a recepcionista lhe informou que o médico havia prolongado as férias inesperadamente. Irritada, Margaret o imaginou no Caribe, se divertindo com a esposa ou a namorada, sendo egoísta e imprudente demais para voltar na data combinada. Aquela imagem só fez sua raiva aumentar.

Quando Margaret finalmente foi atendida pelo médico, uma semana depois, ela perguntou secamente como haviam sido as férias. Ele respondeu que tinham sido maravilhosas. "Imagino", disse ela enquanto avaliava se deveria expor sua insatisfação. Mas o médico continuou: "Foram férias de trabalho. Eu estava ajudando a montar um hospital na Bósnia. As condições lá são terríveis."

Descobrir o que realmente o médico estava fazendo não desfez o transtorno pelo qual Margaret passou. No entanto, saber que ele estava agindo não por egoísmo, mas por uma motivação altruísta e generosa, permitiu que ela se sentisse substancialmente melhor quanto à semana extra que precisou esperar.

Atribuímos intenções aos outros o tempo todo. Com os negócios e até mesmo as relações pessoais sendo cada vez mais conduzidos por e-mail, mensagens de voz e teleconferências, muitas vezes precisamos ler nas entrelinhas para descobrir o que as pessoas no fundo estão querendo dizer. Quando um cliente escreve "Acho que você ainda não recebeu meu pedido…", será que ele está sendo sarcástico? Está irritado? Ou tentando lhe dizer que sabe que você está atribulado? Sem uma entonação para nos orientar, é fácil presumir o pior.

Somos condescendentes com nós mesmos. O que é irônico – e demasiado humano – em relação à nossa tendência de atribuir más intenções é que, quando se trata de nós, agimos de forma totalmente diferente. Quando seu marido se esquece de buscar as roupas na lavanderia, ele é irresponsável. Já quando você esquece de reservar as passagens de avião, é porque está sobrecarregada e estressada. Quando uma colega de trabalho critica você diante do departamento inteiro, ela está tentando acabar com você. Quando, nessa mesma reunião, você oferece sugestões a outras pessoas, está apenas querendo ser prestativo.

Quando somos nós os agentes, sabemos que na maioria das vezes não temos intenção de incomodar, ofender nem desmerecer os outros. Estamos tão envolvidos com as nossas preocupações que muitas vezes ignoramos que estamos provocando um impacto negativo nos outros. No entanto, quando somos nós que sofremos o impacto, nossa história rapidamente passa a girar em torno de más intenções e falta de caráter.

Más intenções não existem nunca? Claro, às vezes somos magoados porque alguém queria mesmo nos magoar. A pessoa com quem estamos lidando é maldosa ou insensata e tenta nos acusar de algo ou roubar nosso melhor amigo. Mas situações assim são mais raras do que imaginamos, e, se não escutarmos o outro, nunca vamos saber quais foram suas verdadeiras intenções.

Errar ao fazer suposições tem um preço alto

Intenções são importantes, e fazer suposições equivocadas é desastroso para os seus relacionamentos.

Presumimos que má intenção é sinônimo de falta de caráter. Talvez o maior perigo de supor que o outro tem más intenções seja que passamos facilmente de "Ele estava mal-intencionado" para "Ele é mau caráter". Fazemos julgamentos sobre o caráter das pessoas que distorcem a impressão que temos delas e que, inclusive, afetam não só qualquer possibilidade de conversa, mas o relacionamento inteiro. Uma vez que acreditamos ter desmascarado determinada pessoa, vemos todas as ações dela através dessas lentes e a gravidade da situação aumenta. Ainda que não compartilhemos nossa interpretação com a pessoa, o impacto existe. Quanto pior a nossa visão do caráter dela, mais fácil fica inventar justificativas para evitá-la ou dizer coisas desagradáveis pelas costas dela.

Quando você se pegar pensando "Esse guarda de trânsito é mesmo controlador", ou "Meu chefe é manipulador", ou "Minha vizinha é insuportável", pergunte-se por que tem essa opinião. Em que ela se baseia? Se for em se sentir impotente, temer ser manipulado ou estar frustrado, repare que a sua conclusão se baseia apenas no impacto das atitudes dos outros sobre você – o que não é suficiente para ter certeza quanto às intenções nem quanto ao caráter deles.

Acusar os outros de ter más intenções os põe na defensiva. Nossas suposições sobre as intenções alheias também podem ter um impacto significativo em nossas conversas. A maneira mais corriqueira de expressar essas suposições é com uma pergunta acusatória: "Por que você queria me magoar?", "Por que você me ignora desse jeito?", "O que foi que eu fiz pra você não ver problema algum em me humilhar?".

Assim, achamos estar compartilhando nossa mágoa, frustração, raiva ou confusão. Estamos tentando dar início a uma conversa que vai culminar em uma compreensão maior, talvez uma mudança de comportamento e, quem sabe, um pedido de desculpas. O que *eles* acham que estamos fazendo é provocar, acusar e maldizer. (Em outras palavras, eles cometem o mesmo erro de julgamento quanto às *nossas* intenções.) E, dada a frequência com que as nossas suposições estão incompletas ou equivocadas, a outra pessoa geralmente se sente não apenas acusada, mas injustamente acusada. Poucas coisas são mais nocivas do que isso.

Não é surpresa, portanto, que elas tentem se defender ou contra-atacar. Do ponto de vista delas, elas estão se defendendo de falsas acusações. Do nosso ponto de vista, elas estão apenas na defensiva – nós temos razão, mas elas não têm caráter para admitir isso. O resultado é uma confusão. Ninguém aprende nada, ninguém pede desculpas, nada muda.

Lori e Leo caem sempre nessa armadilha. Leo fica na defensiva o tempo todo e, no final, quando diz que acha que às vezes Lori "começa essas brigas de propósito", ele na verdade a acusa de estar mal-intencionada. E assim começa um ciclo de acusações. Se fossem entrevistados sobre a conversa logo a seguir, *tanto* Lori *quanto* Leo se diriam vítimas das más intenções do outro.

Ambos alegariam que as próprias declarações foram apenas em legítima defesa. São as duas características típicas desse ciclo: as duas partes se veem como vítima e as duas acham que estão apenas se defendendo. É assim que pessoas bem-intencionadas se metem em problemas.

Suposições podem ser profecias autorrealizáveis. Nossas suposições sobre as intenções dos outros geralmente se tornam realidade, mesmo quando, a princípio, não são verdade. Você acha que sua chefe não está lhe dando responsabilidades suficientes. Supõe que isso acontece porque ela não confia na qualidade do seu trabalho. Diante disso, você fica desmotivado, achando que nada do que fizer será capaz de mudar a cabeça dela. A qualidade do seu trabalho cai e sua chefe, que nunca havia duvidado da sua capacidade, agora está bem preocupada. Portanto, ela passa a lhe dar menos responsabilidades ainda do que antes.

Quando achamos que os outros estão mal-intencionados em relação a nós, isso afeta nosso comportamento. E, por sua vez, o nosso comportamento afeta a forma como eles nos tratam. Sem que nos demos conta, nossa suposição de que eles estavam mal-intencionados se tornou realidade.

O segundo erro: boas intenções não desfazem impactos negativos

Como vimos, o erro que Lori comete ao supor que sabe quais são as intenções de Leo, embora pareça pequeno, tem grandes consequências. Agora vamos voltar a Leo, que comete um erro igualmente danoso durante a conversa. Ele presume que, pelo fato de ter tido boas intenções, Lori não deveria se sentir magoada. O raciocínio dele é o seguinte: "Você disse que eu queria te magoar. Eu já esclareci que não queria. Logo, agora você deveria estar se sentindo bem, e, se não está, isso é problema seu."

Não escutamos o que os outros estão tentando dizer

O problema de focar apenas em elucidar nossas intenções é que acabamos não prestando atenção em partes significativas daquilo que o outro está tentando dizer. Quando alguém diz "Por que você estava tentando me magoar?", está na verdade tentando passar duas mensagens distintas: primeiro, "Eu sei quais eram as suas intenções"; segundo, "Eu estou magoado". Quando somos a pessoa acusada, focamos apenas na primeira mensagem e ignoramos a segunda. Por quê? Porque sentimos a necessidade de nos defender. Leo está tão ocupado se defendendo que não presta atenção no fato de que Lori ficou magoada. Ele não entende o que tudo aquilo representa para ela, quão magoada ela está nem por que aquela questão é tão dolorosa.

Esforçar-se para entender o que o outro está dizendo de fato é especialmente importante porque, quando uma pessoa diz "Você queria me magoar", não é exatamente isso que ela quer dizer. Uma interpretação literal demais das intenções acaba por atrapalhar a conversa. É muito comum dizermos "Você queria me magoar" quando na verdade queríamos dizer "Você não se preocupa o suficiente comigo". Essa distinção é importante.

O pai que está atarefado demais no trabalho e perde o jogo de basquete do filho não tem intenção de magoá-lo. Ele preferiria não magoar o filho. Mas seu desejo de não magoar o filho não é tão forte quanto o desejo ou a necessidade de trabalhar. Muitos de nós, quando somos destinatários da mensagem, fazemos pouca distinção entre "Ele queria me magoar" e "Ele não queria me magoar, mas não me colocou como prioridade". De um jeito ou de outro, a mágoa é a mesma. Se o pai responder à queixa do filho dizendo "Eu não queria te magoar", ele não estará respondendo ao que realmente incomoda o filho: "Você pode não ter tido a intenção de me magoar, mas sabia que isso ia me magoar e o fez do mesmo jeito."

É *válido* tentar esclarecer suas intenções. A questão é quando. Se for logo no início da conversa, você provavelmente vai fazê-lo antes de ter entendido por completo o que a outra pessoa realmente está querendo expressar.

Ignoramos a complexidade das motivações humanas

Outro problema em supor que o fato de as intenções serem boas desfaz os impactos negativos é que, geralmente, intenções são mais complexas do que apenas "boas" ou "más". As intenções de Leo são totalmente inocentes? Ele está *mesmo* apenas tentando ajudar Lori a se manter na dieta? Talvez ele próprio se sinta envergonhado da tendência de Lori a comer demais e tenha se sentido obrigado a dizer algo. Ou talvez ele queira que ela perca peso não tanto por si mesma, mas por ele. Se ele realmente se importa com ela como diz, não deveria estar mais atento ao impacto de suas palavras sobre ela?

Como acontece com frequência, as intenções de Leo provavelmente são variadas. Talvez ele nem esteja totalmente ciente de suas motivações, no fim das contas. Mas saber apontar as verdadeiras motivações de Leo é menos importante do que a disposição dele de fazer a si mesmo essa pergunta e procurar uma resposta. Se a primeira resposta que ele der a Lori for "Mas eu tinha boas intenções", ele coloca uma barreira a qualquer aprendizado que possa obter da conversa. E está enviando uma mensagem a Lori que diz: "Estou mais interessado em me defender do que em analisar as complexidades do que pode estar acontecendo comigo no nosso relacionamento."

É interessante notar que, quando as pessoas refletem de verdade sobre as próprias intenções, isso passa ao outro uma mensagem extremamente positiva sobre a importância daquele relacionamento. Afinal, só encaramos uma tarefa tão árdua em nome de alguém que é importante para nós.

Agravamos a hostilidade – principalmente entre grupos

A dinâmica de atribuir intenções, ficar na defensiva e ignorar o impacto que provocamos nos outros é especialmente comum nos conflitos entre grupos, seja entre sindicalistas e patrões, associações de moradores e empreiteiras, pessoal administrativo e os funcionários a seu encargo ou a minha família e a sua. O desejo de desfazer qualquer impacto é especialmente comum em situações que envolvem questões de "diferença", como etnia, gênero ou orientação sexual.

Alguns anos atrás, um jornal estava sendo acusado de falta de representatividade por parte de seus funcionários. Os repórteres afro-americanos e hispânicos reclamavam da ausência de vozes minoritárias em cargos editoriais e ameaçaram organizar um boicote caso essa prática não fosse mudada. Em resposta, os editores executivos se reuniram a portas fechadas para pensar no que fazer. Nenhum funcionário dos grupos minoritários foi convidado para a reunião. Quando os repórteres souberam disso, ficaram indignados. "Eles estão mais uma vez demonstrando que não se importam com o que temos a dizer", declarou um deles.

Quando uma das editoras, que era branca, ouviu isso, sentiu-se injustamente acusada e procurou esclarecer a intenção da reunião: "Eu entendo por que vocês se sentiram excluídos. Mas essa não era a nossa intenção. Foi simplesmente uma reunião editorial para tentar descobrir um bom próximo passo para promover a *inclusão* das vozes minoritárias." A editora achava que, agora que suas intenções haviam sido esclarecidas, a questão do "sentido da reunião" estava esclarecida. Afinal, tudo havia sido explicado. Mas nunca é tão simples assim. As intenções dos editores brancos são relevantes. Mas também é relevante que, quer tenha sido ou não intenção deles, as pessoas *se sentiram* excluídas. E sentimentos como esse exigem tempo e reflexão da parte de todos para serem resolvidos.

Como evitar os dois erros

A boa notícia é que os dois erros em torno das intenções e do impacto podem ser evitados.

Como evitar o primeiro erro: faça distinção entre impacto e intenção

Como Lori pode evitar o erro de atribuir a Leo intenções que ele talvez não tenha tido? O primeiro passo é simplesmente reconhecer que existe uma diferença entre o impacto do comportamento de Leo sobre ela e a intenção dele. Ela não vai chegar a lugar algum sem fazer essa distinção.

Separar impacto e intenção requer estarmos cientes de como é automático o salto de "Estou magoado" para "Você tinha intenção de me magoar". Você pode fazer essa distinção ao se fazer três perguntas:

1. **Ações:** "O que a outra pessoa disse ou fez de verdade?"
2. **Impacto:** "Qual foi o impacto disso em mim?"
3. **Suposição:** "Com base nesse impacto, que suposição estou fazendo sobre as intenções da outra pessoa?"

Encare sua opinião como uma hipótese. Depois de responder cuidadosamente a essas três perguntas, o passo seguinte é se certificar inteiramente de que você vê sua suposição sobre as intenções delas apenas como uma suposição. É um palpite, uma hipótese.

Distinção entre impacto e intenção

Estou ciente...	Não estou ciente...
... das minhas intenções.	... das intenções da outra pessoa.
... do impacto que a outra pessoa teve em mim.	... do meu impacto na outra pessoa.

Sua hipótese não surge do nada; você sabe o que foi dito ou feito. Mas, como vimos, não há muitas pistas a serem seguidas. Seu palpite tanto pode estar certo quanto pode estar errado. Aliás, a sua reação pode dizer mais sobre você do que sobre o que aconteceu. Talvez você tenha tido uma experiência passada que dê à atitude do outro um sentido específico. Muitas pessoas acham certos tipos de provocação mais graves por causa de experiências ruins com irmãos, por exemplo, enquanto outras acham que provocações (moderadas) são um jeito de se conectar e demonstrar afeto. Diante disso, portanto, você não pode correr o risco de fazer acusações com base em dados tão frágeis.

Explique o impacto que algo teve em você; pergunte sobre as intenções dos outros. Você pode usar suas respostas às três perguntas listadas anteriormente para dar início à conversa difícil: diga o que a outra pessoa fez, conte qual foi o impacto que isso teve em você e explique sua suposição sobre as intenções dela, tomando o cuidado de classificá-la como uma hipótese que você quer verificar, sem afirmar de imediato que é verdadeira.

Imagine quanto isso mudaria o início da conversa entre Lori e Leo. Em vez de fazer uma acusação, Lori pode começar indicando o que Leo disse e qual foi o impacto disso nela:

Lori: Lembra quando você disse "Lori, por que você não para de tomar sorvete?"? Bem, isso me deixou magoada.

Leo: Deixou?

Lori: Foi.

Leo: Eu só queria te ajudar a se manter na dieta. Por que isso te deixa chateada?

Lori: Eu me senti constrangida por você ter dito isso na frente dos nossos amigos. Depois fiquei me perguntando se você disse isso de propósito, para me envergonhar ou me magoar. Não sei dizer por que você faria isso, mas é o que eu fico pensando quando algo assim acontece.

Leo: Bem, pode ter certeza de que não fiz de propósito. Acho que não me dei conta de que isso podia te magoar tanto. Eu nunca sei o que você quer que eu diga quando noto que você está saindo da dieta...

A conversa está só começando, mas já promete ser muito melhor.

Não finja que você não tem uma hipótese. Repare que não sugerimos que você se livre de suas suposições sobre as intenções alheias. Isso simplesmente não é factível. Também não sugerimos que esconda sua opinião. Em vez disso, assuma que suas suposições são o que elas são – meras suposições, sujeitas a alterações ou refutações. Lori não diz "Eu não faço ideia de por que você disse isso", ou "Eu sei que você não quis me magoar". Isso não seria sincero. Ao compartilhar suas suposições sobre as intenções dos outros, deixe claro que são apenas suposições – ou seja, palpites – e que você as está expondo com o intuito de verificar se fazem sentido para a outra pessoa.

É inevitável ficar um pouco na defensiva. Por mais que você lide habilmente com as coisas, é muito provável que venha a se deparar com uma postura um tanto defensiva. A questão em torno das intenções e dos impactos é complexa, ainda que a distinção tenha sido bem feita. Portanto, espere sempre uma postura um pouco defensiva e esteja pronto para esclarecer o que você está tentando comunicar e o que não está.

Quanto mais você puder aliviar a outra pessoa da necessidade de se defender, mais fácil fica para ela absorver o que você está dizendo e refletir sobre a complexidade das motivações dela. Por exemplo, você pode dizer: "Fiquei surpreso por você ter feito esse comentário. Pareceu pouco característico da sua parte." Supondo que isso seja verdade (que seja pouco característico), você está buscando equilibrar as informações que leva ao conhecimento da outra pessoa. Se havia mesmo alguma dose de maldade no que foi dito, esse equilíbrio faz com que seja mais fácil para a pessoa admitir isso.

Como evitar o segundo erro: dê ouvidos aos sentimentos e reflita sobre suas intenções

Quando nos encontramos na posição de Leo – sendo acusados de ter tido más intenções –, há uma forte tendência a nos defendermos: "Não foi minha intenção." Estamos defendendo nossas intenções e nosso caráter. No entanto, como vimos, começar dessa forma gera problemas.

Procure ouvir os sentimentos que estão por trás da acusação. Lembre-se de que a acusação de que estávamos mal-intencionados é sempre composta por duas ideias distintas: (1) de que tínhamos más intenções e (2) de que a outra pessoa ficou frustrada, magoada ou constrangida. Não finja que a primeira ideia não existe. Você vai querer responder a ela. Mas também não ignore a segunda. Se você *começar* por ouvir os sentimentos e abrir espaço para eles e só depois voltar à questão das intenções, sua conversa será significativamente mais fácil e mais construtiva.

Esteja aberto a refletir sobre a complexidade das suas intenções. Quando chegar a hora de pensar sobre as suas intenções, procure evitar a propensão a dizer "Eu tinha a melhor das intenções". É normal acharmos isso de nós mesmos, e, em vários momentos, é verdade. Mas em muitos outros, como vimos, as intenções são bem mais complexas.

Podemos imaginar como teria sido o começo da conversa com Lori se Leo seguisse esse conselho:

Lori: Eu fiquei muito magoada na festa com o jeito como você me tratou na frente de nossos amigos.

Leo: O jeito como eu te tratei? Do que que você está falando?

Lori: Sobre o sorvete. Você se comporta como se fosse meu pai ou algo assim. Você tem necessidade de me controlar ou de me botar pra baixo.

Leo: Uau. Parece que o que eu falei te magoou de verdade.

Lori: Claro que me magoou. O que você esperava?

Leo: Bem, na hora o que me passou pela cabeça é que você tinha dito que estava de dieta e que talvez eu pudesse te ajudar a não sair dela. Mas entendo que falar isso na frente de todo mundo é constrangedor. Fico me perguntando como é que eu não previ isso.

Lori: Talvez você estivesse com vergonha de ter que dizer alguma coisa.

Leo: É, talvez. Posso ter interpretado que você estava fora de controle, o que é uma questão importante pra mim.

Lori: É verdade. E eu provavelmente estava um pouco fora de controle mesmo.

Leo: De qualquer forma, eu te peço desculpas. Não gosto de te magoar. Vamos pensar no que eu *deveria* fazer ou dizer, se for o caso, em situações como essa.

Lori: Ótima ideia…

...

Compreender como distorcemos as intenções alheias, tornando as conversas difíceis ainda mais difíceis, é crucial para desvendar o que aconteceu entre nós e o outro. No entanto, há outro aspecto da conversa sobre o que aconteceu que pode causar uma grande confusão – a questão da culpa.

4

Esqueça a culpa: Mapeie o sistema de contribuição

A agência de publicidade na qual você trabalha manda você a outra cidade para fazer uma apresentação para os executivos da *ExtremeSport*, uma marca de material esportivo em crescimento que é um cliente em potencial. Você chega para começar sua apresentação e descobre que está com os *storyboards* errados. Cliente certo, campanha errada. Abalado, você se arrasta falando coisas sem foco. Com um único deslize, sua secretária, que separou os materiais da viagem, arruinou semanas de trabalho árduo.

Na nossa história, a culpa parece óbvia

Você culpa a sua secretária não só porque ela é um alvo conveniente para sua frustração, ou porque dizer que quem errou foi ela e não você pode ajudar a salvar sua reputação, mas também porque é a mais pura verdade: a culpa foi dela.

Quando você e sua secretária por fim conversam sobre o que deu errado, você pode acabar adotando uma destas duas abordagens. Pode culpá-la explicitamente, dizendo algo como "Não sei como você pode ter deixado isso acontecer!", ou, se você tende a ser menos confrontador (ou se aprendeu que culpar as pessoas não ajuda em nada), pode culpá-la implicitamente, dizendo algo menos ameaçador, como "Vamos fazer melhor da próxima vez". De um jeito ou de outro, a mensagem que ela recebe é: a culpa é dela.

Ficamos presos na teia da culpa

A culpa é uma questão de destaque em muitas conversas difíceis. Seja às claras, seja por debaixo dos panos, tudo gira em torno da questão de quem é o culpado. Quem é o vilão nesse relacionamento? Quem errou? Quem é que tem que pedir desculpas? Quem é que tem o direito de se sentir indignado?

Focar na culpa é uma péssima ideia. *Não* porque seja difícil falar sobre ela. *Nem* porque pode prejudicar relacionamentos e provocar sofrimento e ansiedade. Muitos assuntos são difíceis de serem discutidos e provocam efeitos colaterais potencialmente negativos, mas é importante abordá-los.

Focar na culpa é uma péssima ideia porque *interfere em nossa capacidade de descobrir o que de fato está causando o problema e de fazer algo significativo para corrigi-lo*. E também porque a culpa muitas vezes é irrelevante e injusta. O desejo de encontrar culpados se baseia, quase literalmente, em um mal-entendido sobre o que deu origem ao problema entre você e a outra pessoa e no medo de a culpa recair sobre *você*. Com muita frequência, apontar culpados também serve como um péssimo atalho para falar sobre mágoas passadas.

Mas o conselho "Não procure culpados" não basta. Você não tem como deixar a culpa de lado até entender o que é culpa, o que nos motiva a querer encontrar culpados e como avançar em direção a alguma outra coisa que servirá melhor aos seus propósitos em conversas difíceis. Essa outra coisa é o conceito de *contribuição*. Nem sempre é fácil fazer distinção entre culpa e contribuição, mas essa distinção é essencial para melhorar sua capacidade de lidar bem com conversas difíceis.

Fazendo distinção entre culpa e contribuição

No fundo, culpa tem a ver com *julgamento* e contribuição tem a ver com *compreensão*.

Culpa é julgamento e aponta para o passado

Quando perguntamos "De quem é a culpa?", estamos na verdade fazendo três perguntas em uma. Primeiro: essa pessoa causou o problema? Ou seja, as ações (ou a omissão) da sua secretária fizeram com que você viajasse com os *storyboards* errados? Segundo: se sim, como as ações dela devem ser avaliadas segundo algum padrão de conduta? Ela foi incompetente, irracional, antiética? Terceiro: se o julgamento for negativo, como ela deve ser punida? Você deveria gritar com ela? Dar uma advertência? Quem sabe, até mesmo demiti-la?

Dizer "Isso foi culpa sua" é uma forma de sintetizar uma resposta condenatória a essas três perguntas. Queremos dizer não apenas que foi você que provocou isso, mas que fez algo errado e merece punição. Não é de admirar que a culpa seja uma questão tão pesada e que sejamos rápidos em procurar nos defender quando sentimos sua aproximação.

Quando a culpa está em jogo, tudo que você pode esperar são atitudes defensivas, emoções à flor da pele, interrupções e discussões sobre o que "boas secretárias", "cônjuges amorosos" ou "qualquer pessoa razoável" deveriam ou não fazer. Quando culpamos alguém, estamos colocando a pessoa no banco dos réus, portanto ela faz o que qualquer réu faz: se defende da melhor forma possível. Tendo em vista o que está em jogo, é fácil perceber como a dinâmica mútua de apontar culpados se torna tóxica com tanta frequência.

Contribuição é compreensão e aponta para o futuro

A contribuição faz uma série de perguntas correlatas, mas diferentes. A primeira delas é "Como *cada um* de nós contribuiu para provocar a situação atual?", ou, em outras palavras, "O que nós fizemos ou deixamos de fazer para nos metermos nessa confusão?". A segunda é: "Tendo identificado o sistema de contribuição, como podemos mudá-lo? O que podemos fazer em relação a isso à medida que vamos avançando?" Em suma, a contribuição é útil quando nosso objetivo é entender o que de fato aconteceu, para que possamos melhorar a forma como trabalhamos em conjunto no futuro. No universo das relações comerciais e pessoais, muitas vezes adotamos a dinâmica da culpa quando, no fundo, nossos objetivos são compreender e mudar.

Para ilustrar isso, voltemos à história da *ExtremeSport* e imaginemos duas conversas distintas entre você e sua secretária. A primeira foca na culpa; a segunda, na contribuição.

> Você: Eu queria falar com você sobre a minha apresentação na *ExtremeSport*. Você colocou os *storyboards* errados na pasta. A situação foi extremamente desagradável e me deixou numa posição péssima. Não dá para trabalhar desse jeito.
> Secretária: Fiquei sabendo. Sinto muito. É que... Bem, você provavelmente não quer ouvir minhas justificativas.
> Você: Eu não entendo como você pode ter deixado isso acontecer!
> Secretária: Eu sinto muito, *de verdade*.
> Você: Eu sei que você não fez isso de propósito e que lamenta, mas não quero que isso se repita. Você entende o que eu quero dizer?
> Secretária: Isso não vai se repetir. Eu prometo.

Todos os três elementos da culpa estão presentes: foi você que causou isso, eu a estou julgando de forma negativa e está implícito nas minhas palavras que, de um jeito ou de outro, você vai sofrer alguma punição, principalmente se isso voltar a acontecer.

Já uma conversa focada na contribuição pode se desenrolar assim:

> Você: Eu queria falar com você sobre a minha apresentação na *ExtremeSport*. Quando cheguei lá, encontrei os *storyboards* errados na minha pasta.
> Secretária: Fiquei sabendo. Sinto muito. Estou me sentindo péssima.
> Você: Obrigado. Eu também estou me sentindo mal. Vamos refazer nossos passos e tentar entender como isso aconteceu. Desconfio que nós dois tenhamos contribuído para o problema. Do seu ponto de vista, eu fiz algo diferente dessa vez?
> Secretária: Não sei. A gente estava trabalhando em três contas ao mesmo tempo e, na hora em que perguntei quais materiais você queria que eu separasse, você se irritou. Sei que é minha responsabilidade saber quais materiais você quer para cada conta, mas às vezes, quando está tudo muito agitado, isso acaba ficando confuso.

Você: Se não tiver certeza, pergunte. Mas parece que você está dizendo que nem sempre é fácil perguntar.

Secretária: Bem, às vezes eu me sinto intimidada. Quando você está muito ocupado, dá a impressão de que não quer ser incomodado. No dia da viagem você estava com esse humor. Eu estava tentando não te atrapalhar, porque não queria te deixar ainda mais ansioso. Eu tinha planejado conferir quais *storyboards* você queria quando você saísse do telefone, mas tive de sair correndo para fazer as impressões. Só depois que você saiu eu me lembrei disso, mas sei que você também costuma conferir os materiais mais de uma vez, então achei que estava tudo certo.

Você: É, eu costumo conferir mais de uma vez, mas naquele dia eu estava tão atarefado que esqueci. Acho que é melhor nós dois conferirmos mais de uma vez sempre. E eu sei que fico com esse humor. E que pode ser difícil interagir comigo quando estou desse jeito. Preciso me dedicar a ser menos impaciente e menos abrupto. Mas, se você não tiver certeza de alguma coisa, é preciso que você me pergunte, não importa o tipo de humor em que eu esteja.

Secretária: Então você quer que eu faça perguntas mesmo que eu ache que isso vai te incomodar?

Você: Isso, e eu vou tentar reagir com menos irritação. Você acha que consegue?

Secretária: Bem, falar sobre isso desse jeito facilita um pouco. Fica mais claro quão importante isso é.

Você: Você pode até mencionar essa conversa. Pode dizer "Eu sei que você está sob pressão, mas você me fez prometer que eu ia perguntar", ou só falar "Ei, você prometeu não ser tão babaca!".

Secretária: [risos] Ok, acho que eu consigo.

Você: E também podemos pensar numa forma melhor de você manter um controle sobre quais campanhas são relativas a cada reunião...

Na segunda conversa, você e sua secretária começaram a identificar as contribuições que cada um levou para o problema e como a reação de cada um compõe um padrão: você está ansioso por causa de uma apresentação que o deixa totalmente absorto e desconta na sua secretária. Ela presume que você não quer que ela o incomode e se retira. Um lapso ocorre e, na próxima vez que está se preparando para uma apresentação, você fica ainda mais irritado e mais preocupado, pois não sabe mais se pode confiar na sua secretária para ajudá-lo. Então você se torna mais ríspido, mais fechado, e a comunicação entre vocês continua se deteriorando. Os equívocos só se multiplicam.

Ao olhar para o sistema interativo que ambos foram responsáveis por criar, vocês conseguirão ver o que cada um precisa fazer para evitar ou alterar esse sistema no futuro. Como resultado, a segunda conversa tem muito mais probabilidade do que a primeira de produzir mudanças duradouras na maneira como vocês trabalham em conjunto. Na verdade, a primeira conversa oferece apenas o risco de reforçar o problema. Como parte do sistema é o fato de sua secretária se sentir desencorajada de falar com você porque tem medo de aumentar sua irritação, uma conversa sobre culpa provavelmente vai piorar essa tendência, não melhorar. Se você agir assim, ela vai chegar à conclusão de que é impossível trabalhar com você, ao passo que você vai ficar achando que ela é incompetente.

A contribuição é conjunta e interativa

Focar nas contribuições do chefe e da secretária – buscando a compreensão em vez do julgamento – é fundamental. Essa não é só uma boa prática, ela também é mais condizente com a realidade. Via de regra, quando as coisas dão errado nas relações humanas, todos deram alguma contribuição relevante.

Claro, não é assim que nós *vivenciamos* as contribuições de modo geral. Uma distorção comum é ver a contribuição como algo singular – tendemos a achar que o que deu errado é exclusivamente nossa culpa ou, com mais frequência, exclusivamente culpa dos outros.

As coisas só são simples assim em filmes ruins. Na vida real, as relações de causa são quase sempre mais complexas. Existe um *sistema* de contribuição, e esse sistema contém contribuições de todos os lados. Pense em um atacante com a bola, cara a cara com o goleiro. Se ele perde o gol, pode dizer que o sol ofuscou sua vista, que sentiu uma lesão no tornozelo bem na hora do chute ou que simplesmente não conseguiu bater com a força que queria. O goleiro, no entanto, pode descrever a situação dizendo "Eu sei que ele costuma chutar no canto esquerdo, então pulei antes" ou "Eu estava bem posicionado. Sabia que ele não tinha ângulo para acertar assim que entrou na área".

Quem está certo, o atacante ou o goleiro? A resposta, é claro, é que os dois estão, pelo menos em parte. Quer o atacante chute em cima do goleiro ou faça um gol de placa, isso é resultado da interação entre o atacante e o goleiro. Dependendo da sua perspectiva, você pode se concentrar na atitude de um ou de outro, mas as ações de ambos são relevantes para o resultado.

O mesmo vale para as conversas difíceis. Com exceção de casos extremos, como abuso de crianças, quase todas as situações que dão origem a uma conversa são resultado de um sistema de contribuição conjunta. O foco em apenas um dos colaboradores obscurece esse sistema em vez de lançar luz sobre ele.

O preço do foco na culpa

Há situações, sim, em que o foco na culpa não é apenas importante, mas essencial. Nosso sistema jurídico é configurado para atribuir culpa tanto na esfera civil quanto na esfera penal. Atribuir culpa publicamente, apontando o desvio de padrões legais ou morais claramente articulados, diz às pessoas o que se espera delas e permite que a sociedade exerça a justiça.

Quando a culpa se torna o objetivo, quem sofre é a compreensão

Mas, mesmo em situações que exigem uma atribuição clara de culpa, existe um preço a ser pago. Uma vez que o espectro da punição – seja judicial ou não – é levantado, fica mais difícil compreender o que aconteceu de fato. As pessoas se tornam menos receptivas, menos abertas e menos dispostas a pedir desculpas, e tudo isso é compreensível. Depois de um acidente de carro, por exemplo, uma montadora que teme ser processada pode resistir a fazer melhorias nos itens de segurança, por medo de que isso pareça uma admissão de que a empresa deveria ter feito algo *antes* do acidente.

As "comissões da verdade" geralmente são criadas para contrabalançar o custo de se atribuir culpa e a vantagem de se obter uma compreensão melhor do que aconteceu. Uma comissão da verdade oferece anistia em troca de honestidade. Na África do Sul, por exemplo, é improvável que no passado se soubesse tanto quanto se sabe agora sobre os abusos cometidos durante o apartheid se as investigações e os processos criminais tivessem sido o único caminho.

Focar na culpa dificulta a solução dos problemas

Quando o cachorro desaparece, quem é o culpado? A pessoa que abriu o portão ou a que não segurou a coleira? Devemos discutir sobre isso ou procurar o cachorro? Quando a pia do banheiro transborda e provoca infiltração no apartamento do vizinho de baixo, devemos culpar o sujeito que ia escovar os dentes e esqueceu de fechar a torneira? A esposa, que o chamou? O fabricante, que projetou um ralo muito pequeno? O encanador, que não mencionou esse problema? A resposta para quem *contribuiu* para o problema é: todas as opções acima. Quando o objetivo é de fato encontrar o cachorro, consertar a infiltração e evitar que esses incidentes se repitam, focar na culpa é perda de tempo. Olhar para trás não ajuda em nada a entender o problema, assim como passar por cima dele não ajuda a solucioná-lo.

A culpa pode mascarar um sistema defeituoso

Mesmo que a punição pareça apropriada, adotá-la como substituta da tarefa de descobrir o que deu errado e por que é um desastre. O vice-presidente da Commodity Corp. defendeu a decisão de construir uma nova fábrica como forma de aumentar os lucros. No entanto, a fábrica não apenas não provocou o aumento esperado como o excesso de oferta acabou por reduzir os lucros. No momento da decisão de construir a fábrica, várias pessoas previram essa hipótese, mas não se manifestaram.

Para resolver a situação, o vice-presidente foi demitido e um novo planejador estratégico foi contratado. Ao remover a pessoa que tomou a decisão infeliz e substituí-la por alguém "melhor", presumiu-se que o problema de gerenciamento estivesse resolvido. Mas, embora a empresa tenha mudado uma "parte" do sistema de contribuição, ela não olhou para o sistema como um todo. Por que aqueles que previram o fracasso ficaram em silêncio? Houve incentivos implícitos que encorajaram essa postura? Quais estruturas, políticas e processos continuam a permitir que decisões ruins sejam tomadas e o que seria necessário para alterá-los?

Às vezes há motivos plausíveis para a troca de um elemento dentro de um sistema. Mas o preço de fazer isso em substituição ao trabalho árduo de examinar o sistema de contribuição de forma mais ampla costuma ser surpreendentemente alto.

Os benefícios de entender a contribuição

Essencialmente, procurar culpados deixa as conversas difíceis ainda mais difíceis, ao passo que compreender o sistema de contribuição torna uma conversa difícil mais fácil e com mais chances de ser produtiva.

A contribuição é mais fácil de ser abordada

Joseph comanda um escritório estrangeiro de uma empresa multinacional. Sua maior frustração vem da falta de vontade ou incapacidade da sede em se comunicar com ele de forma eficaz. Joseph não fica sabendo das mudanças nas políticas corporativas até que já estejam implementadas e volta e meia fica sabendo dos trabalhos que a empresa está realizando em sua região pelos próprios clientes (ou, como aconteceu uma vez, pelos jornais!). Joseph decide colocar esse assunto em pauta junto à matriz.

No entanto, antes que ele tenha essa oportunidade, um dos diretores aponta o papel de Joseph nesse problema. Joseph instalou um sistema computadorizado incompatível com o da sede. E ele raramente toma a iniciativa de fazer os tipos de pergunta que deveria fazer. Infelizmente, em vez de enxergar as próprias contribuições como parte de um sistema complexo,

Joseph abraça a dinâmica de procurar culpados e começa a se perguntar se na verdade o problema é ele, não a matriz. No fim das contas, decide não levantar o assunto e sua frustração continua.

A dinâmica de procurar culpados gera um fardo. Você precisa estar confiante de que os culpados são os outros, não você, para se sentir no direito de inserir uma questão no debate. Visto que, como já dissemos, de alguma forma você sempre contribui para o problema, é provável que acabe por não apontar questões importantes. Isso é uma pena, porque assim perde a oportunidade de entender por que a comunicação não está funcionando bem e de que maneira poderia melhorar.

A contribuição estimula o aprendizado e a mudança

Imagine um casal debatendo a infidelidade da esposa. Voam acusações para todos os lados quando são levantadas questões relativas à culpa. Depois de muita angústia, o marido decide manter o casamento, sob a condição de que a infidelidade jamais se repita. Aparentemente houve uma solução, mas o que cada um aprendeu com essa experiência?

Por mais unilateral que uma traição possa parecer, ela geralmente envolve alguma contribuição de ambos os parceiros. A menos que essas contribuições sejam analisadas, os problemas e os padrões dentro da relação que deram origem à traição continuarão provocando dificuldades. Algumas perguntas precisam ser feitas: O marido ouve a esposa? Ele fica no trabalho até tarde? A esposa estava se sentindo triste, sozinha, indesejada? Se estava, por quê?

E, para entender o *sistema*, o casal precisa se fazer mais perguntas: Se o marido não dá ouvidos à esposa, o que ela está fazendo para contribuir para isso? O que ela diz ou faz que o estimula a se afastar ou se isolar? Ela trabalha todo fim de semana ou se afasta quando está chateada? Como o relacionamento funciona? Se houver o desejo de identificar os fatores que contribuíram para a infidelidade e de que alguma coisa seja feita, essas questões precisam ser exploradas – ou seja, o sistema de contribuição precisa ser mapeado.

Três equívocos sobre a contribuição

Três mal-entendidos muito comuns podem impedir as pessoas de abraçar o conceito de contribuição ou de se beneficiarem integralmente dele.

Equívoco #1: Tenho que me concentrar apenas na minha contribuição

O conselho de que você deve procurar entender a contribuição conjunta para um problema às vezes é interpretado como "Esqueça a contribuição do outro e se concentre apenas na sua". Isso é um erro. *Entender qual é a sua contribuição não anula a contribuição do outro.* Vocês dois mergulharam juntos nessa confusão. Provavelmente terão que estar juntos para sair dela.

Reconhecer que todos os envolvidos em uma situação contribuíram para o problema não significa que todos contribuíram na mesma medida. Você pode ser 5% responsável ou 95% responsável, mas ainda assim é uma contribuição conjunta. Quantificar a contribuição não é fácil, claro, e na maioria dos casos não tem muita serventia. O objetivo é entender, não atribuir porcentagens.

Equívoco #2: Deixar a culpa de lado significa deixar meus sentimentos de lado

Optar por entender o sistema de contribuição em vez de focar na culpa não significa deixar de lado as emoções. Pelo contrário. Enquanto você e o outro analisam como cada um contribuiu para o problema, é essencial falar sobre os sentimentos presentes.

De fato, o próprio impulso de apontar culpados muitas vezes é estimulado por emoções intensas que não foram expressadas. Ao descobrir a traição da sua esposa, sua vontade é dizer: "Você é responsável por acabar com o nosso casamento! Como você pôde fazer algo tão estúpido e insensível?!" Aqui você está utilizando a culpa como um atalho para falar dos seus sentimentos. Falar diretamente sobre esse tipo de sentimento – "Estou arrasado com o que você fez", ou "Minha capacidade de confiar em você foi destruída" – na verdade reduz o impulso de culpar. Com o tempo, à medida que você olha para a frente, isso lhe proporciona maior liberdade para falar de maneira natural e produtiva sobre a contribuição.

Se você se sentir tomado por um impulso incessante de apontar culpados ou por um desejo contínuo de que o outro admita que estava errado, pode ser que encontre algum alívio ao se perguntar "Quais sentimentos estou deixando de expressar?" e "A outra pessoa acolhe o que estou sentindo?". Ao explorar esse terreno, pode ser que você naturalmente troque a dinâmica de procurar culpados pela dinâmica da contribuição. Pode ser que você descubra que o que quer, na verdade, é compreensão e acolhimento. O que você quer que a outra pessoa diga não é "A culpa foi minha", mas "Eu sei que te magoei e sinto muito por isso". A primeira frase tem a ver com julgamento, e a segunda, com compreensão.

Equívoco #3: Explorar a contribuição significa "culpar a vítima"

Quando uma pessoa culpa a vítima, está insinuando que a pessoa "atraiu aquilo para si", que ela merecia ou até mesmo queria ser vítima. Isso muitas vezes é extremamente injusto e doloroso tanto para a vítima quanto para os outros.

Procurar a contribuição conjunta não tem nada a ver com nenhum tipo de culpa. Imagine que você é assaltado enquanto anda sozinho por uma rua escura tarde da noite. Pensar em termos de culpa faz surgirem as questões: "Você fez algo de errado? Você violou a lei? Você agiu de forma imoral? Você deveria ser punido?" A resposta para todas essas perguntas é "não". Você não fez nada de errado; não merecia ser assaltado. Ser assaltado não foi culpa sua.

A contribuição faz uma série diferente de perguntas. Pensar em termos de contribuição levanta a questão: "O que eu fiz que ajudou a provocar essa situação?" Você pode encontrar a contribuição mesmo em situações nas quais não tem culpa: você contribuiu para ser assaltado. Como? Escolhendo andar sozinho à noite. Se estivesse em outro lugar ou em grupo, a probabilidade de ser assaltado seria menor. Se estamos buscando punir alguém pelo que aconteceu, puniríamos o assaltante. Se estamos pensando em ajudá-lo a se sentir mais responsável pelas suas ações, incentivamos você a encontrar sua contribuição. Você pode não ter como mudar as contribuições dos outros, mas em muitos casos poderá mudar as suas.

Em sua autobiografia, *Longa caminhada até a liberdade*, Nelson Mandela deu um exemplo de como as pessoas que foram predominantemente vitimizadas ainda podem procurar entender como elas próprias contribuíram para seus problemas. Ele descreveu como aprendeu isso com um africâner:

> O reverendo Andre Scheffer era ministro da Igreja da Missão Reformada Holandesa na África. Ele tinha um senso de humor mordaz e gostava de zombar da gente. "Sabe", ele dizia, "o homem branco tem uma tarefa mais difícil do que o homem negro neste país. Sempre que há um problema, nós [homens brancos] temos que encontrar uma solução. Mas sempre que vocês, negros, têm um problema, vocês têm uma desculpa. Vocês podem simplesmente dizer '*Ingabilungu*'", uma expressão xhosa que significa "São os brancos".
>
> O que ele queria dizer é que sempre poderíamos culpar o homem branco por todos os nossos problemas. Sua mensagem era que também devemos procurar dentro de nós mesmos e devemos nos tornar responsáveis por nossas ações – um sentimento com o qual eu concordo plenamente.

Mandela não acreditava que os negros fossem culpados por sua situação. Ele acreditava que os negros deveriam identificar e assumir a responsabilidade pela contribuição deles para os problemas da África do Sul se quisessem que o país progredisse.

Ao identificar sua contribuição para perpetuar uma situação, você aprende em quais pontos pode atuar para afetar o sistema. Ao mudar o seu comportamento, você ganha pelo menos alguma influência sobre o problema como um todo.

Como descobrir a sua parte: quatro contribuições difíceis de identificar

"O conceito de contribuição faz sentido", você pode estar pensando. Mesmo assim, ao refletir sobre o seu envolvimento mais premente, você fica surpreso: "Nesta situação específica, eu simplesmente não vejo como posso ter dado alguma contribuição." Identificar sua contribuição requer prática, e estar familiarizado com quatro contribuições bastante comuns, mas geralmente negligenciadas, já ajuda.

1. Não abordar o problema

Uma das contribuições mais comuns a um problema, e uma das mais fáceis de ser ignorada, é o simples ato de evitá-lo. Você permitiu que o problema continuasse sem solução por não tê-lo abordado anteriormente. Pode ser que seu ex-marido tenha se atrasado sempre que foi buscar os filhos ao longo dos últimos dois anos, mas você jamais disse a ele que isso era um problema. Pode ser que a sua chefe venha afetando sua autoestima de uma forma insensível desde que você começou nesse emprego, quatro anos atrás, mas você optou por não falar com ela sobre o impacto disso.

Um dos seus gerentes de loja merece receber uma advertência ou até mesmo ser demitido. Mas a ficha dele está cheia de avaliações classificando o desempenho dele como "satisfatório" há anos. Por quê? Em parte, porque você queria evitar o esforço de documentar o problema, mas principalmente porque você e os outros supervisores não desejavam o incômodo de precisar ter uma conversa difícil com uma pessoa teimosa. E porque os gerentes da sua empresa são complacentes com os erros uns dos outros, de forma a evitar esse tipo de conversa.

Um jeito especialmente problemático de evitar abordar o problema é reclamar com terceiros em vez de com a pessoa com quem você está chateado. Isso faz você se sentir melhor, mas coloca no meio da história pessoas que não têm como ajudar. Elas não podem falar por você, mas, caso tentem, o outro pode achar que o problema é tão grave que você não tem como falar sobre ele cara a cara. Por outro lado, se não fizerem nada, essas pessoas terão que lidar apenas com a sua versão da história, que é incompleta.

Isso não quer dizer que seja errado buscar conselhos de amigos sobre como conduzir uma conversa difícil. Porém, se você optar por fazer isso, também deve relatar a esses amigos qualquer mudança no seu ponto de vista após ter tido uma conversa difícil, para que eles não fiquem com uma história desequilibrada nas mãos.

2. Não ser acessível

Uma atitude análoga a não abordar um problema é ter uma forma de se relacionar que mantém as pessoas à distância. Você dá a sua contribuição ao ser indiferente, imprevisível, irritadiço, crítico, punitivo, hipersensível, teimoso ou hostil. A questão, é claro, não é se você é de fato alguma dessas coisas nem se tem a intenção de provocar esse impacto. Se alguém tiver essa impressão ao lidar com você, é menos provável que assuntos importantes sejam abordados, e isso cria um sistema de evasões dentro do relacionamento.

3. Interseções

As interseções são o resultado de pequenas diferenças entre duas pessoas no que tange a suas trajetórias, suas preferências, seu estilo de comunicação ou ao que elas pensam sobre relacionamentos. Vejamos o exemplo de Toby e Eng-An, que estão casados há cerca de quatro meses. Suas brigas começaram a seguir um padrão previsível. Normalmente, Toby é quem dá início às discussões sobre um problema – qual dos dois está fazendo mais tarefas domésticas, por que Eng-An não ficou do lado dele no desentendimento com a mãe dela, se devem guardar ou gastar o bônus de fim de ano. Quando as coisas esquentam, Eng-An encerra a discussão dizendo "Olha, eu não quero falar sobre isso agora" e se afasta.

Quando Eng-An se cala ou se afasta, Toby se sente abandonado, tendo que lidar sozinho com as questões do relacionamento. Ele reclama com os amigos, dizendo que "Eng-An é incapaz de lidar com sentimentos, tanto os dela quanto os meus. Ela entra em negação quando algo, por menor que seja, está errado". Toby está cada vez mais decepcionado diante da incapacidade de tomar decisões difíceis em conjunto ou até mesmo de debater essas questões.

Enquanto isso, Eng-An tem confidenciado à irmã: "Toby me sufoca. Tudo é urgente, tudo tem que ser debatido *naquele segundo*. Ele não quer saber como estou me sentindo nem se é um bom momento pra mim. Ele queria investigar uma diferença de três dólares na nossa conta-corrente na véspera de uma apresentação importantíssima que eu ia fazer diante do conselho! Ele está o tempo todo transformando divergências minúsculas em problemões que precisam ser debatidos por horas e horas."

Quando, por fim, Toby e Eng-An falam abertamente sobre o que está acontecendo, eles percebem que suas experiências anteriores criaram uma interseção de pressupostos conflitantes sobre comunicação e relacionamentos. A mãe de Toby tinha um problema de alcoolismo que foi se tornando cada vez mais grave ao longo de sua infância. Toby era o único membro da família disposto a falar explicitamente sobre o que estava acontecendo. Seu pai e suas irmãs entraram em negação, agindo como se não houvesse nada errado e ignorando o comportamento errático da mãe, apegados de modo inconsciente à esperança de que aquilo fosse se resolver de alguma forma. Mas não se resolvia. Talvez, em consequência disso, Toby tenha uma forte sensação de que abordar e solucionar problemas de imediato seja crucial para a saúde de seu relacionamento com Eng-An.

A casa de Eng-An era bem diferente. O irmão dela tem uma deficiência mental, e a vida da família girava em torno da rotina e das necessidades dele. Ainda que Eng-An amasse o irmão, ela às vezes precisava de um descanso da turbulência emocional gerada pelas constantes preocupações, crises e cuidados que o cercavam. Ela aprendeu a não reagir de pronto a um problema em potencial e trabalhou muito para estabelecer o distanciamento de que precisava por fazer parte de uma família tão intensa em termos emocionais. As reações de Toby aos desentendimentos entre eles ameaçam esse espaço tão duramente conquistado.

É possível observar de que forma a combinação das duas visões de mundo produz um sistema de interação no qual Toby fala e Eng-An se retira. Operando na dinâmica de procurar culpados, Toby chega à conclusão de que as dificuldades do casal são responsabilidade de Eng-An, porque ela está "em negação" e "não sabe lidar com as emoções". Eng-An determina que as dificuldades do casal são culpa de Toby, porque ele "exagera" e "a sufoca". Ao passar para a dinâmica da contribuição, o casal pôde identificar os elementos do sistema que provocam as brigas e conversar sobre como lidar com eles. Só assim a comunicação entre os dois melhorou.

Toby e Eng-An tiveram a sorte de compreender suas interseções a tempo de fazer algo a respeito delas. O fracasso nesse aspecto pode ser desastroso.

Aliás, tratar uma interseção como uma questão de "certo ou errado" leva ao fim de muitos relacionamentos que tinham tudo para prosperar.

Mapeando um Sistema de Contribuição

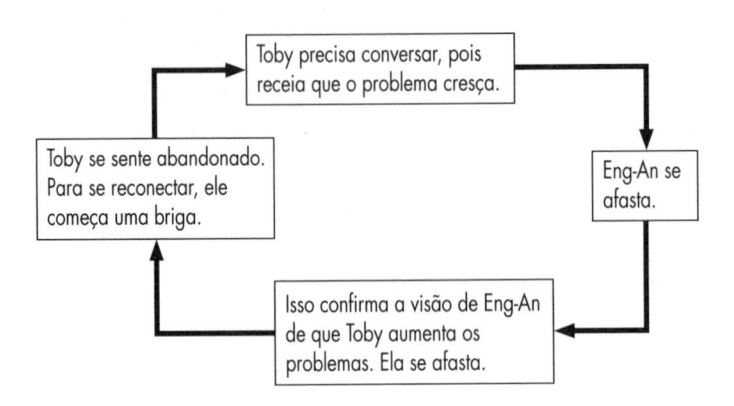

```
         ┌──────────────────────────────┐
         │ Toby precisa conversar, pois │
    ┌───▶│ receia que o problema cresça.│───┐
    │    └──────────────────────────────┘   │
    │                                       ▼
┌────────────────────────┐          ┌──────────────┐
│ Toby se sente abandonado.│         │ Eng-An se    │
│ Para se reconectar, ele │         │ afasta.      │
│ começa uma briga.       │         └──────────────┘
└────────────────────────┘                 │
    ▲                                       │
    │    ┌──────────────────────────────┐   │
    │    │ Isso confirma a visão de Eng-An│  │
    └────│ de que Toby aumenta os       │◀──┘
         │ problemas. Ela se afasta.    │
         └──────────────────────────────┘
```

No início de um relacionamento, a paixão pode impedir que cada um dos parceiros note os defeitos do outro. Mais tarde, à medida que o relacionamento se aprofunda, surgem pequenos aborrecimentos diante da maneira como o outro se comporta, mas nossa tendência é não dar muita atenção a isso. Presumimos que, com o tempo, ao ver nosso exemplo, o outro vai aprender a demonstrar mais carinho, a ser mais espontâneo ou a ser mais responsável com as despesas.

O problema é que as coisas *não* mudam, porque cada um está esperando que *o outro* mude. Começamos a pensar coisas como "Ele não me ama o suficiente para fazer o que tem que ser feito?", ou "Será que ela me ama de verdade?".

Se continuarmos a enxergar isso como uma questão de "certo ou errado", não como uma interseção, não há como evitar o desastre. Por outro lado, relacionamentos bem-sucedidos, sejam íntimos ou profissionais, são construídos com base na compreensão de que, em se tratando de interseções, não há culpados. As pessoas são diferentes, só isso. Se quisermos continuar juntos a longo prazo, às vezes será preciso fazer concessões e encontrar um meio-termo.

4. Fazer suposições problemáticas quanto ao papel de cada um

A quarta contribuição difícil de ser detectada envolve suposições, muitas vezes inconscientes, sobre o seu papel em determinada situação. Quando as suas suposições diferem das do outro, pode surgir uma interseção como a de Toby e Eng-An. Mas suposições quanto ao papel de cada um podem ser problemáticas até mesmo quando compartilhadas.

Os membros da família de George, por exemplo, sabiam representar bem seus papéis em uma dinâmica familiar recorrente. George, de 7 anos, fazia algo irritante, como ficar batendo com uma colher na tigela da ração do cachorro. Em determinado momento, a mãe de George dizia ao marido "Dá pra fazer ele parar com isso?" e então o pai de George gritava: "Para com isso!" George tomava um susto e às vezes chorava, e a mãe virava para o marido e dizia: "Ora, não precisa gritar com ele." O pai suspirava e voltava a ler o jornal. Algum tempo depois, George encontrava outra forma irritante de chamar atenção e o padrão se repetia. Embora nenhum membro da família *gostasse* muito dessa dinâmica, isso os ajudava a se conectarem emocionalmente.

Está claro, porém, que essa forma de conexão – brigar para demonstrar amor – tem suas limitações. Contudo, essa dinâmica e muitas outras abaixo do ideal são surpreendentemente comuns tanto em casa quanto no trabalho. Por quê? Primeiro, porque, apesar de seus defeitos, o padrão familiar é confortável e os membros do grupo se esforçam para que cada um desempenhe o papel que lhe cabe. Segundo, porque alterar um sistema de contribuição requer mais do que apenas identificá-lo e reconhecer suas limitações. As pessoas envolvidas também precisam encontrar outro modo de obter aqueles benefícios. George e seus pais precisam descobrir formas melhores de demonstrar afeto e se manterem próximos. E é provável que isso exija uma boa dedicação às conversas sobre os sentimentos e sobre a identidade.

No ambiente profissional, isso explica por que as pessoas acham difícil mudar a forma de trabalhar em conjunto, mesmo quando estão cientes das limitações contidas nas suposições relativas aos papéis de sempre, como "Os líderes definem as estratégias; os subordinados implementam". Para que as pessoas mudem a forma como interagem, elas precisam não só de uma alternativa que todas julguem melhor como *também* da habilidade para fazê-la funcionar pelo menos tão bem quanto a abordagem atual.

Duas ferramentas para identificar a contribuição

Se você ainda assim não conseguir identificar sua contribuição, experimente uma das seguintes estratégias.

Inversão de papéis

Pergunte a si mesmo: "Com que as pessoas diriam que estou contribuindo?" Finja que você é o outro e responda à pergunta na primeira pessoa, usando pronomes como eu, meu e mim. Olhar para si mesmo com os olhos de outra pessoa pode ajudá-lo a entender o que você está fazendo para alimentar o sistema.

Perspectiva do observador

Recue um pouco e analise o problema da perspectiva de um observador não envolvido na história. Imagine que você é um consultor que foi chamado para ajudar as pessoas naquela situação a entender por que elas estão empacadas. Como você descreveria, de forma neutra e sem julgamento, a contribuição que cada um está dando?

Se você tiver problemas para se desapegar do seu ponto de vista, peça a um amigo que tente fazer isso por você. Se ficar surpreso com o que seu amigo lhe disser, não descarte a hipótese de imediato. Em vez disso, suponha que seja verdade. Pergunte o porquê e quais as implicações dessa hipótese.

Passando da culpa à contribuição – um exemplo

Abandonar a postura de apontar culpados e passar a adotar a exploração da contribuição não é algo que acontece da noite para o dia. Requer muito trabalho e muita perseverança. Você e as pessoas ao redor vão se pegar diversas vezes retornando à dinâmica de procurar culpados, e será preciso estar atento e corrigir constantemente seu curso.

Sydney aprendeu isso enquanto liderava uma equipe de engenheiros em um trabalho de consultoria no Brasil. Ela era a única mulher no projeto e tinha 15 anos a menos que o segundo membro mais jovem da equipe. Um dos integrantes, Miguel, era especialmente hostil à liderança dela e Sydney decidiu conquistá-lo designando-o para trabalhar com ela em diversos subcomponentes do projeto. Os dois executaram várias tarefas juntos com êxito e um começou a se sentir mais confortável com o estilo e a competência do outro.

Então, uma noite, enquanto trabalhavam e jantavam ao mesmo tempo no restaurante do hotel, Miguel virou a chave do relacionamento deles. "Você é tão linda", disse para Sydney. "E estamos tão longe de casa." Ele se inclinou sobre a mesa e acariciou os cabelos dela. Incomodada, Sydney sugeriu que "voltassem às planilhas". Ela evitou encará-lo e concluiu rapidamente o que faltava.

O comportamento provocador de Miguel continuou nos dias seguintes. Ele ficava perto de Sydney, prestava mais atenção nela do que nos outros membros da equipe, pedia conselhos a ela em todas as oportunidades. Embora ele nunca tivesse verbalizado um convite direto para um envolvimento físico, Sydney ficou se perguntando se não era isso que ele queria.

Inicialmente, como muitos de nós, Sydney embarcou na dinâmica de procurar culpados. Ela considerou o comportamento de Miguel inadequado e se sentiu vítima dele. Mas, junto com a culpa, vieram muitas dúvidas. Assim que reuniu coragem para dizer a Miguel que o comportamento dele era errado, Sydney começou a se questionar se não estava exagerando ou interpretando mal as atitudes dele. Talvez fosse apenas uma diferença cultural.

Sydney também temia que acusar Miguel piorasse as coisas. "Essa situação é incômoda, mas administrável", pensou ela. "Se eu disser a Miguel que seu comportamento é errado, há o risco de ele explodir, atrapalhar a equipe ou fazer algo que comprometa o projeto. E o projeto é minha prioridade número um." Ao pensar em termos de culpa, Sydney fez com que os riscos de abordar a questão parecessem tão altos a ponto de ser impossível lidar com eles.

Mapeie o sistema de contribuição

O primeiro passo para se afastar da culpa é reorientar sua análise da situação. Uma forma de começar a diagnosticar o sistema é olhar para as contribuições que você pode ter dado para criar o problema. Alguns tendem a se concentrar nas contribuições dos outros e apresentam maior dificuldade em enxergar as próprias. Tendem a se ver como vítimas inocentes – quando algo dá errado, é sempre por causa do que outra pessoa fez. Outros têm a tendência oposta: são todos muito conscientes das consequências negativas das próprias ações. Diante disso, as contribuições alheias parecem insignificantes e a pessoa tende a se sentir responsável por tudo.

Estar ciente de qual é a sua predisposição pode ajudar você a combatê-la, o que permite obter uma imagem equilibrada da contribuição que cada um está dando. Para entender um sistema de contribuição, é preciso entender cada um de seus componentes.

Com que o outro está contribuindo? As contribuições de Miguel são relativamente fáceis de identificar. Ele está expressando uma afeição romântica, mas não deixa implícitas nem suas intenções nem a extensão de seu interesse. Escolhe ficar perto de Sydney, gastar mais tempo e energia conversando com ela do que com os demais colegas e insinuar um sentimento de desejo por ela. Escolhe (consciente ou inconscientemente) ignorar os sinais não verbais que Sydney envia. Ela muda de assunto. Muda as tarefas designadas para cada integrante da equipe. Se afasta. Ele vai atrás. Ele decidiu não perguntar o que ela sente em relação ao que está acontecendo.

Miguel pode estar ou não ciente do desconforto de Sydney. Suas ações podem ser ou não indevidas. E pode ser ou não apropriado puni-lo. Mas essas hipóteses não dizem respeito à questão da contribuição. O que importa aqui é que essas são as peças do quebra-cabeça pelas quais Miguel é responsável.

Com que estou contribuindo? As contribuições de Sydney começam a vir à tona assim que abandonamos a dinâmica de procurar culpados. Ela manifestou uma atenção especial às preocupações de Miguel em relação à equipe e se esforçou para trabalhar com ele. Ele pode ter entendido isso como interesse da parte dela. Sydney evitou dizer a Miguel – pelo menos diretamente – que se sentia incomodada. Independentemente de quão justificadas ou compreensíveis sejam as ações de Sydney, suas ações e suas omissões contribuíram para gerar a atual situação; ao olhar para elas, fica mais fácil entender por que Miguel continua a agir como está agindo.

Liste as contribuições de cada um

Minhas contribuições	Contribuições do outro
• Dei atenção especial a Miguel no começo. • Fiz de tudo para trabalhar direto com ele. • Não falei que estou desconfortável.	• Diz que está apaixonado, que quer passar um tempo a sós comigo, etc. • Não fala claramente o que quer. • Não percebe ou ignora meus sinais indiretos. • Não me pergunta se estou à vontade com as insinuações dele.

Quem mais está envolvido? Muitas vezes há outras pessoas que dão contribuições importantes para o sistema. Por exemplo, no caso de Toby e Eng-An, suas famílias tinham um papel importante. No de Sydney, outros membros da equipe podem ter inadvertidamente encorajado Miguel ou deixado passar oportunidades de ajudar Sydney. Ao explorar um sistema de contribuição, avalie se outros agentes podem estar contribuindo com algo importante.

Assuma primeiro a responsabilidade pela sua contribuição

Colocar em pauta a contribuição durante a conversa em si pode ser surpreendentemente fácil. Fazer com que a outra pessoa passe da dinâmica de procurar culpados para a da contribuição pode ser mais difícil. Uma das melhores maneiras de sinalizar que você quer deixar para trás a questão de quem é culpado é ser o primeiro a assumir a própria contribuição. Por exemplo, Sydney pode dizer a Miguel:

Peço desculpas por não ter mencionado isso mais cedo, antes que se tornasse um grande problema para mim. Além disso, entendo que a iniciativa de trabalhar com você no início do projeto pode ter enviado um sinal ambíguo, embora eu só quisesse melhorar nossa relação profissional. O que você entendeu?

Ela também pode perguntar: "Houve de minha parte alguma outra atitude ambígua ou que possa ter sugerido que eu estava interessada em outra coisa?" Sydney descobriria coisas importantes sobre o impacto que pode causar e também prepararia o terreno para falar da contribuição de Miguel.

Você pode ter receio de que ser o primeiro a admitir alguma contribuição o deixe em uma posição vulnerável pelo resto da conversa. E se a outra pessoa continuar focada na questão da culpa, se ela se aproveitar da sua admissão (dizendo, por exemplo, "Concordo, isso foi mesmo culpa sua") e, por fim, afirmar que não deu nenhuma contribuição?

Essa é uma preocupação importante, principalmente se você costuma se concentrar mais nas suas contribuições. Assumir a sua contribuição é um risco. Mas não assumi-la também é. Se Sydney começar apontando a contribuição de Miguel, é provável que ele fique na defensiva e ache que a conversa é injustamente unilateral. Em vez de assumir a contribuição que deu, Miguel pode ficar tentado a desviar a atenção desse aspecto, e a maneira mais fácil de fazer isso é apontar a contribuição de Sydney para o problema. Assumir primeiro a responsabilidade pela sua contribuição impede que o outro se valha dela como um escudo para evitar falar sobre a própria contribuição.

Se você sente que o foco está voltado apenas para si, pode dizer o seguinte: "Não faz sentido olharmos apenas para a minha contribuição. Não é assim que enxergo as coisas. Estou tentando olhar para nós dois. Há algo que estou fazendo que o impeça de olhar para si mesmo?"

Ajude o outro a entender a contribuição dele

Além de assumir a responsabilidade pela contribuição que você deu, existem coisas que você pode fazer para ajudar o outro a identificar a contribuição dele.

Exponha todas as suas observações e a sua linha de raciocínio. Para garantir que vocês estão trabalhando com as mesmas informações e entendendo as interpretações um do outro, exponha, da forma mais clara possível, o que a outra pessoa fez ou disse que desencadeou sua reação. Sydney pode dizer, por exemplo: "Quando você acariciou meu cabelo ou perguntou se poderíamos passar algum tempo na praia, fiquei confusa em relação ao que você queria do nosso relacionamento. E comecei a me preocupar com a hipótese de você querer algo romântico, pois, se fosse esse o caso, eu estaria diante de um problema sério."

Ou Toby poderia dizer a Eng-An: "Quando você saiu de casa ontem à noite no meio da nossa briga, eu me senti abandonado e fiquei com raiva. Acho que foi por isso que briguei com você hoje de manhã por causa do suco de laranja. Eu precisava me reconectar com você, mesmo que fosse gritando." Ao listar as coisas que o levaram a reagir, você começa a compreender as ações e reações que formam o sistema de contribuição.

Diga com clareza o que você gostaria que o outro fizesse de maneira diferente. Além de explicar o que desencadeou sua reação, você precisa estar preparado para dizer o que gostaria que o outro fizesse de forma diferente no futuro e para explicar de que modo isso faria com que *você* também agisse de forma diferente. O marido que tenta salvar o relacionamento com a esposa que o traiu poderia dizer:

> Quero ouvir você melhor, sem me afastar, nas próximas vezes. Uma coisa que me ajudaria a ouvi-la melhor seria você perguntar antes como foi o meu dia e se é um bom momento para conversarmos. Às vezes estou preocupado ou ansioso por causa do trabalho e, quando você começa a falar dos problemas que está tendo com o seu chefe, eu fico sobrecarregado e desligo. E às vezes fico com raiva, porque isso me faz achar que você não liga para o que está acontecendo comigo. Então, se você simplesmente perguntar antes, acho que eu ficaria muito mais disposto a ouvir. Existe alguma coisa que dificultaria isso?

Pedir algo de forma bem específica em relação a como a outra pessoa pode mudar a contribuição dela *com o intuito de ajudar você a mudar a sua* pode ser uma forma potente de ajudá-la a entender o que ela está fazendo para gerar e perpetuar o problema. E este é o objetivo principal do processo de compreensão do sistema de contribuição – ver o que cada um de vocês precisa fazer de outra forma para melhorar a situação.

• • •

Não importa se você está falando de histórias conflitantes, de intenções ou de contribuições, o propósito não é obter uma confissão. O propósito é compreender melhor o que aconteceu, para que você e a pessoa envolvida possam começar a conversar de maneira construtiva sobre o rumo a seguir.

Mas, além da conversa sobre o que aconteceu, há duas outras conversas que precisam ser destrinchadas. Os próximos dois capítulos examinam as conversas sobre os sentimentos e sobre a identidade.

A conversa sobre os sentimentos

5

Domine os seus sentimentos (ou eles dominam você)

Uma mãe ouve um barulho na sala e corre ao encontro do filho de 4 anos, que está com um taco de beisebol na mão ao lado de um vaso quebrado. "O que aconteceu?", pergunta ela. Compungido, olhando para outro lado, o menino responde: "Nada."

Quando se trata de dar espaço a emoções difíceis, geralmente adotamos a estratégia do pequeno rebatedor. Se negarmos a existência delas, quem sabe será possível evitar as consequências de senti-las. Contudo, as chances de escondermos nossas emoções são tão grandes quanto as de o menino convencer a mãe de que está tudo bem com o vaso. Sentimentos são poderosos demais para serem contidos pacificamente. Eles se farão expressar de um jeito ou de outro, seja se infiltrando aos poucos ou em uma explosão. E, se lidamos com eles sem franqueza ou sem honestidade, eles contaminam a comunicação.

Sentimentos importam: eles quase sempre estão no cerne das conversas difíceis

Sentimentos, é claro, fazem parte do que torna os bons relacionamentos tão plenos e prazerosos. Sentimentos como paixão e orgulho, insensatez e candura e até mesmo ciúme, decepção e raiva são sinais de que estamos totalmente vivos.

Ao mesmo tempo, administrar sentimentos pode ser extremamente desafiador. A falta de êxito em lhes dar espaço e falar sobre eles prejudica uma quantidade impressionante de conversas difíceis. E a incapacidade de lidar aberta e naturalmente com eles pode minar a qualidade e a saúde de nossos relacionamentos.

Max e sua filha, Julie, estão negociando quanto gastar na festa de casamento dela. Essa conversa deveria girar apenas em torno de cifras? Em caso positivo, Max e Julie poderiam apenas listar o que querem e procurar modos de concretizar esses desejos. "Combinado. Vamos gastar 2 mil dólares com o salão de festas, 1.500 com os músicos, 7.200 com o bufê..." e assim por diante. Fim da conversa.

Mas não é tão simples assim. Essa conversa parece difícil e estressante tanto para o pai quanto para a filha. Ambos estão impacientes, sensíveis e prontos para apontar o dedo um para o outro. Afinal, não é só uma questão de dinheiro. É também sobre sentimentos. Por exemplo, Max sente um intenso misto de tristeza e alegria ao pensar no evento – tristeza porque, a partir de agora, vai receber cada vez menos atenção de Julie e alegria por ela ter amadurecido e se tornado uma mulher incrível. Para Max, o momento de planejar o casamento será a última ocasião em que sua filha será apenas sua filha, não a esposa de alguém. Ele gostaria que ela fizesse perguntas e lhe pedisse conselhos, como fazia quando era mais nova.

De um jeito ou de outro, *essa conversa não tem como acabar bem se esses sentimentos não forem expostos*. Por quê? Porque não é possível termos uma conversa eficaz sem falarmos sobre as principais questões em jogo, e, nessa conversa, os sentimentos estão no cerne do que está errado. Não importa com quanta habilidade pai e filha negociem o valor a gastar, o resultado não deixará nenhum dos dois satisfeito a menos que eles também falem sobre como estão se sentindo.

Tentamos deixar os sentimentos de fora das questões

Inicialmente, Max nos descreveu seu problema assim: "Eu e minha filha estamos tendo problemas para decidir quanto gastar no casamento dela. Ela tem algumas vontades específicas e eu respeito isso, mas acho que existem opções mais baratas." Foi só depois de conversar com ele que descobrimos que o que realmente estava em jogo para cada um eram os sentimentos envolvidos no evento.

Este é um padrão comum: classificamos a questão como uma mera discordância objetiva e julgamos que, se tivéssemos um pouco mais de experiência em solucionar problemas, poderíamos resolver a situação toda. Solucionar problemas nos parece mais fácil do que falar sobre emoções.

Deixar os sentimentos de fora da questão é uma forma de lidar com o dilema entre trazer algo à tona e se esquivar. Os potenciais custos envolvidos ao se compartilhar um sentimento fazem com que esse ato pareça uma aposta muito alta. Quando colocamos nossos sentimentos na mesa, corremos o risco de magoar os outros e de arruinar um relacionamento. Também nos colocamos em posição de sairmos magoados. E se a outra pessoa não levar nossos sentimentos a sério ou responder com algo que não queríamos ouvir? Ao nos atermos somente à "questão em pauta", temos a sensação de reduzir esses riscos.

O problema é que, quando os sentimentos estão no cerne, eles *são* a questão em pauta e é quase impossível ignorá-los. Em muitas conversas difíceis, o problema só pode ser tratado de fato se entrarmos no nível dos sentimentos. Classificar os sentimentos como algo apartado da conversa tende a resultar em insatisfação para ambos os lados. O verdadeiro problema não é abordado e, além disso, as emoções têm um talento especial para encontrar o caminho de volta à conversa, geralmente de maneiras não muito úteis.

Sentimentos não expressados podem se infiltrar na conversa

Emma ficou surpresa ao saber que sua amiga e mentora, Kathy, havia dito ao Comitê Executivo que achava que Emma não tinha maturidade suficiente para lidar com a responsabilidade exigida pelo cargo para o qual havia sido recentemente promovida. "Eu me senti totalmente traída", diz Emma. "Fiquei magoada com o fato de Kathy achar isso e furiosa por ela ter dito isso à diretoria, não a mim." Após refletir mais um pouco, Emma também admitiu estar hesitante. "E se eu *não* estiver mesmo pronta?", ela se perguntava.

Mais tarde naquele mesmo dia, Emma e Kathy tiveram uma breve conversa sobre a situação:

Emma: Fiquei sabendo que você disse ao Comitê Executivo que eu não tenho maturidade suficiente para a responsabilidade exigida pelo meu novo cargo.
Kathy: Espera aí. Eu não disse que você não tinha maturidade. Eu só disse que achava que você estava sendo promovida com muita rapidez. Não quero que eles te exponham a uma situação em que você fracasse.
Emma: Bem, se você tinha alguma dúvida, devia ter falado comigo.
Kathy: Eu ia falar com você sobre isso. Mas também tenho a obrigação de falar com a diretoria.
Emma: Você tem a obrigação de falar comigo primeiro. Não acredito que você seria capaz de pôr a minha carreira em risco desse jeito.
Kathy: Emma, eu sempre apoiei a sua carreira! É uma questão de *quando*, não de *se* você deve ser promovida.

Em vez de expor seus sentimentos, Emma dá início a uma discussão sobre as regras da comunicação corporativa. Em nenhum momento Emma diz "Isso me magoou", ou "Fiquei com raiva", ou "Tenho medo de que você esteja certa", mas esses sentimentos têm um impacto significativo na conversa.

Sentimentos não ditos podem influenciar a conversa de várias maneiras. Eles afetam a sua disposição e o seu tom de voz. Eles se expressam através da sua linguagem corporal ou da sua expressão facial. Podem assumir a forma de longas pausas ou de uma estranha e inexplicável indiferença. Podem alimentar sarcasmo, agressividade, impaciência, imprevisibilidade ou uma postura defensiva. Estudos mostram que, embora poucas pessoas sejam boas em detectar mentiras relativas a informações, a maioria de nós consegue determinar quando alguém está distorcendo, forjando ou escondendo um sentimento. Isso ocorre porque, se entupida, sua tubulação emocional começa a provocar infiltrações.

Sentimentos não expressados podem, inclusive, criar tanta tensão que você acaba por se afastar: opta por não trabalhar com um determinado colega porque tem muitos sentimentos não resolvidos em relação a ele, ou se distancia de seu cônjuge, de seus filhos ou de seus amigos.

Sentimentos não expressados podem invadir a conversa

Para alguns de nós, o problema não é a incapacidade de expressar sentimentos, mas a incapacidade de *não* expressá-los. Ficamos com raiva e demonstramos isso de forma constrangedora ou destrutiva. Choramos ou explodimos quando, na verdade, queríamos manter a compostura. Existem, é claro, muitas explicações possíveis para a raiva ou o choro, algumas delas com profundas raízes psicológicas. Uma explicação comum, no entanto, é justamente o oposto do que poderíamos esperar. Não choramos ou perdemos as estribeiras porque expressamos nossos sentimentos com muita frequência, mas porque os expressamos muito raramente. Assim como abrir uma garrafa de refrigerante depois de agitá-la, os resultados podem ser catastróficos.

Edward, por exemplo, tinha o hábito deplorável de gritar com a esposa quando se sentia frustrado. Ele nos contou que estava se esforçando para aprender a controlar seus sentimentos. Não importava quão chateado se sentisse diante do comportamento da esposa, ele buscava desesperadamente não demonstrar suas emoções. Mas, em algum momento, ele explodia. Ele justificava esse padrão dizendo que era sensível demais e que seus esforços para se conter só agravaram esse comportamento.

Sentimentos não expressados tornam mais difícil ouvir

Sentimentos não expressados podem provocar um terceiro problema, mais sutil. Os dois aspectos da comunicação mais difíceis (e mais importantes) de pôr em prática numa conversa difícil são expressar sentimentos e ouvir. Um padrão notável que observamos em nosso trabalho de coaching envolve a relação às vezes conflituosa entre esses dois aspectos. Quando as pessoas têm dificuldade para ouvir, não costuma ser por não saberem ouvir. Paradoxalmente, costuma ser por não saberem se expressar. Sentimentos não expressados podem bloquear a capacidade de ouvir.

Por quê? Porque a boa escuta exige uma curiosidade ampla e sincera em relação à outra pessoa e a disposição e a capacidade de manter os holofotes nela. Emoções contidas atraem os holofotes de volta para nós. Em vez de nos perguntarmos "De que modo o que ela está dizendo faz sentido?", ou "Quero entender isso melhor", parece que existe um disco arranhado dentro da nossa cabeça repetindo só as faixas sobre os nossos próprios sentimentos: "Estou muito irritado com ele!", "Parece que ela simplesmente não se importa comigo", "Estou me sentindo completamente vulnerável". É difícil ouvir alguém quando não nos sentimos ouvidos, ainda que o motivo seja que tenhamos optado por não nos expressarmos. Nossa capacidade de ouvir costuma aumentar sensivelmente quando compartilhamos nossas emoções mais intensas.

Sentimentos não expressados afetam nossa autoestima e nossos relacionamentos

Quando sentimentos importantes não são expressados, você pode sofrer uma baixa na autoestima ao se questionar por que não está se dando valor. Você priva seus colegas de trabalho, amigos e familiares da oportunidade de aprender e de mudar em resposta aos seus sentimentos. E, acima de tudo, você fere os relacionamentos. Ao manter seus sentimentos de fora dos relacionamentos, você mantém afastada uma parte importante de si.

Como escapar do impasse dos sentimentos

Existem diferentes maneiras de lidar com a questão dos sentimentos. Empenhar-se para introduzir sentimentos na conversa quase sempre é útil, desde que isso seja feito com algum propósito. Embora as desvantagens de se esquivar de sentimentos sejam inevitáveis, as desvantagens de compartilhá-los não são. Se você for capaz de expressar seus sentimentos com habilidade, poderá evitar boa parte do risco inerente a essa atitude e até mesmo colher alguns benefícios inesperados. Essa é a forma de escapar do impasse dos sentimentos.

Ao seguir algumas diretrizes, você pode aumentar consideravelmente suas chances de levar seus sentimentos para dentro de suas conversas e de seus relacionamentos de maneira saudável, significativa e satisfatória: primeiro, é preciso entender com precisão quais são os seus sentimentos;

segundo, negociar com eles; e, em seguida, é preciso compartilhar seus sentimentos de verdade, não suas suposições ou seus julgamentos sobre a outra pessoa.

Onde os sentimentos se escondem

Muitas pessoas presumem que saber o que estamos sentindo não é mais complicado do que saber se estamos com frio ou calor. Nós sabemos, simples assim. Mas, na verdade, geralmente não sabemos o que estamos sentindo. Muitos de nós conhecem as próprias emoções da mesma forma que conhecem uma cidade que estão visitando pela primeira vez. Podemos até reconhecer alguns pontos turísticos, mas não conseguimos decifrar os ritmos sutis do dia a dia; podemos achar as principais avenidas, mas permanecemos alheios ao emaranhado de ruas secundárias, onde todo o restante acontece. Antes de ir para qualquer outro lugar, precisamos saber *onde estamos*. E, quando se trata de entender as próprias emoções, a maioria de nós não faz a menor ideia de onde está.

Isso não ocorre porque somos estúpidos, mas porque compreender sentimentos é sempre um desafio. Sentimentos são mais complexos e contêm mais nuances do que estamos habituados a imaginar. Além disso, sentimentos são muito bons em assumir disfarces. Sentimentos que nos incomodam se disfarçam de emoções com as quais sabemos lidar melhor; uma legião de sentimentos contraditórios se disfarça como sendo um único sentimento; e, o mais importante, sentimentos se transformam em julgamentos, acusações e suposições.

Analise sua pegada emocional

À medida que crescemos, desenvolvemos uma "pegada emocional" singular, cujo formato é determinado pelos sentimentos que julgamos ser legítimos de se ter e expressar e pelos que julgamos não ser. Pense em como foi sua criação. Como sua família lidava com as emoções? Quais sentimentos eram discutidos com facilidade e quais as pessoas fingiam que não existiam? Qual era o seu papel na vida emocional da sua família? Que emoções você, hoje, considera fáceis de admitir e expressar, e junto a quem? Quais você acha mais difíceis? Ao analisar suas respostas, os contornos de sua pegada emocional começarão a emergir.

Cada um de nós tem uma pegada única. Você pode achar que não tem problema nenhum em sentir saudade ou tristeza, mas que não é bom sentir raiva. Ou pode ser fácil para você expressar raiva, ao passo que sentimentos de vergonha ou frustração são proibidos. E não apenas os sentimentos supostamente negativos fazem parte da equação. Alguns de nós acham fácil expressar decepção mas difícil expressar afeto, orgulho ou gratidão.

Ainda que possa haver algumas semelhanças, sua pegada emocional será diferente para cada relacionamento. A sua consciência e a sua capacidade de expressar emoções variam de acordo com o interlocutor: sua mãe, seu melhor amigo, seu chefe ou a pessoa sentada ao seu lado no avião. Explorar os contornos de sua pegada em cada um dos diferentes relacionamentos pode ser extremamente útil para aumentar sua percepção daquilo que você está sentindo e por quê.

Aceite que sentimentos são algo normal e natural. Uma suposição que muitos de nós trazemos em nossa pegada é a de que há algo inerentemente errado em ter sentimentos. Como Rick, um juiz aposentado, observou: "Na minha família, fomos ensinados a não falar sobre os nossos problemas ou sobre os sentimentos que os acompanham." Para alguns de nós, o simples fato de *ter* sentimentos, quaisquer que sejam, já é o bastante para nos causar constrangimento.

Sentimentos podem provocar grandes problemas, dependendo da forma como lidamos com eles. Mas sentimentos apenas *existem*. Nesse sentido, eles são como braços ou pernas. Se você socar ou chutar alguém, seus braços ou suas pernas estarão provocando problemas. Mas não há nada inerentemente errado com braços ou pernas. O mesmo pode ser dito dos sentimentos.

Compreenda que pessoas boas podem ter sentimentos ruins. Uma segunda suposição que frequentemente incorporamos à nossa pegada é a de que existem certas emoções que "pessoas boas" não devem sentir nunca: pessoas boas não ficam irritadas com aqueles que amam, não choram, não erram e nunca são um fardo. Se você é uma boa pessoa, temos boas notícias: todo mundo sente raiva, todo mundo sente vontade de chorar, todo mundo erra e todo mundo precisa de outras pessoas.

Você nem sempre vai ficar *feliz* com o que está sentindo. Por exemplo, você presume que deveria se sentir triste no funeral de seu irmão, mas, em vez disso, sente apenas raiva. Você sabe que deveria estar empolgado por finalmente conseguir o emprego dos seus sonhos, mas, em vez disso, está desmotivado e choroso. Faça ou não sentido, você *está*. E, embora possa ser mais agradável ter apenas bons sentimentos em relação à sua mãe, haverá momentos em que você ficará irritado, ressentido ou envergonhado. Todos nós experimentamos esse conflito, e isso não tem nada a ver com sermos ou não uma boa pessoa.

Há momentos em que negar sentimentos desempenha uma função psicológica mais complexa: diante de uma ansiedade, um medo, uma perda ou um trauma esmagadores, distanciar-se de seus sentimentos pode ajudá-lo a lidar com o dia a dia. Ao mesmo tempo, sentimentos que não recebem espaço com certeza terão efeito na comunicação. Com isso em mente, o melhor a fazer é procurar compreender seus sentimentos, talvez com a ajuda de um terapeuta ou de um amigo de confiança. À medida que você começa a sentir as coisas que estavam lá o tempo todo e a lidar com as causas desses sentimentos, suas interações com outras pessoas – inclusive as conversas difíceis – tendem a se tornar cada vez mais fáceis.

Aprenda que seus sentimentos são tão importantes quanto os dos outros. Alguns de nós não conseguem ver os próprios sentimentos porque aprenderam, em algum ponto ao longo do caminho, que os sentimentos dos outros são mais importantes que os nossos.

Por exemplo, esteve sempre subentendido que seu pai ia morar com você e a sua família quando a saúde dele começasse a se deteriorar. Mas, agora que ele mora, as constantes demandas e reclamações dele estão começando a pesar, principalmente em relação à administração dos medicamentos e às frequentes consultas médicas. Você está exausto e frustrado e se pergunta por que seu irmão não se dispõe a fazer a parte dele. No entanto, você não aborda esse assunto nem com seu pai nem com seu irmão. "É difícil, mas não *tão* difícil assim", você pondera. "Além do mais, não quero causar nenhuma comoção."

Sua namorada liga e diz que não vai poder sair para jantar na sexta-feira. Ela pergunta se pode ser no sábado. Ela diz que uma amiga dela está na cidade e quer ir ao cinema na sexta. Você diz: "Claro, se é melhor pra você." Embora tenha dado essa resposta, o sábado não é tão bom assim para você, porque você planejava assistir a uma partida de beisebol. Ainda assim, você prefere ver sua namorada e, portanto, dá o seu ingresso para um amigo.

Em cada uma dessas situações, você optou por colocar os sentimentos de outra pessoa à frente dos seus. Isso faz sentido? A frustração do seu pai ou a paz de espírito do seu irmão são mais importantes que as suas? O desejo da sua namorada de ir ao cinema com a amiga é mais importante do que o seu desejo de assistir a uma partida de beisebol? Por que eles expressam os sentimentos e as preferências deles, mas você lida com os seus em silêncio?

Há várias razões pelas quais você pode optar por honrar os sentimentos dos outros, mesmo que isso signifique desonrar os seus. A regra implícita que você está seguindo é de que deve colocar a felicidade dos outros antes da sua. Se as coisas não saírem da forma como seus amigos, entes queridos ou colegas desejam, eles vão se sentir mal e você terá que lidar com as consequências. Isso pode até ser verdade, mas é injusto com você. A raiva deles não é melhor nem pior que a sua.

"Bem, é mais fácil não causar nenhuma comoção", você pensa. "Não gosto quando eles sentem raiva de mim." Se você está pensando isso, está subestimando seus sentimentos e interesses. Amigos, vizinhos e chefes vão notar isso e passarão a enxergar você como alguém que pode ser manipulado. Quando você está mais preocupado com os sentimentos dos outros do que com os seus, você ensina aos outros a também ignorarem os seus sentimentos. E atenção: um dos motivos pelos quais você não trouxe a questão à tona é que não deseja comprometer o relacionamento. No entanto, ao *não* trazê-la, o seu ressentimento vai aumentar e, aos poucos, corroer o relacionamento da mesma forma.

Identifique a legião de sentimentos por trás dos rótulos simplistas

Brad e a mãe estavam frequentemente em desacordo quanto a Brad arrumar um emprego. A mãe de Brad ligava com frequência para incentivar o filho a enviar currículos, ir a entrevistas, fazer contatos. De sua parte, Brad não estava muito interessado. Ele fingia não escutar ou mudava de assunto.

Ele conversou com uma amiga sobre o problema e ela o aconselhou a não mais se retirar, mas a explicar à mãe como se sentia. "Que bem isso vai fazer?", perguntou Brad. "A única coisa que eu sinto é raiva. Ela me enlouquece." Mas a amiga de Brad insistiu, incentivando-o a refletir sobre o que mais ele sentia além de raiva. Brad aceitou o desafio e, naquela noite, fez uma lista de tudo que estava sentindo – em relação à procura de emprego, à mãe e a si mesmo.

Ele ficou impressionado. Em relação a um emprego, ele estava se sentindo sem esperança, confuso e com medo. Adiar essa busca era a maneira que ele havia encontrado de adiar um pouco a ansiedade. Em relação à mãe, os sentimentos de Brad eram mais complexos. Por um lado, ele de fato via os constantes incentivos dela como um grande incômodo. Por outro, também via isso como uma demonstração de amor e carinho, o que significava muito para ele.

Em relação a si mesmo, Brad sentia vergonha. Ele achava que era uma decepção para a mãe e que, pelo menos até aquele momento, estava desperdiçando seu potencial e sua formação universitária. Mas, apesar da vergonha, ele também era um pouco orgulhoso. Vários de seus amigos haviam conseguido empregos na área de treinamento gerencial e Brad poderia ter seguido o mesmo caminho. Mas não era isso que ele queria, e estava disposto a encarar a pressão da busca para encontrar algo que lhe agradasse mais. Enquanto isso, ele se sustentava com trabalhos ocasionais e jamais havia pedido um único centavo à mãe.

Ao sugerir que Brad sentia mais do que apenas raiva, sua amiga lhe deu um insight poderoso. Onde antes enxergava apenas uma emoção, Brad foi capaz de encontrar todo um espectro delas.

Em diversas situações, ficamos cegos à complexidade dos nossos sentimentos por conta de um sentimento mais forte que suplanta os demais. No caso de Brad, era a raiva. Em outras ocasiões, e dependendo de cada pessoa, pode ser uma emoção diferente.

O simples ato de se familiarizar com todo o espectro dos sentimentos mais difíceis de serem notados pode abrir uma brecha para que você passe a notá-los. Abaixo estão listados alguns sentimentos que, embora sejam muito familiares na teoria, na prática costumam ser difíceis de identificar ou expressar.

Sentimentos que podem ser difíceis de identificar e as emoções que os acompanham
Amor: Carinho, atenção, proximidade, orgulho, paixão
Raiva: Frustração, exasperação, irritação, indignação
Mágoa: Decepção, traição, insatisfação, carência
Vergonha: Constrangimento, culpa, arrependimento, humilhação, autodepreciação
Medo: Ansiedade, horror, preocupação, obsessão, desconfiança
Hesitação: Inadequação, desvalorização, inépcia, desmotivação
Alegria: Felicidade, entusiasmo, plenitude, júbilo, contentamento
Tristeza: Ausência, melancolia, indiferença, depressão
Ciúme: Inveja, egoísmo, avareza, angústia, cobiça
Gratidão: Reconhecimento, retribuição, alívio, admiração
Solidão: Desolação, abandono, vazio, saudade

Não deixe que sentimentos ocultos travem outras emoções. Outro padrão comum é a existência de um sentimento do qual nem sequer estamos cientes, mas que mesmo assim interfere em nossas experiências.

Jamila tinha dificuldade em expressar seu amor pelo marido. "Eu sei que o amo", disse ela. "Ele tem sido generoso e é um bom marido, está presente quando preciso. Mas tenho muita dificuldade de expressar o amor que sinto por ele." Alguma coisa estava agindo como um obstáculo, mas ela não sabia exatamente o quê.

No início, Jamila se culpou: "Talvez seja só mais uma das formas pelas quais eu sou inadequada. Uma boa esposa sabe dizer ao marido que se importa com ele." Em nosso trabalho de coaching, perguntamos a Jamila se ela alguma vez já havia expressado outros sentimentos relativos ao marido. Estávamos interessados especificamente em saber se ela expressava raiva ou decepção. "Vocês não estão entendendo a questão", afirmou ela. "Estou tentando aprender a expressar amor. Se alguém tem o direito de ficar com raiva é ele, por ter que me aturar o tempo todo."

Esse comentário disparou alguns alarmes. Em qualquer casamento, em qualquer relacionamento, ambos sentirão um pouco de raiva que seja em relação ao outro. "Você já ficou com raiva do seu marido?", perguntamos. "Acho que uma vez, sim", respondeu ela por fim. "O que você diria ao seu marido", perguntamos, "se conseguisse baixar completamente a guarda, se pudesse despejar tudo nele, tirar todo o peso do peito, sem absolutamente nenhuma consequência?"

Após um começo lento, Jamila se entregou de maneira surpreendente: "Claro, eu não sou a melhor esposa do mundo, mas não é de admirar que eu me afaste de você sempre que posso! Estou farta de você ficar fazendo papel de vítima o tempo todo, farta dos seus medos autocentrados e das suas reclamações intermináveis! Posso não ser perfeita, mas você também não é nenhuma dádiva divina, garotão! Já parou pra pensar no impacto que as suas constantes críticas têm em mim?!"

Assim que chegou ao fim, Jamila acrescentou: "É claro que eu jamais diria nada disso e, na verdade, nem sei se seria muito justo." Não importa se é justo, razoável ou racional. O que importa é que está lá. Você pode imaginar o efeito que aquela raiva oculta estava tendo na capacidade de Jamila de expressar seu amor pelo marido. Ou melhor, em suas tentativas de expressar qualquer sentimento que fosse. Embora mantivesse aquela raiva escondida até de si mesma, ela era um obstáculo. Jamila resumiu bem: "Se eu conseguisse compartilhar pelo menos uma parte dela, seria mais fácil equilibrá-la com o amor que eu sinto."

Vamos suspender por um momento a importante questão de se devemos, e como, expressar sentimentos como a raiva. Voltaremos a esse exemplo adiante, quando falarmos sobre como negociar com os seus sentimentos.

Encontre os sentimentos escondidos por trás de suposições, julgamentos e acusações

Baleia não é peixe. Tomate não é legume. E suposições, julgamentos e acusações não são sentimentos.

A verdade sobre as suposições e os julgamentos. Como vimos, um dos perigos de fazer suposições sobre as intenções dos outros é que isso pode gerar atitudes defensivas e mal-entendidos. Um segundo perigo é que as suposições em si nos consomem tanto que deixamos de ver os verdadeiros sentimentos que deram origem a elas.

Isso aconteceu com Emily em sua amizade com Roz. "A Roz simplesmente não é afetuosa", explica Emily. "Eu a ajudei no divórcio, conversei com ela o tempo todo, fiz companhia quando ela se sentiu só. Eu estava sempre lá para ela. E ela nunca disse uma palavra de agradecimento." Emily diz que já compartilhou seus sentimentos com Roz, mas que isso não ajudou.

O que, exatamente, Emily disse a Roz? "Eu falei pra ela exatamente como eu me sentia. Que às vezes ela é autocentrada e indiferente. Fui honesta. E, fazendo jus ao que eu disse, ela me atacou. Me acusou de estar sendo sensível demais. É isso que você ganha quando compartilha seus sentimentos com alguém como a Roz. Não vale a pena."

Traduzimos nossos sentimentos em...

Julgamentos: "Se você fosse meu amigo de verdade, estaria lá quando eu precisei."

Suposições: "Por que você quis me magoar?"

Reducionismos: "Você é tão insensível."

Soluções prontas: "O que você devia fazer é me ligar com mais frequência."

Repare no que Emily comunicou: "Você é autocentrada. Você é indiferente." Ambas as afirmações são julgamentos a respeito de Roz. Nenhuma delas é uma declaração de como Emily se sente. Ao ser provocada por essa observação, Emily consegue se concentrar com mais clareza nos próprios sentimentos: "Acho que estou magoada. Eu me sinto confusa em relação a essa amizade. Tenho raiva da Roz. Em alguma camada, sinto um pouco de vergonha por ter dedicado tanta energia a uma amizade que obviamente não era importante pra ela. Por que fui tão idiota?"

Às vezes é difícil perceber a diferença entre um julgamento sobre outra pessoa e uma declaração dos nossos sentimentos. No momento em que expressamos julgamentos, acreditamos *de verdade* que se trata de sentimentos. Eles são motivados por raiva, frustração ou mágoa e a pessoa a quem nos dirigimos percebe muito claramente que estamos sentindo alguma coisa. No entanto, infelizmente é provável que essa pessoa não saiba direito o que estamos sentindo e, o principal, ela acaba por se ater ao fato de estarmos fazendo julgamentos, suposições e acusações. Isso é perfeitamente natural.

Embora estas afirmações possam soar parecidas, há uma enorme diferença entre "Você é indiferente e autocentrada" e "Eu estou magoada, confusa e envergonhada". Encontrar os sentimentos à espreita, escondidos por trás de suposições e julgamentos oriundos da raiva, é um passo fundamental para incluir os sentimentos na conversa de modo eficaz.

Use o impulso de acusar como uma pista para descobrir sentimentos importantes. Uma queixa comum quando incentivamos as pessoas a falar em termos de contribuição conjunta em vez de procurar culpados é que a conversa subsequente deixa as pessoas com uma sensação de insatisfação. É como se elas só tivessem diante de si um copo de iogurte light quando, no fundo, queriam mesmo era um pote de sorvete. Elas concluem então que falar em termos de contribuição não é o que querem de fato; o que elas precisam mesmo é culpar o outro.

O que provoca insatisfação, no entanto, não é não apontar culpados, mas não expressar sentimentos. O desejo de apontar culpados surge quando o sistema de contribuição é explorado em meio a um vácuo de sentimentos. Quando parece impossível resistir à tentação de dizer "Admita que a culpa é sua!", devemos ver esse impulso como um indício importante de que estamos sentados em cima de emoções não expressadas. A sensação de incompletude que às vezes acompanha uma conversa sobre contribuição não deve ser um estímulo para culpar, mas para ir mais fundo ainda na busca por sentimentos ocultos. Depois que esses sentimentos são expressados ("Minha contribuição foi essa, acho que você contribuiu dessa forma, e, o mais importante, fiquei me sentindo deixada de lado"), o desejo de apontar culpados retrocede.

Sentimentos não são intocáveis: negocie com eles

Um colega nosso tem duas regras para expressar sentimentos. Ele começa explicando a segunda regra: tente colocar tudo que você está sentindo na conversa. A maioria das pessoas fica horrorizada com essa regra. Imediatamente vem o pensamento de que há muitos sentimentos que, sem dúvida alguma, é melhor não expressar. O que leva nosso amigo à primeira regra: antes de dizer o que você está sentindo, *negocie* com os seus sentimentos.

A maioria de nós presume que sentimentos são estáticos e inegociáveis e que, para serem compartilhados de modo autêntico, precisam ser ditos "como são". Mas a verdade é que nossos sentimentos se baseiam em nossas percepções, e nossas percepções (como vimos nos três capítulos anteriores) *são* negociáveis. Quando vemos o mundo de novas maneiras, nossos sentimentos mudam de acordo com elas. Antes de compartilharmos sentimentos, é crucial negociar – com nós mesmos.

O que significa negociar com os nossos sentimentos? Em suma, significa reconhecer que os nossos sentimentos se formam em resposta aos nossos pensamentos. Imagine que, durante um mergulho no oceano, você de repente avista um tubarão. Seu coração dispara e sua ansiedade atinge um nível alarmante. Você fica aterrorizado, o que é um sentimento perfeitamente racional e compreensível.

Agora imagine que seus conhecimentos de biologia marinha lhe permitem identificar aquela como uma espécie de tubarão que não ataca nada do seu tamanho. Sua ansiedade desaparece. Ela então dá lugar à empolgação e à curiosidade de observar o comportamento do tubarão. Não foi o tubarão que mudou; o que mudou foi a história que você contou a si mesmo sobre aquela situação. Não importa o contexto, os nossos sentimentos surgem em resposta aos nossos pensamentos.

Isso significa que, para mudar os seus sentimentos, é preciso mudar sua maneira de *pensar*. Como vimos na conversa sobre o que aconteceu, nosso pensamento geralmente é distorcido de modos previsíveis, o que oferece um terreno fértil para negociarmos com as nossas emoções. Primeiro, precisamos examinar nosso lado. Qual é a história que estamos contando a nós mesmos que está dando origem à forma como nos sentimos? O que falta na nossa história? Qual será a história da outra pessoa? Quase sempre, aumentar nosso grau de percepção da história dos outros altera a forma como nos sentimos.

Em seguida, precisamos explorar nossas suposições sobre as intenções das outras pessoas. Até que ponto nossos sentimentos se baseiam em suposições não comprovadas sobre as intenções delas? Pode alguém ter agido de forma não intencional ou com intenções múltiplas e conflitantes? Como a nossa visão das intenções dos outros afeta a forma como nos sentimos? E as nossas intenções? Qual era a nossa motivação? Como nossas ações impactaram o outro? Isso muda a forma como nos sentimos?

Por fim, devemos analisar o sistema de contribuição. Somos capazes de enxergar nossa contribuição para o problema? Somos capazes de descrever a contribuição da outra pessoa sem culpá-la? Estamos cientes dos modos como cada uma de nossas contribuições forma um padrão de reforço que amplia o problema? De que maneira isso afeta a forma como nos sentimos?

Não precisamos de respostas definitivas para essas perguntas. Na verdade, até que tenhamos conversado com a outra pessoa, podemos apenas criar hipóteses. Mas isso já basta para podermos colocar em pauta as questões, lidar com elas, contornar por inteiro a escultura dos nossos sentimentos e observá-la de diferentes ângulos. Se agirmos com dedicação e honestidade, se nos debruçarmos sobre as questões abertamente e com espírito de justiça, nossos sentimentos começarão a mudar. Nossa raiva pode perder a força; a mágoa pode não bater tão fundo; nossas sensações de traição ou abandono, vergonha ou ansiedade podem parecer mais administráveis.

Vejamos mais uma vez a situação de Jamila com o marido. Desabafar conosco ajudou Jamila a entrar em contato com a raiva que sentia. Mas isso não era tudo que ela estava sentindo, assim como ela não se enxergava como vítima nem enxergava o marido como inteiramente patético. Quando ela analisou a situação do ponto de vista dele, quando ela se perguntou quais deviam ser as intenções dele, quando ela se concentrou não na culpa, mas na contribuição que cada um dos dois tinha dado, o retrato que ela fazia da situação se tornou mais complexo e o mesmo aconteceu com seus sentimentos.

Ela foi capaz de assumir a "postura do *e*", sustentar várias coisas na cabeça de uma só vez e compartilhar todas elas com o marido. "Eu sei que contribuí para os problemas que estamos tendo", disse a ele. "Acho que a raiva e a frustração que sinto em reação às suas contribuições fizeram com que eu focasse mais nos nossos problemas do que nos nossos pontos fortes. Mas, quando me afasto um pouco disso, o que também está claro para mim é que eu te amo muito e gostaria que as coisas fossem melhores." Jamila percebeu que, ao trabalhar para expressar um pouco da sua raiva, mesmo que lentamente, ela estaria abrindo caminho para expressar o amor que a motivou a procurar ajuda em primeiro lugar.

Não despeje: *descreva* os sentimentos com cuidado

Depois de descobrir os seus sentimentos e negociar com eles, você terá a tarefa de decidir como lidar com esses sentimentos. Haverá momentos em que você vai decidir que compartilhá-los é desnecessário ou inútil. Em outros, é claro, seus sentimentos serão o centro das atenções na conversa.

Muitas vezes confundimos ser emotivo com expressar emoções claramente. São coisas diferentes. Você pode expressar bem suas emoções sem ser emotivo e pode ser extremamente emotivo sem expressar muita coisa. Compartilhar sentimentos da melhor forma, com clareza, requer dedicação. A seguir listamos três diretrizes para orientar você a expressar seus sentimentos que podem ajudar a aliviar a ansiedade e aumentar as chances de que a conversa seja eficaz.

1. Incorpore os sentimentos no problema

O primeiro passo para expressar bem seus sentimentos envolve simplesmente lembrar que eles são relevantes. Quase toda conversa difícil envolve emoções intensas. Podemos sempre definir um problema sem fazer menção a nenhum sentimento. Mas isso não ajuda nem um pouco a resolver a questão. Se a verdadeira questão gira em torno dos sentimentos, eles precisam ser abordados.

Seus sentimentos não precisam ser racionais para serem expressados. Pensar que você *não pode* sentir o que está sentindo raramente muda o fato de que você sente. Seus sentimentos, pelo menos por enquanto, são um aspecto importante do relacionamento. Antes de expressá-los, você pode admitir que não se sente à vontade com eles ou que acha que eles não fazem sentido, mas não deixe de expressá-los após essa introdução. Seu objetivo aqui é simplesmente colocá-los para fora. Mais tarde você pode decidir o que fazer com eles, caso haja algo a ser feito.

2. Expresse integralmente os seus sentimentos

Vamos voltar à conversa de Brad com a mãe sobre ele arrumar um emprego. É fácil ver por que Brad hesita em expressar suas emoções quando a única coisa da qual ele está ciente é a própria raiva. Ele se imagina dizendo à mãe que está com raiva dela, o que só fará com que ela diga o mesmo. Na melhor das hipóteses, a conversa não vai a lugar algum. E o mais provável é que os dois sintam ainda mais raiva do que antes.

Mas e se Brad tivesse tempo para formar uma imagem mais completa? Em vez de dizer "Mãe, você está me enlouquecendo!", Brad pode dizer: "Quando você me pergunta como está a procura por emprego, eu sinto várias coisas. Uma delas é raiva. Suponho que seja porque eu lhe pedi que não falasse desse assunto mas você fala mesmo assim. Ao mesmo tempo, em parte eu me sinto grato e seguro de que tudo vai ficar bem. Significa muito saber que você se preocupa, que você se importa."

E quando a mãe pergunta por que ele não está sendo mais insistente ao procurar um emprego, em vez de dizer "Pare de me encher a paciência!", Brad pode dizer: "É difícil falar com você sobre isso. Sempre que penso nesse assunto, acabo ficando envergonhado, como se estivesse desperdiçando meu potencial ou decepcionando você."

Ao colocar o espectro mais amplo de seus sentimentos na conversa, Brad mudou a natureza dela. Não é mais uma disputa de raivas. Brad levou profundidade e complexidade à discussão e deu à mãe material sobre o qual refletir. Ela entende melhor o que motiva aquele comportamento do filho e o impacto de suas ações sobre ele. A conversa não termina quando Brad expressa seus sentimentos; na verdade apenas começa. Expressar todas as emoções que ele sente não faz com que a conversa se torne "fácil", mas pode muito bem tirá-la do impasse, gerar maiores compreensão e engajamento e indicar um caminho para diferentes padrões de interação que permitam que um lado dê apoio ao outro.

3. Não julgue – apenas compartilhe

Colocar os sentimentos de todo mundo na mesa, para que ganhem espaço e sejam ouvidos, é essencial antes de começar a processá-los. Se você diz "Eu fiquei magoado" e a outra pessoa diz "Você está exagerando", o processo de lutar por maior compreensão um do outro e do problema entra em curto-circuito. A avaliação prematura da legitimidade dos sentimentos vai prejudicar a expressão deles e, em última instância, o próprio relacionamento. Você pode estabelecer uma zona sem julgamentos ao seguir as seguintes diretrizes: compartilhe sentimentos puros (sem julgamentos, suposições ou culpa); deixe a solução dos problemas para depois; e não monopolize a conversa.

Expresse seus sentimentos sem julgamentos, suposições ou culpa. As pessoas costumam dizer: "Falei o que eu estava sentindo e tudo que consegui foi provocar uma briga." Voltemos à história de Emily e Roz. Emily disse a Roz que achava que ela era "indiferente e autocentrada" porque ela não agradeceu a Emily pelo apoio dado durante o seu divórcio. Não surpreende que Roz tenha ficado na defensiva e com raiva.

Depois de perceber que havia expressado seus julgamentos sobre Roz, não os próprios sentimentos, Emily tentou mais uma vez: "Em vez de julgá-la, eu apenas disse que estava magoada. E confusa em relação à nossa amizade. Foi impressionante. Ela se mostrou extremamente compungida e não parou de me agradecer por ter ficado ao lado dela."

Para falar sobre sentimentos da melhor forma possível, é preciso ter honestidade para deixar os julgamentos, as suposições e acusações de fora do seu discurso e incluir uma declaração dos seus sentimentos. É crucial olhar para as palavras exatas que você está usando, para ver se elas transmitem de fato o que você deseja comunicar. Por exemplo, a declaração "Você é tão pouco confiável!" é um julgamento sobre o caráter da outra pessoa. Nessa declaração não há nenhuma referência à forma como a pessoa que fala se sente. Não é surpresa alguma, portanto, se a resposta for "Eu sou confiável, *sim*!".

Por outro lado, a declaração "Fiquei decepcionada por você não ter enviado a carta" retira a atribuição de culpa e se concentra nos sentimentos relacionados. Formular a frase dessa forma não faz com que todos os seus problemas desapareçam, mas aumenta a probabilidade de gerar uma discussão produtiva.

Um problema mais sutil, mas igualmente comum, surge quando misturamos uma declaração pura dos nossos sentimentos com uma acusação. Dizemos: "Você não me ligou, como tinha prometido. Eu fiquei magoado por culpa sua." Essa afirmação contém um sentimento – "Eu fiquei magoado" –, mas também inclui uma conclusão sobre a causa, ou seja, sobre quem é o culpado por aquela mágoa. A pessoa com quem você está conversando provavelmente vai se concentrar no fato de que está sendo culpada em vez de se concentrar nos sentimentos que você expressou. Um modo melhor de expressar isso é declarar primeiro o sentimento puro – "Quando você não ligou, eu fiquei magoado" – e só depois explorar a contribuição conjunta (sem acusações).

Não seja intransigente: os dois lados podem ter sentimentos fortes ao mesmo tempo. Se você e seu cônjuge estão fazendo compras no mercado, é pouco provável que apenas um dos dois coloque comida no carrinho. Em vez disso, vocês dois o estarão enchendo com os itens favoritos de cada um. O mesmo acontece quando discutimos sentimentos. Você pode sentir raiva da sua chefe pela maneira como ela o tratou quando você chegou atrasado e ela pode se irritar com você por não ter terminado o memorando a tempo. Se você tem sentimentos fortes, é bem provável que a outra pessoa também tenha. E, da mesma forma que nossos sentimentos ambivalentes não anulam uns aos outros, os sentimentos alheios não anulam os seus e vice-versa.

O importante é colocar as emoções fortes e conflitantes de ambas as partes no "carrinho de compras da conversa" antes de se dirigir ao caixa.

Um lembrete fácil: diga "Eu me sinto...". É impressionante o número de pessoas que prefeririam tratar um canal no dentista sem anestesia a pronunciar as simples palavras "Eu me sinto". No entanto, essas palavras podem ter um efeito muito poderoso no ouvinte.

Começar a frase com "Eu me sinto" é um ato simples que gera benefícios extraordinários. Ele mantém o foco nos sentimentos e deixa claro que você está falando apenas da sua perspectiva. Evita a armadilha de disfarçar julgamentos ou acusações. "Por que você insiste em me desmoralizar na frente das crianças?!", por exemplo, é um começo promissor – para uma briga. Não há dúvida de que o seu cônjuge vai perceber que você está chateado ou com raiva, mas você não expressou nenhuma emoção – apenas um julgamento sobre as intenções do outro e a habilidade dele em educar os filhos. Se você começar com "Quando você discorda de mim na frente das crianças sobre decisões que as envolvem, eu me sinto traída e também fico preocupada com a mensagem que isso passa a elas", o seu cônjuge não tem como contra-argumentar a respeito do seu sentimento. É menos provável que ele fique na defensiva e mais provável que dê início a uma conversa sobre os seus sentimentos e os dele e sobre as estratégias disciplinares que vocês podem desenvolver juntos.

A importância de dar espaço aos sentimentos

Descrever sentimentos é um primeiro passo importante no sentido de resolver as coisas, mas você não pode pular diretamente daí para a solução dos problemas. Antes de tomar esse caminho, é preciso *dar espaço* aos sentimentos de cada um dos lados. Esse é um passo que simplesmente não pode ser ignorado.

O que significa dar espaço aos sentimentos de outra pessoa? Significa deixar claro para ela que o que ela disse deixou uma impressão em você, que os sentimentos dela são importantes para você e que você está se esforçando para assimilá-los. Pode ser que você diga "Eu nunca imaginei que você se sentia assim", ou "Eu até achava que você sentia isso e estou feliz por você ter confiança de compartilhar comigo", ou "Parece que isso é mesmo importante para você". Deixe claro que você enxerga a importância de compreender a perspectiva dela e que está tentando fazer isso: "Antes de eu lhe dar uma ideia do que estou sentindo, me fale mais sobre essa sensação de que eu desmereço o que você diz."

É tentador contornar sentimentos. Queremos seguir adiante, tratar do problema e melhorar as coisas. Muitas vezes tentamos "consertar" os sentimentos para tirá-los do meio do caminho: "Bem, vamos lá. Se você está se sentindo só, acho que devo tentar passar mais tempo com você." Ou até "Você tem razão. Não há nada que eu possa dizer". Essa pode ser uma resposta honesta da outra pessoa diante dos seus sentimentos, e é bom que ela esteja expressando o que sentiu. Mas fazer isso dessa forma é prematuro.

Para evitar um curto-circuito, redirecione a conversa para o propósito da compreensão: "Não estou dizendo que você tinha a intenção de me magoar. Não tenho como saber se você tinha ou não. O que importa pra mim é que você entenda como eu me senti quando criticou meu trabalho na frente do departamento inteiro." Antes de passar à solução do problema, você tem uma responsabilidade consigo mesmo e com a outra pessoa, que é a de assegurar que ela reflita sobre a importância daquela questão para você; que ela realmente entenda quais foram os seus sentimentos; e que ela valorize o fato de você tê-los compartilhado. Se ela não percebe quão importante algo é para você e você não sinaliza isso, você não está sendo justo consigo mesmo.

Dar espaço para os sentimentos é crucial em qualquer relacionamento e especialmente nos chamados "conflitos incontornáveis". Em um desses casos, o simples ato de dar espaço para os sentimentos ajudou a transformar uma comunidade dividida por tensões raciais. Um pequeno grupo de policiais, líderes políticos, empresários e moradores se reuniu para discutir uma série de incidentes recentes entre policiais e membros de minorias que residiam na comunidade. Após esse encontro, quando perguntaram a um adolescente negro se ele achava que havia conseguido mudar a cabeça de alguém, ele respondeu, em lágrimas: "Você não entende. Eu não quero mudar a cabeça de ninguém. Eu só queria compartilhar a minha história.

Não quero ouvir que vai ficar tudo bem nem que não era culpa deles, nem queria que eles me dissessem que suas histórias são igualmente terríveis. Eu queria contar a minha história, compartilhar o que eu sinto. Por que estou chorando? Porque agora eu sei que eles se importam o suficiente comigo para, pelo menos, me ouvir."

Às vezes os sentimentos são a única coisa que importa

Assim que Max, o pai da noiva de nossa história, compartilhou seus sentimentos de perda e de orgulho com a filha, foi fácil resolver os problemas sobre as despesas do casamento. Os subtextos preocupantes das conversas anteriores – a sensação de rejeição por parte de Max ou o ressentimento da filha pela aparente necessidade do pai de estar sempre no controle – foram discutidos abertamente e deixaram de atrapalhar a solução dos problemas logísticos. Os dois começaram a formar um relacionamento com base em uma expressão honesta de quem eram e do que queriam ser um para o outro.

Às vezes, porém, os sentimentos não são a única coisa que importa. Às vezes é difícil e preocupante lidar com eles, e vocês ainda têm um trabalho a fazer juntos ou filhos para criar. O processo de fazer seu relacionamento funcionar ou de resolver o problema que você tem diante de si pode ser longo e árduo. Mesmo assim, é um ponto em que a capacidade de se comunicar efetivamente com a outra pessoa – sobre os seus sentimentos e sobre o problema – será fundamental.

A conversa sobre a identidade

6

Consolide a sua identidade: *Pergunte a si mesmo o que está em jogo*

> Eu já aceitei um emprego em outro lugar e tudo que me resta é dizer ao meu chefe que estou indo embora. Não preciso de referências nem tenho interesse em fazer negócios futuramente, e ninguém pode influenciar minha decisão. Mas, mesmo assim, só de pensar em contar ao meu chefe eu fico *apavorado*.
>
> – BEN, vice-presidente de uma empresa de softwares

Visto de fora, Ben parecia não ter nada a temer; ele tem todas as cartas na mão. Mesmo assim, Ben não consegue dormir.

Ele explica: "Meu pai trabalhou em uma empresa a vida toda e eu sempre admirei a lealdade dele. Da minha parte, sempre tentei fazer a coisa certa, e, para mim, grande parte disso é ser fiel às pessoas ao meu redor – meus pais, minha esposa, meus filhos e meus colegas. Contar ao meu chefe que estou de saída toca diretamente na questão da lealdade. Meu chefe também é meu mentor e sempre me deu muito apoio. Isso tudo está me fazendo pensar: sou mesmo o soldado leal que gosto de achar que sou ou só mais um idiota ganancioso disposto a trair qualquer um pelo preço certo?"

Conversas difíceis ameaçam nossa identidade

A situação de Ben destaca um aspecto crucial do motivo pelo qual algumas conversas podem ser tão esmagadoramente difíceis. Nossa ansiedade resulta não apenas de ter que encarar outra pessoa, mas de ter que encarar *nós mesmos*. A conversa tem o potencial de perturbar nosso entendimento de quem somos no mundo ou de lançar luz sobre o que acreditamos que somos mas receamos não ser. A conversa representa uma ameaça à nossa identidade – a história que contamos a nós mesmos –, e ter nossa identidade ameaçada pode ser profundamente perturbador.

As três identidades principais

Provavelmente existem tantas identidades quanto existem pessoas. Mas três questões relativas à identidade parecem ser especialmente comuns e, muitas vezes, estão por trás daquilo que mais nos preocupa em conversas difíceis: Será que sou competente? Será que sou uma boa pessoa? Será que sou digno de amor?

- **Será que sou competente?** "Eu sofri diante do dilema de falar ou não sobre o meu salário. Estimulada pelos meus colegas, finalmente decidi falar. Mas, antes mesmo que eu pudesse começar, meu supervisor disse: 'Estou surpreso que você queira discutir esse assunto. A verdade é que fiquei decepcionado com o seu desempenho este ano.' Aquilo me embrulhou o estômago. Talvez eu não seja a química talentosa que achava que era."

- **Será que sou uma boa pessoa?** "Eu tinha planejado terminar com a Sandra naquela noite. Comecei de maneira indireta e, assim que ela entendeu, começou a chorar. Me doeu muito vê-la sofrer tanto. A coisa mais difícil na vida para mim é magoar as pessoas com quem eu me importo; vai contra quem eu sou, em termos espirituais e emocionais. Eu simplesmente não consegui suportar aquele sentimento e, pouco tempo depois, comecei a dizer a ela quanto eu a amava e que tudo ia dar certo entre a gente."

- **Será que sou digno de amor?** "Comecei uma conversa com meu irmão sobre a maneira como ele trata a esposa. Ele a menospreza e eu sei que isso a incomoda muito. Eu estava extremamente nervoso e comecei a não me expressar direito. Então ele gritou: 'Quem é você para me dizer o que fazer?! Você nunca teve um relacionamento de verdade em toda a sua vida!' Depois disso, eu mal conseguia respirar, muito menos conversar. A única coisa que eu conseguia pensar era em ir embora dali o mais rápido possível."

De uma hora para outra, a pessoa que acreditávamos ser no início da conversa é colocada em xeque.

Um abalo na nossa identidade nos faz perder o equilíbrio

Por dentro, nossa conversa sobre a identidade está a pleno vapor: "Talvez eu seja *mesmo* medíocre", "Como é que eu posso ser o tipo de pessoa que provoca sofrimento nos outros?" ou "Meu irmão está certo. Nenhuma mulher jamais me amou". Em cada um desses casos, algo que essa conversa parece estar dizendo sobre nós faz desaparecer o chão sob nossos pés.

Perder o equilíbrio pode inclusive levá-lo a reagir fisicamente de um modo que faz a conversa passar do difícil ao impossível. Imagens de nós mesmos ou do nosso futuro estão ligadas à resposta adrenal e um abalo pode provocar uma onda incontrolável de ansiedade ou de raiva ou um desejo intenso de fuga. O bem-estar é substituído pela depressão; a esperança, pelo desespero; as boas intenções, pelo medo. E tudo isso bem na hora em que você está tentando se dedicar à tarefa extremamente delicada de se comunicar de maneira clara e eficaz. Enquanto seu supervisor está explicando por que você não vai ser promovido, por dentro você está tomado pelo terremoto particular na sua identidade.

Não existe solução rápida

Não há como deixar nossa noção de identidade à prova de terremotos. Lidar com questões de identidade é a essência da vida e do crescimento, e nenhuma quantidade de amor, de conquistas ou de habilidades é capaz de deixar você imune a esses desafios. Ver seu marido chorar quando você diz que não quer ter outro filho ou ouvir seu coach dizer "Cresça" quando você traz à tona a questão do preconceito que há dentro da equipe são coisas que vão, *sim*, pôr à prova a sua noção de quem você é nesses relacionamentos e no mundo.

Nem sempre um desafio à identidade é como um terremoto, mas alguns serão. Uma conversa difícil pode fazer com que você tenha que deixar de lado um aspecto estimado da sua autoimagem. Nos casos mais graves, pode ser uma perda tão grande que vai exigir um período de luto, da mesma forma que a morte de um ente querido. Não adianta fingir que existe uma solução rápida, que você nunca mais vai perder o equilíbrio ou que os maiores desafios da vida podem ser superados se atravessarmos algumas etapas básicas.

Mas há uma boa notícia. Você pode melhorar sua capacidade de identificar e lidar com as questões de identidade quando elas surgem. Refletir de forma clara e honesta sobre quem você é pode ajudar a reduzir o seu nível de ansiedade durante a conversa e fortalecer significativamente seus alicerces ao final dela.

Identidades vulneráveis: a síndrome do "ou tudo ou nada"

Melhorar a forma de lidar com a conversa sobre a identidade começa por compreender como nos tornamos vulneráveis à perda de equilíbrio. O principal fator que contribui para uma identidade vulnerável é a mentalidade "ou tudo ou nada": ou eu sou competente ou incompetente, ou bom ou mau, ou digno de amor ou não.

O principal perigo da mentalidade "ou tudo ou nada" é que ela deixa nossa identidade extremamente instável, tornando-nos hipersensíveis a qualquer feedback. Quando somos confrontados com informações negativas a nosso respeito, a mentalidade "ou tudo ou nada" nos deixa com apenas duas alternativas para lidar com elas, e ambas causam sérios problemas. Ou tentamos negar a informação que não condiz com a nossa autoimagem ou fazemos o extremo oposto: interpretamos a informação com tamanho exagero que ficamos paralisados. Identidades do tipo "ou tudo ou nada" apresentam tanto equilíbrio quanto um banquinho de duas pernas.

Negação

Apegar-se a uma identidade exclusivamente positiva não dá espaço em nossa autoimagem para feedbacks negativos. Se eu me considero uma pessoa supercompetente, que não erra nunca, um feedback que sugira que eu cometi algum erro representa um problema. O único modo de manter minha identidade intacta é negar esse feedback – descobrir por que ele não é verdadeiro, por que não é importante ou por que o que eu fiz não foi de fato um erro.

Voltemos à química que foi pedir um aumento. O chefe dela respondeu: "Estou surpreso que você queira discutir esse assunto. A verdade é que fiquei decepcionado com o seu desempenho este ano." Ela agora precisa decidir como vai assimilar essas informações e o que elas dizem sobre a sua identidade. A negação poderia soar assim: "Meu chefe entende de negócios, mas não de química. Ele não entende a importância das minhas contribuições. Como seria bom ter um chefe que soubesse apreciar minhas qualidades!"

Tentar manter as informações negativas fora de uma conversa difícil é como tentar nadar sem se molhar. Ao encarar conversas difíceis ou simplesmente o dia a dia, vamos sempre nos deparar com informações desagradáveis sobre nós mesmos. A negação requer uma enorme quantidade de energia em termos psicológicos e, mais cedo ou mais tarde, a história que estamos contando para nós mesmos se tornará insustentável. *Além disso, quanto maior a diferença entre o que esperamos que seja verdade e o que temos receio de que seja verdade, mais fácil se torna perdermos o equilíbrio.*

Exagero

A alternativa à negação é o exagero. Dentro da mentalidade "ou tudo ou nada", receber um feedback negativo exige não apenas um ajuste em nossa autoimagem, mas uma *inversão* completa dela. Se não sou inteiramente competente, sou inteiramente *in*competente: "Talvez eu não seja tão criativo e especial quanto achava. Provavelmente nunca vou chegar a lugar nenhum. Talvez até seja demitido."

Permitimos que o feedback dos outros defina quem nós somos. Ao exagerarmos, agimos como se o feedback da outra pessoa fosse a única informação que temos sobre nós mesmos. Colocamos tudo o mais em suspenso e permitimos que o que elas estão dizendo dite a maneira como nos vemos. Podemos entregar 99 relatórios a tempo, mas, se formos criticados por atrasar o centésimo, pensamos: "Eu nunca faço *nada* direito." Essa informação toma conta de toda a nossa identidade.

Esse exemplo pode parecer ridículo, mas todo mundo já pensou isso alguma vez, e não só diante de eventos dramáticos ou traumáticos. Se a garçonete olha para você de um jeito engraçado quando pega a gorjeta, você é pão-duro. Se você não ajuda seus amigos a pintar a casa deles, você é egoísta. Se o seu irmão diz que você não visita seus sobrinhos com frequência, você é uma tia insensível. É fácil ver por que o exagero é uma reação tão debilitante.

Consolide a sua identidade

São necessárias duas etapas para melhorar sua capacidade de lidar com a conversa sobre a identidade. Primeiro, é preciso se familiarizar com as questões de identidade mais importantes para você, para poder identificá-las quando surgirem durante uma conversa difícil. Segundo, é preciso aprender a integrar novas informações à sua identidade de maneira saudável – e essa é uma etapa que exige que você deixe de lado a mentalidade "ou tudo ou nada".

Primeiro passo: esteja atento às suas questões de identidade

Muitas vezes, durante uma conversa difícil, nem sequer temos consciência de que a nossa identidade está em jogo. Sabemos que estamos ansiosos, assustados ou hesitantes e que nossa capacidade de comunicação nos abandonou. Outrora articulados, passamos a falhar e a gaguejar; outrora empáticos, não conseguimos parar de discutir e de interromper; outrora calmos, espumamos de raiva. Mas não sabemos ao certo o porquê. A conexão com a nossa identidade não está clara. É fácil pensar: "Eu estava só falando com o meu irmão sobre a maneira como ele trata a esposa dele. O que é que isso tem a ver com a minha identidade?"

Os elementos que provocam abalos na sua identidade podem não provocar abalos em outra pessoa. Cada um de nós tem as próprias sensibilidades. Para se familiarizar com as suas, observe se há algum padrão nas coisas que costumam fazer você perder o equilíbrio em conversas difíceis e depois pergunte a si mesmo o porquê disso. Que aspecto da sua identidade parece estar em risco? O que isso significa para você? Como você se sentiria se aquilo que o deixa com receio fosse verdade?

Isso pode exigir algum esforço. Vejamos a história de Jimmy. Durante a infância e a juventude, Jimmy desenvolveu a reputação de ser distante em termos emocionais. Essa postura o ajudou a se proteger de todas as turbulências emocionais a que foi exposto no ambiente familiar. Todo mundo era rápido na hora de perder a cabeça, mas não o Jimmy. Ele era extremamente racional diante de uma falha.

Mas, depois de muitos anos vivendo sozinho, Jimmy mudou. Ele passou a ver o valor de dar espaço às suas emoções e de compartilhá-las, e fazer isso com seus amigos e seus colegas de trabalho deixou sua vida muito mais rica. Ele queria mostrar essa mudança para a família, mas estava com medo. Os padrões de quem ele era na presença deles eram muito arraigados e, ainda que longe de serem perfeitos, eram confortáveis e previsíveis. Seu distanciamento tinha um preço, mas era um preço que ele estava acostumado a pagar.

Jimmy discutiu sobre o seu receio com um amigo, que lhe fez algumas perguntas difíceis: "Do que você tem medo, no fim das contas? Qual é o lado ruim disso?" A primeira coisa que Jimmy respondeu foi que ele estava se comportando daquele jeito com a família por obrigação: "Alguém na minha família precisa ser a pessoa racional. Caso contrário, vai ser caótico. Do jeito que está hoje, as coisas meio que funcionam."

Isso era verdade, mas Jimmy não parou de pensar nas perguntas feitas pelo amigo e se esforçou para dar respostas mais aprofundadas. Em certo momento, descobriu um medo que, em algum nível, sabia que estava lá o tempo todo: "E se eles me rejeitarem? E se rirem de mim? E se pensarem:

'O que foi que aconteceu com ele?'" Jimmy sabia que sofreria um forte abalo em sua identidade se seus pais reagissem mal e não estava certo de querer correr esse risco.

O aumento da conscientização de Jimmy sobre a preocupação com a própria identidade não foi o fim da história. Ele decidiu que expressaria mais suas emoções junto da família e, a princípio, isso não foi fácil. Houve momentos constrangedores e alguns parentes ficaram se perguntando por que ele estava agindo de um jeito tão diferente. Mas Jimmy persistiu e, com o tempo, um conjunto mais genuíno de relacionamentos substituiu os antigos.

Segundo passo: dê maior complexidade à sua identidade (adote a "postura do e")

Depois de identificar os aspectos da sua identidade que são mais importantes para você ou que parecem ser mais vulneráveis, você pode começar a dar mais complexidade à sua autoimagem. Isso significa se afastar da falsa dicotomia "Eu sou perfeito" *versus* "Eu sou inútil" e tentar formular uma imagem o mais clara possível sobre o que é realmente verdade a seu respeito. Como ocorre com todo mundo, o que é verdade sobre você será uma mistura de boas e más atitudes, intenções nobres e menos nobres e decisões tanto sábias quanto imprudentes que você tomou ao longo do caminho.

Seja em relação ao que há de melhor ou ao que há de pior em nós, identidades do tipo "ou tudo ou nada" simplificam demais o mundo. "Estou sempre lá quando meus filhos precisam", "Na hora de escolher namorado, tenho sempre o dedo podre", "Sou sempre um bom ouvinte". Ninguém é *sempre* a mesma coisa. Todo mundo tem uma constelação de características, tanto positivas quanto negativas, e precisa lutar constantemente na hora de reagir às situações complicadas que a vida apresenta. Mas nem sempre respondemos com a competência ou a compaixão que desejamos.

O medo que Ben tem de contar ao chefe que conseguiu outro emprego é um bom exemplo disso. Ben é leal ou é um vendido? Os dois rótulos são simplistas e não são capazes de captar a complexidade das intermináveis interações que Ben teve com diversas pessoas na vida. Ele fez muitos sacrifícios pela família e muitos também pelo chefe. Ele trabalhou nos fins de semana, recusou outras ofertas de trabalho, se esforçou de verdade para ajudar a empresa a recrutar os melhores talentos. A lista de atitudes de Ben que indicam lealdade é extensa.

E Ben está deixando esse emprego por outro mais bem remunerado em outro lugar. É natural que seu chefe se sinta abandonado. Isso não significa que Ben seja má pessoa. Isso não significa que Ben tenha feito uma escolha baseada exclusivamente em ganância. Ele quer poder pagar uma faculdade para os filhos; havia anos que ganhava menos do que deveria e não se queixava.

Qual é, então, o veredito em relação a Ben? O veredito é que não existe veredito. Ben pode se sentir em paz com muitas de suas ações e escolhas e hesitante ou arrependido com outras. A vida é muito complexa para que qualquer pessoa razoável não se sinta assim. Em verdade, uma autoimagem que abraça a complexidade é saudável e robusta; ela fornece uma base sólida sobre a qual se apoiar.

Três coisas a aceitar sobre si mesmo

Não há dúvida de que existem determinados aspectos de quem você é com os quais terá de lutar pela vida inteira. Quando você olha para dentro, nem sempre gosta do que vê, e vai descobrir que aceitar esses aspectos exige muita dedicação. Porém, à medida que se afasta de uma identidade do tipo "ou tudo ou nada" rumo a uma visão mais complexa de quem você é, você começa a perceber que se torna mais fácil aceitar certos aspectos de si mesmo que lhe trouxeram problemas no passado.

Existem três pontos especialmente importantes que você precisa aceitar sobre si mesmo em conversas difíceis. Quanto mais facilmente você admitir os seus próprios erros, a ambivalência das suas intenções e as suas próprias contribuições para o problema, mais equilibrado vai se sentir durante uma conversa e maiores serão as chances de ela correr bem.

1. Você vai cometer erros. Se você não for capaz de admitir para si mesmo que às vezes comete erros, será muito mais difícil entender e aceitar os aspectos legítimos da história da outra pessoa sobre o que está acontecendo.

Vejamos o caso de Rita e Isaiah. "Eu acho importante ser confiável, alguém com quem os amigos realmente podem contar", explica Rita. "Isso faz parte de ser uma boa amiga. O Isaiah, um dos meus colegas de trabalho, me confidenciou que estava lutando contra o alcoolismo e prometi manter segredo. Mas eu sabia que uma amiga em comum havia enfrentado muitos daqueles mesmos problemas no passado e falei com ela sobre a questão do Isaiah, para ouvir alguns conselhos.

"Mas o Isaiah descobriu e ficou extremamente furioso. No começo, tentei explicar que estava buscando ajudar e que a minha amiga poderia representar um recurso valioso. Por fim, percebi que o motivo pelo qual eu estava discutindo era que eu não conseguia admitir para mim mesma que havia quebrado a confiança dele, pura e simplesmente. Não cumpri a minha palavra. Quando fui capaz de admitir para mim mesma que havia cometido um erro, minha conversa com o Isaiah começou a chegar a algum lugar."

Quando você se apega ao padrão "ou tudo ou nada", mesmo um pequeno erro pode parecer catastrófico e quase impossível de ser admitido. Se você estiver ocupado tentando proteger uma identidade do tipo "sem erros, sem falhas", não será capaz de se envolver em uma conversa-aprendizado significativa. E, ao ser incapaz de fazer isso, é muito provável que cometa os mesmos erros de novo.

Uma razão pela qual as pessoas relutam em admitir seus erros é que elas temem ser vistas como fracas ou incompetentes. No entanto, muitas vezes pessoas geralmente consideradas competentes, que aceitam a possibilidade de erros sem se deixar abalar por completo, são vistas como confiantes, seguras e "grandes o bastante" para não precisarem ser perfeitas, enquanto as que resistem a admitir a possibilidade de erro são vistas como inseguras e *carentes* de autoconfiança. Não dá para enganar ninguém.

2. Suas intenções são complexas. Às vezes ficamos nervosos na iminência de uma conversa porque sabemos que nosso comportamento prévio nem sempre foi motivado por boas intenções.

Veja a situação em que Sally e Evan, seu namorado, se encontram. Sally quer terminar com Evan, mas tem medo de que ele a acuse de tê-lo usado apenas para atravessar um período de solidão. Antes de afirmar que suas intenções eram absolutamente positivas, Sally precisa avaliar, com honestidade, se eram mesmo. Ainda que, de modo geral, Sally não quisesse magoar Evan e não estivesse agindo por mal, havia pelo menos uma dose de egoísmo em seu comportamento.

Ao ser honesta consigo mesma sobre a complexidade de suas motivações, Sally tem maiores chances de se manter de pé caso seja acusada de ter tido más intenções. E ela pode responder com sinceridade: "Pensando bem, parte do que você está dizendo faz sentido. Eu *estava* mesmo me sentindo só e estar com você me ajudou. Não acho que esse foi o único motivo para eu querer estar com você. Eu esperava de verdade que desse certo. Há muitos elementos em jogo na forma como as coisas aconteceram pra mim."

3. Você contribuiu para o problema. O terceiro passo crucial para garantir maior estabilidade envolve analisar e assumir a responsabilidade pela contribuição que você deu para o problema.

Isso nem sempre é fácil. Walker descobriu recentemente que sua filha, Annie Mae, está lutando contra um distúrbio alimentar. O supervisor da universidade telefonou para dizer a Walker que Annie Mae havia se internado na clínica do campus. Walker ligou para saber como Annie Mae estava, mas pareceu não conseguir ir além da troca superficial de frases do tipo "Como você está, garota?" e "Vai ficar tudo bem, pai".

Walker quer ter uma conversa mais genuína, mas está com medo. Ele suspeita que pelo menos parte dos problemas que Annie Mae está enfrentando esteja ligada à relação deles. Ele suspeita que Annie Mae acha que ele não foi um bom pai e receia que ela possa, pela primeira vez, dizer isso a ele. Essa perspectiva o deixa apavorado.

Até agora, sem saber ao certo o que a filha pensa, Walker conseguiu viver com a esperança de ter sido um bom pai. Ele adoraria que isso fosse verdade. Mas desconfia que a verdade seja mais complexa. Afinal, ele nem sempre estava presente, não lhe deu tanto apoio quanto deveria e fez promessas a Annie Mae que nem sempre cumpriu.

Walker tem duas opções. Pode tentar conversar com a filha cheio de dedos, esperando que Annie Mae não traga à tona a questão de como ele contribuiu para a conturbada relação deles e para o atual estado de saúde dela. Ou pode trabalhar previamente algumas de suas questões de identidade e aceitar em seu coração a contribuição que deu para os problemas entre os dois.

Não vai ser fácil. De fato, pode ser a coisa mais difícil que Walker já fez na vida. Mas, se ele puder aceitar a si mesmo e as próprias ações como são e assumir a responsabilidade por elas, tanto em sua mente quanto ao conversar com Annie Mae, provavelmente vai ver que, com o tempo, suas conversas com a filha se tornarão mais fáceis. E, o mais importante, Walker vai descobrir que não precisa mais se esconder. Suas conversas com Annie Mae não terão o potencial de abalar sua identidade "ou tudo ou nada" de bom pai. Ele pode dizer à filha "Gostaria de ter estado presente com mais frequência. Sinto muito e fico muito triste por não ter estado" e pode se aproximar dela com compaixão em vez de medo.

Durante a conversa, aprenda a recuperar o equilíbrio

Depois de observar O Sensei, o fundador do aikidô, enfrentar um lutador talentoso, um jovem estudante disse ao mestre: "Você nunca perde o equilíbrio. Qual é o seu segredo?"

"Você está errado", respondeu O Sensei. "Estou constantemente perdendo o equilíbrio. Minha habilidade está na capacidade de recuperá-lo."

O mesmo acontece nas conversas difíceis. Trabalhar suas questões de identidade é extremamente útil. E, ainda assim, a conversa terá sua cota de surpresas, testando sua autoimagem de maneiras que você nem imaginava. A questão não é se você vai ser derrubado. Você vai. A verdadeira questão é se você vai conseguir se recuperar e manter a conversa em uma direção produtiva.

Quatro coisas que você pode fazer antes e ao longo de uma conversa difícil para ajudar a manter e recuperar o equilíbrio são: deixar de tentar controlar a reação do outro, estar preparado para a reação do outro, olhar para o futuro para ter perspectiva e, caso perca o equilíbrio, fazer uma pausa.

Pare de tentar controlar a reação do outro

Nas conversas que envolvem questões importantes de identidade em especial, você pode ficar confuso ou constrangido logo de cara e pode querer evitar a pressão adicional de que a outra pessoa reaja mal. "Aconteça o que acontecer", você pensa, "eu só não quero que ela fique chateada e, principalmente, não quero que ela fique chateada comigo." Você já está se sentindo mal o suficiente por si mesmo; uma reação ruim do outro tornaria as coisas insuportáveis. Como resultado, pode ser que um dos seus principais objetivos seja conduzir a conversa sem que a outra pessoa tenha uma reação "ruim".

Não há nada de errado (pelo contrário) em não querer magoar uma pessoa ou em esperar que ela goste de você mesmo depois de você ter lhe dado más notícias. No entanto, manter isso como um *objetivo* durante a conversa gera problemas. Assim como você não pode mudar a outra pessoa, também não tem como controlar a reação dela – nem deve tentar.

Quando você conta aos seus filhos que vai se divorciar da mãe deles, é provável que eles fiquem chateados. De que modo não ficariam? Como você se importa com eles, é natural que queira minimizar a dor que sentirão ao receber uma notícia dessas. Mas também é provável que exista um elemento de *auto*proteção nesse desejo: "Só espero que eles não chorem, nem fiquem com raiva, se retirem ou briguem", pensa você, em parte pelo que isso o levaria a pensar sobre si mesmo: "Talvez eu seja um péssimo pai e um péssimo marido." Tentar controlar a reação deles pode parecer uma forma de evitar o difícil trabalho de aceitar que você contribuiu para o que está acontecendo – com o impacto doloroso que isso tem na sua identidade.

Mas tentar suavizar ou sufocar a reação do outro deixará as coisas piores, não melhores. É compreensível que você queira que seus filhos achem que o divórcio não será tão ruim assim, ou que a sua funcionária se convença de que a demissão é realmente uma oportunidade para ela encontrar um lugar onde as habilidades dela sejam de mais valia. No entanto, mesmo que suas previsões otimistas se provem verdadeiras a longo prazo, é desastroso descartar os sentimentos que a outra pessoa está experimentando no momento. Você pode ter a intenção de passar a mensagem "Vai ficar tudo bem", mas o que a outra pessoa provavelmente vai ouvir é "Eu não entendo como você está se sentindo" ou pior: "Você não tem o direito de ficar mal por isso."

Quando tiver que dar más notícias – ou melhor, quando estiver diante de qualquer conversa difícil –, em vez de tentar controlar a reação da outra pessoa, adote a "postura do *e*". Você pode ter por objetivo informar seus filhos sobre o divórcio, dizer a eles quanto você os ama e se importa com eles, explicar que acredita de verdade que tudo vai ficar bem *e* dar espaço para que eles sintam o que quer que seja e saibam que esses sentimentos são naturais e plausíveis. Isso lhe dá controle sobre tudo que você pode de fato controlar (a si mesmo) e dá a eles o espaço para serem sinceros, em contrapartida.

A mesma dinâmica se aplica na hora de dar más notícias no ambiente de trabalho. Quando você demite uma pessoa, é muito provável que ela fique chateada, e mais provável ainda que seja com você. Não meça o sucesso da conversa pela existência ou não desse sentimento. É um direito dela ficar chateada, e é uma reação razoável. O melhor é começar a conversa com o objetivo de dar a notícia, de assumir a sua parcela de responsabilidade para esse desfecho (não mais que isso), de mostrar que você se importa com o que ela sente e de tentar ajudá-la no futuro.

Aprender que você não tem como controlar a reação do outro e que tentar fazê-lo pode ser destrutivo tem um potencial incrivelmente libertador. Isso não apenas dá à outra pessoa o espaço para reagir como ela precisa, mas também tira uma enorme pressão de cima de você. Você vai aprender muitas coisas sobre si mesmo com base na reação alheia, mas, se estiver preparado para aprender, vai se libertar da necessidade desesperada de que essa reação obedeça a um roteiro.

Esteja preparado para a reação do outro

Em vez de tentar controlar a reação do outro, esteja *preparado* para ela. Tire um tempo para imaginar como será a conversa. Em vez de se concentrar em como as coisas podem ser ruins – que é nossa tendência quando ficamos acordados até tarde da noite pensando se devemos ou não abordar determinado assunto –, concentre-se em quanto você pode aprender a partir da reação da outra pessoa. É provável que ela comece chorar? Que ela se cale e se retire? Que finja que está tudo bem? Que o ataque ou rejeite o que você está dizendo?

A partir daí, avalie se alguma dessas reações traz à tona questões de identidade para você. Em caso positivo, imagine que a outra pessoa esteja reagindo do modo mais duro possível e pergunte a si mesmo: "O que eu acho que isso diz sobre mim mesmo?" Analise previamente as questões: "Como eu lido com o fato de fazer alguém chorar? Qual será minha reação? E se o meu caráter ou as minhas intenções forem atacados? Como eu reagiria?" Quanto mais preparado você estiver para a reação da outra pessoa, menos surpreso ficará. Se você já avaliou as implicações das possíveis reações dela para a sua identidade, é muito menos provável que perca o equilíbrio no momento da conversa.

Imagine que já se passaram três meses ou dez anos

É difícil ter alguma perspectiva em relação a si mesmo quando o mundo parece sombrio e você se sente confuso, abatido, indesejável ou desajustado. Às vezes projetar o seu futuro pode ajudar você a se sentir melhor quanto ao que está acontecendo no presente, com a garantia de que, em algum momento, você vai se sentir melhor e de que algum dia aquilo pode não parecer mais tão importante assim.

Imaginar o seu futuro eu olhando para trás também pode lhe dar algum senso de direção. Se você estiver passando por um momento especialmente doloroso, pense em como será olhar para esse período da sua vida daqui a 10 anos. O que você acha que vai ter aprendido com a experiência? Como vai se sentir em relação à forma como lidou com ela? Que conselho o seu eu de daqui a 10 anos pode dar ao seu eu de agora, que está bem diante do sofrimento?

Faça uma pausa

Às vezes você descobre que está envolvido demais com o problema e abalado demais pelo terremoto particular na sua identidade para conseguir se engajar de modo efetivo na conversa. Você não está em uma posição na qual é capaz de obter mais informações ou de colocar seus pensamentos em ordem. Em momentos como esse, manter a farsa quanto à participação na conversa provavelmente não será útil para ninguém.

Peça um tempo para refletir sobre o que você ouviu: "Estou surpreso com a sua reação e gostaria de um tempo para pensar no que você disse." Mesmo 10 minutos podem ajudar. Dê uma volta. Respire um pouco de ar fresco. Verifique se algo foi distorcido. Passe algum tempo em silêncio e compare as acusações feitas quanto ao seu julgamento ou à sua arrogância com outras informações que você tem sobre si mesmo. Verifique se está havendo negação. De que modo o que a outra pessoa disse é verdade? Verifique se há exageros. Qual é a pior coisa que poderia acontecer? E o que você pode fazer nesse instante para mudar a conversa?

Algumas pessoas têm vergonha de pedir uma pausa. Entretanto, adiar a conversa até recuperar o equilíbrio pode poupar você de coisas muito piores do que a vergonha.

A identidade do outro também está em jogo

Quando estamos envolvidos demais em nossa conversa sobre a identidade, pode ser difícil lembrar que talvez a outra pessoa também esteja lidando com questões de identidade. Sem dúvida, quando Walker tentar falar com Annie Mae sobre a doença dela, ela estará mergulhada na própria conversa sobre a identidade. O simples fato de ter se internado porque há algo "errado" com ela pode, em sua cabeça, confirmar seu maior medo – que ela jamais será boa o bastante ou terá conquistas suficientes para agradar o pai.

Walker pode ajudar a filha de modo significativo se conseguir afastá-la da mentalidade "ou tudo ou nada". Ele pode ajudá-la a reequilibrar a própria autoimagem ao demonstrar a ela que todo mundo precisa de ajuda de vez em quando. E pode fazê-la se lembrar de coisas positivas que são verdadeiras sobre ela e importantes para ele. "Estou orgulhoso por você ter procurado ajuda", ele pode dizer a Annie Mae. E também pode lembrar a ela que a ama não porque ela tira ótimas notas em todas as matérias, mas porque é sua filha. E isso é algo que não vai mudar nunca.

Falando abertamente sobre questões de identidade

Às vezes as suas questões de identidade serão importantes para você, mas não muito relevantes para a pessoa com quem você está falando ou para o relacionamento em geral. Você não precisa dizer ao seu novo colega de trabalho que ele lhe lembra um ex-namorado com quem você teve uma péssima experiência sexual. É bom que você esteja ciente, mas é muito provável que falar abertamente sobre isso não leve a lugar algum. Você pode identificar o problema em sua cabeça e admitir que é algo que precisará resolver por conta própria.

Em outros momentos, travar a conversa sobre a identidade abertamente pode ajudar você a ir direto ao ponto numa discussão: "Estou com a sensação de que esta conversa está girando em torno de se eu sou ou não um bom cônjuge. Você está tendo a mesma impressão?", "Eu sempre me arrependi de não ter dito nenhuma palavra no funeral do papai. É por isso que é tão importante eu falar no da mamãe", "Sou muito sensível a críticas ao meu jeito de escrever. Sei que preciso de feedback, mas é importante que nós dois estejamos atentos a isso durante a elaboração desses memorandos".

É surpreendente a frequência com que conversas difíceis se transformam numa sequência de reações ao que cada um dos interlocutores acha que está sendo dito sobre si.

Tenha coragem de pedir ajuda

Às vezes a vida nos dá uma rasteira e não conseguimos nos reerguer sozinhos. Essa rasteira é diferente para cada um. Pode ser algo violento como um abuso sexual ou horrível como uma guerra. Pode ser uma doença física ou mental, um vício ou a perda de alguém. Ou também pode ser algo que não perturbaria a maioria das pessoas mas que perturba você.

Às vezes valorizamos as pessoas que sofrem em silêncio. Mas, quando o sofrimento é prolongado ou interfere na realização do que queremos na nossa vida, ficar calado pode ser mais um sinal de imprudência do que de coragem. Não importa o motivo, se você já tentou superar isso sozinho e não conseguiu, recomendamos que peça ajuda. De amigos, de colegas, de familiares, de profissionais. De qualquer um que possa lhe estender a mão.

Para muitos, isso não é fácil. Interiormente, nossa conversa sobre a identidade nos diz em alto e bom som que pedir ajuda não é bom – é constrangedor, é sinal de fraqueza e cria um fardo para os outros. Esses pensamentos têm muita força, mas pergunte a si mesmo: Se alguém que você ama – seu tio, sua filha, um colega de trabalho próximo – estivesse na situação em que você se encontra, você veria problema caso *eles* pedissem ajuda? Por que, então, você deveria obedecer a um padrão diferente?

Se parte da sua identidade acredita que você não precisa de ajuda, será sempre difícil pedi-la. E, quando você por fim pedir, nem todos o ajudarão, e isso será doloroso. Mas muitas pessoas o ajudarão. E, ao confiar nelas o suficiente para pedir ajuda, você oferece uma oportunidade extraordinária para que elas façam algo importante para alguém de quem elas gostam. Um dia, quem sabe, você terá a oportunidade de retribuir esse favor.

Crie uma conversa-aprendizado

7

Qual é o seu objetivo? A hora certa de abordar uma questão ou deixá-la de lado

São muitas as possíveis conversas difíceis que surgem e não há como abordar todas elas. A vida é muito curta para isso. Portanto, como saber se devemos ter uma conversa, seja pela primeira ou pela vigésima vez? E como decidir quais questões não abordar?

São essas as perguntas que nos atormentam quando perdemos o sono e ficamos ouvindo o cachorro do vizinho latir. Passamos metade deste livro falando sobre *o que* você pode criar. Vamos passar a outra metade explicando *como*. Porém, antes de chegar lá, será que existe algo que possa ser dito sobre *quando*?

Tocar no assunto ou não: como decidir?

Seria muito mais fácil se existissem regras simples e diretas sobre quando devemos abordar determinada questão e quando devemos deixá-la em paz no canto dela. "Política não se discute", "Não fale de problemas durante o café da manhã" e "Jamais discorde do seu chefe" têm a vantagem de ser regras claras. Elas são também estúpidas e, portanto, não ajudam em nada.

Se você deve ou não abordar uma questão com o seu marido, o seu agente ou o mecânico do seu carro é algo que só você pode decidir. Como os detalhes mudam a cada situação, não há uma regra simples que possamos oferecer como guia na tomada de decisões sábias. O que *podemos* oferecer são algumas perguntas e sugestões para ajudar você a decidir *se* deve iniciar uma conversa e *como* fazê-lo.

Como saber se fiz a escolha certa?

Quando estamos tentando decidir se devemos ou não abordar determinada questão, muitas vezes pensamos: "Quem me dera ser melhor na hora de tomar decisões. Se eu fosse mais inteligente, não seria tão difícil." A verdade é que não existe "escolha certa". Não há como saber com antecedência o desenrolar das coisas. Portanto, não perca tempo procurando a resposta certa sobre o que fazer. Além de inútil, esse padrão é paralisante.

Em vez disso, adote como objetivo *pensar com clareza* ao assumir a tarefa de tomar uma boa decisão. É o melhor que alguém pode esperar fazer.

Trabalhe as Três Conversas

Em todos os casos, trabalhe as Três Conversas da melhor maneira. Esteja o mais ciente possível dos seus sentimentos, das suas principais questões de identidade e das eventuais distorções ou lacunas em sua leitura da situação. Reflita profundamente sobre o que você tem como saber (seus sentimentos, suas experiências, histórias e questões de identidade) e o que não tem (as intenções, as perspectivas ou os sentimentos dos outros).

Essa abordagem vai ajudar você a se tornar mais consciente do processo de comunicação e a encontrar pistas sobre o que está dificultando as suas conversas. Às vezes essas pistas conduzem a uma resposta clara, como "Abordar essa questão é importante e agora tenho uma ideia de como fazê-lo de outra forma", ou "Agora estou começando a ver por que ter uma conversa provavelmente não vai ajudar em nada".

Três tipos de conversa que *não* fazem sentido

Ao refletir sobre se deve ou não abordar determinada questão, você vai descobrir que, embora muitas vezes faça sentido começar uma conversa, às vezes não faz. Existem três perguntas-chave que podem ajudá-lo a tomar essa decisão com sabedoria.

O verdadeiro conflito está dentro de você?

Às vezes o que é difícil na situação tem muito mais a ver com o que está acontecendo dentro de você do que com o que está acontecendo entre você e a outra pessoa. Nesse caso, uma conversa focada na interação não será muito esclarecedora nem produtiva até que você tenha uma conversa mais demorada consigo mesmo.

Travar consigo mesma uma conversa sobre a identidade ajudou Carmen a solucionar um embate com o marido sobre a responsabilidade de gerenciar dezenas de atividades relacionadas aos filhos, como horário das caronas, consultas médicas e aulas de piano:

> Apesar de eu estar trabalhando em tempo integral para sustentar a família, enquanto Tom ficava em casa com as crianças, era eu quem montava a maior parte da agenda e as levava de um lado para outro. Eu tinha a sensação de que Tom não era responsável o suficiente. Do meu ponto de vista, ele não parava de pisar na bola; eu tinha que botar a mão na massa pra garantir que tudo corresse bem.
>
> No entanto, conforme fui travando comigo mesma uma conversa sobre a identidade, comecei a perceber de que forma eu estava tentando *manter* o controle sobre aquele aspecto da vida das crianças – talvez por causa do remorso de estar trabalhando em tempo integral. Eu amo o meu trabalho. Sou boa no que faço e ganho bem. Mas a culpa ainda me incomoda e às vezes fico com ciúmes ao ver nossa filha procurar o Tom pra falar sobre os problemas dela em vez de recorrer a mim.

Assim que percebeu que assumir a responsabilidade pela agenda dos filhos era uma forma de assegurar para si mesma que ainda era uma boa mãe – participativa e essencial ao bem-estar deles –, Carmen conseguiu deixar de lado o ressentimento que sentia quando as coisas saíam dos eixos: "Passei algumas coisas para as mãos do Tom e mudei meu jeito de pensar sobre essas responsabilidades. Eram coisas que eu tinha guardado pra mim pra me sentir fazendo parte, não porque ele deixasse a desejar."

Existe algum modo melhor de resolver um problema?

Ao analisar seus sentimentos ou identificar sua contribuição para uma situação, pode ficar claro que o que é necessário não é uma conversa sobre a interação, mas uma mudança na sua atitude. Às vezes ações são melhores que palavras.

Walter havia tido uma série de conversas difíceis com a mãe sobre a fazenda da família, localizada no norte do Missouri. Ele conta a seguinte história:

> Desde que meu pai morreu, meus irmãos têm ajudado minha mãe a administrar o local. Sempre que eu falo com ela, ela pergunta quando vou voltar pra casa e me reintegrar nos negócios da família – ou, no mínimo, ocupar o posto do velho doutor Denny como médico do vilarejo.
>
> Eu gosto de morar em St. Louis, uma cidade onde tenho um ótimo consultório pediátrico, de modo que a conversa que eu achava que precisava ter com minha mãe seria para dizer para ela esquecer aquele assunto e aceitar que eu não ia voltar – pelo menos não tão cedo.
>
> Entretanto, ao repassar as Três Conversas, descobri algumas coisas. Percebi que, além de ficar frustrado e ressentido quando minha mãe abordava aquela questão, eu também ficava grato por ela sentir minha falta, por eu ter raízes e pela opção de poder voltar. E fiquei triste por minhas filhas não estarem desenvolvendo um relacionamento mais próximo com a avó, como o que as minhas sobrinhas tinham, e por estarem perdendo a chance de crescer em uma fazenda, o que foi uma experiência maravilhosa pra mim.
>
> Um dos insights mais importantes que tive veio ao imaginar quais seriam as perspectivas e os sentimentos da minha mãe. De súbito, entendi que o que ela estava realmente dizendo era que sentia falta de ter notícias minhas – de fazer parte do nosso mundo. Ela queria que eu levasse minha família até lá para que ela pudesse estar mais conectada e presente. Mas, quando ela expressava isso me perguntando quando eu

ia voltar pra fazenda, eu geralmente reagia encerrando a conversa. Na sequência eu passava semanas a fio sem ligar pra ela, pelo simples receio de ter que debater aquele mesmo assunto de novo. E assim eu acabava contribuindo para que ela se sentisse ainda *mais* desconectada – o que fazia com que ela precisasse expressar quanto sentia a nossa falta e então tudo recomeçava.

Depois de analisar esse sistema de contribuição e a complexidade dos próprios sentimentos, Walter percebeu que não precisava conversar com a mãe sobre a frequência com que ela perguntava se ele ia voltar para a fazenda. Ele precisava, antes de tudo, parar de contribuir para o problema.

Passei a ligar pra minha mãe com mais frequência, dando notícias das meninas e convidando-a para nos visitar em St. Louis apenas por diversão, não só nos feriados ou eventos de família. Quando ela abordou a questão de quando eu ia voltar pra fazenda, em vez de encerrar a conversa, falei que estava muito satisfeito com o meu consultório. Também falei dos meus sentimentos de arrependimento e de tristeza por não passar mais tempo com a família inteira e do meu desejo de que minhas filhas pudessem passar mais tempo com ela. Isso rendeu um convite pra que elas passassem o verão com as primas na fazenda. Pouco a pouco, as perguntas sobre o meu retorno foram desaparecendo.

E, como era de esperar, Walter acabou por se aproximar da mãe.

Às vezes uma conversa simplesmente não vale o tempo necessário ou nem sequer é possível. Mas você continua querendo fazer alguma coisa. Fran, uma bem-sucedida advogada trabalhista, teve uma interação desagradável com um cobrador de pedágio na volta para casa. Fran gosta de manter apenas moedas de 25 centavos no porta-moedas do carro, para não ter que contar às cegas nem ter que tirar os olhos da estrada na hora de pegar os 50 centavos que custa o pedágio. Dessa forma, nas ocasiões em que paga com uma nota de 1 dólar, ela prefere receber o troco em moedas de 25 centavos. Quando um cobrador lhe dá o troco em moedas de 5 ou de 10 centavos, ela devolve e pede moedas de 25.

Em geral não há problema, mas ontem o cobrador retrucou: "Por que as pessoas ricas como a senhora têm essa sensação toda de poder e razão? Não passa pela sua cabeça que, se estou dando o troco em moedas de 10, alguma razão há?" Confusa, Fran respondeu: "Bem, sim, só me parece muito mais provável que você tenha outras moedas do que eu." Ao que o cobrador respondeu, enquanto colocava duas moedas de 25 na mão dela: "Você não tem a menor ideia de como é o meu trabalho. E também não importa! Pode ir." Sem palavras e furiosa, Fran seguiu viagem.

Em casa, ao refletir sobre essa interação, Fran percebeu que sua raiva tinha origem, em grande parte, no desejo de negar algumas verdades desagradáveis: ela sem dúvida se achava cheia de razão, e até mesmo um pouco superior, quando pedia as moedas de 25; ela *não* fazia ideia das condições em que o cobrador trabalhava; e, do ponto de vista dele, ela de fato parecia rica. Tudo isso conflitava com aspectos essenciais de como ela gosta de enxergar a si mesma. Ela continuou não gostando do comportamento do cobrador, mas conseguiu imaginar como devia ser estar no lugar dele ao final de um longo dia de trabalho com uma fila interminável de carros diante de si.

O resultado, para Fran, foi que ela deixou de sentir aquela raiva e parou de ficar fantasiando sobre o que diria em sua defesa quando desse de cara com ele outra vez no pedágio. Ela também viu a experiência como parte de algo mais complexo. A vontade de tomar alguma atitude permaneceu, mas parecia exigir outra abordagem. Dessa forma, ela escreveu para a concessionária da rodovia explicando o desejo de poder receber o troco em moedas de 25 centavos sem colocar os cobradores em situação difícil e perguntando o que poderia ser feito para garantir isso. Para sua agradável surpresa, ela recebeu uma resposta explicando que havia um limite de moedas que os cobradores de pedágio podiam levar para a cabine e que eles eram proibidos de sair dali, exceto em horários predeterminados. A concessionária agradeceu a ela por ter abordado a questão e explicou como eles haviam conseguido encontrar uma solução criativa para atender à demanda dela sem criar um problema para os cobradores.

Seus objetivos fazem sentido?

Imagine como seria perguntar ao diretor da Nasa qual o objetivo de determinada missão espacial e obter como resposta: "Hum, não sei. Pensamos só em mandar alguém pro espaço e aos poucos descobrir o que fazer."

Seria pouco provável. No entanto, frequentemente iniciamos nossas conversas assim. Nós nos vemos no meio da conversa e nenhum dos lados sabe ao certo qual o objetivo nem qual seria um bom desfecho.

Em outros momentos, tentamos ter uma conversa quando nossos objetivos não fazem sentido. Quando isso acontecer, nada do que você fizer ou disser vai ajudar (e pode até piorar as coisas), porque escolheu um destino ao qual é impossível chegar.

Lembre que você não pode mudar os outros. Em muitas situações, nosso objetivo ao iniciar uma conversa é fazer com que a outra pessoa mude. Não há nada de errado em esperar por mudanças. O desejo de mudar os outros é universal. Queremos que eles sejam mais afetuosos, que demonstrem mais apreço pelos nossos esforços, que nos deem mais espaço pessoal ou que socializem mais nas festas. Que aceitem nossa orientação sexual ou a carreira que escolhemos. Que compartilhem das nossas crenças religiosas ou dos nossos pontos de vista sobre questões importantes do presente.

O problema é que *não temos como fazer essas coisas acontecerem*. Não podemos mudar a cabeça das outras pessoas nem forçá-las a mudar de comportamento. Se pudéssemos, muitas conversas difíceis simplesmente desapareceriam. Diríamos "Eis aqui os motivos pelos quais você deveria me amar mais" e elas responderiam: "Ah, agora que estou ciente desses motivos, eu amo."

Mas sabemos que as coisas não funcionam assim. Mudanças de atitude e de comportamento raramente ocorrem graças a argumentos, fatos e tentativas de persuasão. Com que frequência você muda seus valores e suas crenças – ou quem você ama ou o que deseja da vida – com base em algo que alguém lhe diz? E qual a probabilidade de você mudar quando, em essência, a pessoa que está tentando provocar essa mudança não parece estar totalmente ciente dos motivos pelos quais você vê as coisas de outra forma?

Podemos ter alguma influência, mas precisamos ser especialmente cuidadosos em casos assim. O paradoxo é que tentar mudar alguém raramente resulta em mudança. Por outro lado, levar alguém para dentro de uma conversa em que o objetivo é a aprendizagem mútua geralmente resulta em mudanças. Por quê? Porque, quando tentamos mudar alguém, é mais provável brigarmos e atacarmos a história da outra pessoa e menos provável escutarmos. Essa abordagem aumenta a probabilidade de ela ficar na defensiva em vez de aberta a aprender algo novo. É mais provável que ela mude se achar que é compreendida e se sentir ouvida e respeitada. As pessoas ficam mais propensas a mudar quando se sentem livres para *não* mudar.

Não se concentre no alívio a curto prazo em detrimento do longo prazo. Outro erro comum é agir para aliviar a tensão psicológica a curto prazo, com o custo de gerar uma situação ainda pior no futuro.

Janet aprendeu isso da maneira mais difícil. Tendo 20 anos de experiência em gestão financeira de organizações sem fins lucrativos, ela jamais imaginou que seria levada às lágrimas por um membro do conselho que questionava sua competência. Mas lá estava ela. Por fim, cansada de se sentir atacada a cada vez que apresentava um orçamento, ela decidiu confrontar o membro do conselho, uma mulher chamada Sylvie. As coisas não saíram muito bem. Janet explica:

> Olhando em retrospecto, embora eu tenha dito algumas coisas acertadas – como assumir a responsabilidade pela minha contribuição e assim por diante –, acho que o que eu realmente queria fazer era deixá-la irritada. Eu queria que ela se sentisse tão mal quanto eu estava me sentindo. E queria deixar claro que ela não podia me tratar daquele jeito.
>
> Ah, e eu consegui. E saí da reunião me sentindo ótima... por cerca de 15 minutos. Depois disso, comecei a me arrepender de algumas das coisas que havia dito e percebi que tinha acabado de piorar a situação, alimentando o antagonismo entre nós duas. O fato é que ela *podia* me tratar daquele jeito e eu tinha apenas aumentado a probabilidade de ela fazer isso.

Se o seu objetivo é mudar a outra pessoa ou o comportamento dela dizendo algumas verdades ou repreendendo-a, é bem provável que essa conversa produza várias das consequências negativas que você teme. Dizer "Você é insensível/irresponsável/inadequado" colocará em risco o relacionamento. É muito mais provável que você magoe a outra pessoa, deixe-a numa posição defensiva ou acabe sendo demitido.

Isso não quer dizer que Janet fique empacada diante das ofensas de Sylvie, sem nenhuma possibilidade de resolver a situação. Janet pode ter uma conversa construtiva com Sylvie caso consiga mudar um pouco seus objetivos. Se Janet for capaz de adotar uma postura de curiosidade em relação ao porquê de Sylvie agir como tem agido, a conversa pode valer a pena. Janet pode enxergar isso como uma oportunidade de entender a história de Sylvie, compartilhar a sua e, por fim, descobrir como as duas podem trabalhar melhor em conjunto. É alguma coisa que Janet está fazendo? Sylvie está ciente do impacto que está causando em Janet? Foi assim que Sylvie conseguiu obter resultados no passado? Que conselho Janet pode oferecer a Sylvie sobre como extrair o melhor dela?

Se Janet puder entrar na conversa com uma curiosidade desse tipo em relação à perspectiva de Sylvie, é muito menos provável que a conversa provoque uma reação ruim ou prejudique ainda mais a relação entre as duas. Ao tentar trabalhar em parceria com Sylvie para descobrir por que as coisas andam tão difíceis, Janet está investindo nesse relacionamento.

Negociar consigo mesmo de modo a mudar de objetivo pode *diminuir o potencial de risco* da conversa e aumentar as chances de obter um resultado positivo.

Não fuja da cena do crime. Muitas vezes, quando temos algo importante a dizer, dizemos logo, porque aquilo está nos fazendo mal. A maioria de nós tem sensibilidade suficiente para saber evitar os momentos errados. Se alguém nos conta que acabou de voltar do médico e que vai mesmo precisar fazer a tal operação que tinha comentado, poucos de nós diriam: "Sinto muito. Ah, por falar nisso, você ainda não me pagou aquele dinheiro que eu te emprestei."

No entanto, há um erro muito comum relacionado ao momento de falar.

É como "fugir da cena do crime". Um funcionário chega atrasado ao escritório, algo sobre o qual você já queria mesmo falar com ele, então você diz "Atrasado de novo, né?" e para por aí. Ou você vai visitar seu filho no fim de semana, nota as garrafas de cerveja vazias na lixeira e diz: "Pelo visto, você continua bebendo aos baldes."

Esses comentários têm o objetivo de ajudar. Você espera mesmo que o seu funcionário ou o seu filho levem a mensagem a sério. Mas, embora isso possa ajudar você a se sentir um pouco melhor ("Pelo menos eu falei alguma coisa"), comentários assim colocam a outra pessoa na defensiva e a deixam frustrada, o que dificilmente vai produzir o tipo de mudança que você tinha em mente.

Uma boa regra a seguir é: se for falar, fale. Tenha uma conversa de verdade. E, para ser uma conversa de verdade, não tem como ser às pressas. Você tem que reservar um tempo para ela. Precisa ser explícito ao pedir 10 minutos ou uma hora para discutir algo que é importante para você. Não pode ter uma conversa de verdade em 30 segundos, e qualquer coisa menor do que uma conversa de verdade não vai ajudar. Se for para fugir, é melhor nem abordar a questão.

Abrir mão

A abordagem deste livro pode ajudá-lo a obter vários resultados surpreendentes. Você será mais capaz de perceber que abordar determinada questão simplesmente não faz sentido até ter resolvido algumas questões particulares ou ter tentado mudar a contribuição que você mesmo dá. E, ao decidir dar início à conversa, aos poucos vai aprender a parar de se sabotar – ao identificar e contornar as armadilhas que você costumava usar para se enganar. Com o tempo, sua ansiedade vai diminuir e seus relacionamentos mais importantes vão se aprofundar.

Mas essa abordagem não é mágica. Às vezes nada ajuda, nem mesmo quando damos o melhor de nós. Você não pode forçar a outra pessoa a querer investir no relacionamento ou resolver determinadas questões. Não importa quantas vezes você explique ao seu filho quão preocupado você fica quando ele não liga, talvez ele continue não ligando. Seu chefe pode continuar perdendo a cabeça. Sua mãe talvez nunca entenda quão desamparado emocionalmente você se sentia na juventude.

Às vezes você avalia seus objetivos e algumas das estratégias possíveis e decide não ter a conversa. Abordar as questões que concernem ao relacionamento se torna ou doloroso ou cansativo demais, então você prefere seguir em frente. Você consegue abrir mão delas.

Outras vezes não é assim tão fácil. Por um motivo ou por outro, ainda que ache que a melhor opção é não abordar o problema, você é arrastado à força pela situação. A história dentro da sua cabeça ainda tem uma carga emocional muito forte; você experimenta uma tempestade de sentimentos toda vez que pensa nela. Você decidiu seguir em frente, mas suas emoções se recusam a permitir isso.

Algumas pessoas dizem que abrir mão é uma escolha. Outras acham que isso acontece apenas diante das circunstâncias corretas – após uma demonstração de arrependimento, depois que você encontrou um novo relacionamento ou quando *você* foi mesmo perdoado. O que é preciso para ser capaz de abrir mão de verdade de uma questão? Espalmar as mãos e deixar a amargura, o rancor, a mágoa e a vergonha escorrerem pelos dedos?

Não temos como saber. E desconfiamos de quem acredita na existência de uma fórmula fácil. Provavelmente é algo que varia de pessoa para pessoa.

O que sabemos é que abrir mão de uma questão costuma levar tempo e que raramente é uma jornada simples. Não é fácil chegar ao ponto em que você consegue se libertar da dor ou da vergonha que acumulou com suas experiências. O ponto em que você é capaz de contar a história de outra forma dentro de sua cabeça – em que você consegue abandonar o papel de vítima ou de vilão e atribuir a si mesmo outros papéis mais complexos e libertadores. O ponto em que você consegue se aceitar por quem você foi no passado e por quem é hoje.

Se alguém disser que *já passou* da hora de você superar alguma questão ou alguma pessoa, ignore. Acreditar que existe um prazo adequado para superar algo é apenas uma forma diferente de se manter empacado. Mas também não acredite que não existe nada que você possa fazer para se permitir abrir mão de algo ou que é apenas uma questão de tempo. Há muitas coisas que você pode fazer para ajudar a si mesmo ao longo dessa trajetória.

Adote algumas premissas libertadoras

Um bom ponto de partida é a conversa sobre a identidade, desafiando alguns pressupostos muito difundidos que podem atrapalhar nosso processo de abrir mão de algo e de ficar em paz com as escolhas que fizemos. A seguir listamos quatro premissas libertadoras.

Eu não tenho obrigação de melhorar as coisas; minha obrigação é fazer o melhor que posso. Para Karenna, o segredo para encerrar uma questão foi deixar de lado a fantasia de que as coisas poderiam ser melhores:

> Vários relacionamentos meus tinham dado errado, então eu queria que aquele desse certo. Mas não queria só que desse certo. Em algum momento, decidi que ele *tinha* que dar certo, custasse o que custasse, e que era meu papel garantir isso. Tentei de tudo, e talvez eu devesse ter terminado muito antes. Mas era difícil abrir mão da ideia de que as coisas entre mim e Paul poderiam ter funcionado se eu fosse uma pessoa melhor, se falasse a coisa certa na hora certa, se me esforçasse mais pela relação ou qualquer outra coisa.

No caso de Karenna, parte do processo de abrir mão da culpa e da tristeza que ela carregava foi aceitar que às vezes existem limites – nem sempre é possível fazer com que um relacionamento se torne mais acolhedor, mais pleno, mais íntimo ou mais sólido. O melhor que você pode fazer é tentar.

As outras pessoas também têm limitações. Às vezes você compartilha com a outra pessoa os seus sentimentos e as suas perspectivas ou fala do impacto que ela está tendo em você, ela diz que entende e ambos concordam em mudar de postura. Na sequência, ela volta a fazer as coisas que o incomodam e você pensa: "Bom, agora ela já sabe que isso me irrita. Então o que está havendo? Eu não sou importante o suficiente para ela? Ela quer me enlouquecer? O que eu preciso fazer, afinal?"

Uma coisa que você pode fazer é entender que as outras pessoas são tão imperfeitas quanto você. Por mais que você fale claramente que beber demais é algo que o magoa, que o esquecimento recorrente o irrita ou que a falta de respostas o entristece, elas podem não ter a capacidade de mudar, pelo menos não agora.

Depois de uma vida inteira no papel de irmã mais velha, Alison não conseguia deixar de ser mandona da noite para o dia, ainda que quisesse. Em determinado momento, seu irmão mais novo pode achar mais fácil aceitar o fato de ela ser imperfeita e mandona do que continuar a bater de frente com ela. Ele pode trabalhar as questões de identidade que fazem com que ele se irrite com Alison com facilidade e passar a amá-la pelas coisas de que ele gosta e que admira nela.

Esse conflito não me define. Um grande obstáculo na hora de abrir mão de uma questão surge quando incorporamos o conflito à nossa noção de identidade. Na nossa cabeça, nós *somos* o filho menos apreciado, a esposa sofredora, um membro oprimido do grupo. Nós nos definimos em relação a nossos conflitos com os outros.

Nos últimos quatro anos, a liderança da empresa de Rob divergiu diante de várias questões estratégicas importantes. Como integrante da facção "perdedora", a identidade profissional de Rob foi praticamente consumida por ele ser um dos poucos que ainda permaneciam lá enfrentando a gerência. Agora, após uma inesperada fusão, a facção de Rob assumiu o controle e a satisfação que ele sente vem com um misto de inquietação. Sem ter a quem fazer oposição, Rob não sabe ao certo quem ele é. Talvez sua noção de identidade estivesse alinhada demais ao papel que desempenhava naquele conflito.

Essa dinâmica assume uma importante função em conflitos étnicos. Nossa noção de quem somos como comunidade geralmente é definida em termos de quem *não* somos, contra *quem* nós estamos e das dificuldades pelas quais passamos. Tragicamente, podemos nos sentir ameaçados pela perspectiva de reconciliação, porque ela pode roubar não apenas nosso papel, mas também nossa identidade comunitária.

Situações assim são notoriamente difíceis de gerenciar porque não queremos abrir mão de quem somos a menos que haja um substituto melhor. Se você estiver sendo tragado por um conflito, se começar a ver sua identidade como algo inseparável da luta, tente dar um passo para trás e lembrar por que está lutando: para defender o que é certo e justo, e não porque precisa do conflito para sobreviver.

Não levantar o assunto não significa parar de se importar. Com frequência, nossa incapacidade de abrir mão de uma questão vem do medo de que fazer isso signifique que não nos importamos mais. Se você e sua irmã não estiverem em conflito, como você vai demonstrar que ela é importante para você ou saber que você é importante na vida dela? É possível abrir mão de uma questão e ao mesmo tempo continuar a demonstrar afeto?

David teve que encarar esse desafio de uma forma muito mais intensa do que a maioria:

> Quando meu irmão foi assassinado, eu achava que jamais seria capaz de perdoar o homem que o matou – por uma coisa tão estúpida quanto uma bebida em uma mesa de pôquer. E tenho que admitir que também estava irritado com meu irmão por ele estar naquele lugar.
>
> Não assisti ao julgamento. Não consegui. Por muitos anos, toda vez que eu me lembrava do meu irmão, a raiva e a dor pela injustiça de sua morte tomavam conta de mim. Na minha cabeça, eu tinha conversas com ele nas quais contava não só como eu estava triste, mas também como tinha ficado com raiva dele por ter sido tão estúpido e por ter me abandonado.
>
> Só muito recentemente comecei a ver o poder que havia em perdoar os dois – meu irmão *e* o homem que o matou. Abrir mão da minha raiva e da minha indignação não significa que eu preciso abrir mão do amor que sinto pelo meu irmão ou do meu sentimento de perda. Não há nada que eu possa fazer em relação a isso, e finalmente aceitei esse fato. Eu nunca vou superar a perda do meu irmão. Falo com ele até hoje. Mas as conversas não são mais tão duras. Sinto uma saudade enorme dele, sem que essa saudade se misture a uma dezena de outros sentimentos.

A história de David nos mostra o poder de abrir mão da raiva ao mesmo tempo que guardamos o amor e as memórias. David não consegue e não quer esquecer o que aconteceu. Ele aprendeu muito com essa experiência, por mais dolorosa que tenha sido, e a aplica aos seus relacionamentos com os filhos e com outras pessoas. No entanto, ao abrir mão da questão e perdoar, o fardo emocional que ele carregava desde a tragédia diminuiu.

Mesmo em situações muito mais leves que a de David, abrir mão das questões emocionais e de identidade envolvidas em uma conversa difícil pode ser o que existe de mais desafiador. Conversas difíceis atuam no âmago de nosso ser – onde as pessoas e os princípios que nos são mais caros mais se entrecruzam com a nossa autoimagem e a nossa autoestima. Abrir mão, no fim das contas, é lidar de maneira hábil e graciosa com o fato de *não ter* uma conversa difícil.

Está claro que, quanto melhor você lida com conversas difíceis, menor o número de coisas das quais precisa abrir mão. E um dos segredos para melhorar é ter bons objetivos.

Abordando a questão: três objetivos que funcionam

Já falamos sobre os objetivos que geram problemas. E quanto aos que fazem sentido? O padrão-ouro aqui é trabalhar pela compreensão mútua. Não pela concordância mútua obrigatoriamente, mas por uma melhor compreensão das histórias de cada um, para que você possa tomar decisões (sozinho ou em conjunto) embasadas sobre o que fazer.

Sempre que achar que uma conversa pode ser difícil, tenha em mente os três propósitos a seguir e se concentre na sua consciência.

1. Conhecer a história do outro

Explorar a perspectiva da outra pessoa nos leva a cada uma das Três Conversas. Quais informações ela enxerga mas nós deixamos passar ou não são acessíveis a nós? Quais experiências passadas a influenciam? Qual a justificativa dela para ter feito o que fez? Qual era a intenção dela? Que impacto nossas ações tiveram nela? De que maneira ela acha que estamos contribuindo para o problema? O que ela está sentindo? O que essa situação significa para ela? Como isso afeta a identidade dela? O que está em jogo?

2. Expressar suas opiniões e seus sentimentos

Seu objetivo deve ser expressar suas opiniões e seus sentimentos para *sua* satisfação. Você espera que a outra pessoa compreenda o que você está dizendo e que talvez seja tocada, mas não pode contar com isso. O que você pode fazer é dizer, da melhor forma possível, aquilo que é importante sobre seu ponto de vista, suas intenções, suas contribuições, seus sentimentos e suas questões de identidade. Você pode compartilhar a sua história.

3. Solucionar os problemas em conjunto

Considerando o que você e a outra pessoa aprenderam, o que pode melhorar a situação daqui por diante? Você consegue pensar em alternativas criativas para satisfazer as necessidades dos dois? Nos pontos em que essas necessidades entram em conflito, você pode usar padrões equitativos para garantir que o problema seja resolvido de modo justo e viável?

Postura e objetivo andam de mãos dadas

Esses três propósitos levam em conta os fatos de você e a outra pessoa enxergarem o mundo de maneiras diferentes, de cada um experimentar fortes sentimentos diante da situação e de cada um ter as próprias questões de identidade com que lidar. Em suma, cada um tem a própria história. Vocês precisam de objetivos que deem conta desses fatos.

Esses são os objetivos que surgem ao se adotar uma postura de aprendizado, ao trabalhar nas Três Conversas e ao mudar sua inclinação da certeza para a curiosidade, do debate para a exploração, da simplificação para a complexidade, do "ou isso ou aquilo" para o "e". Essas orientações podem parecer simples – talvez até simples demais. Por trás dessa descomplicação, porém, estão a dificuldade em executá-las da melhor forma e o poder que elas têm de transformar a maneira como você lida com as suas conversas.

Partindo de uma postura de aprendizado e com esses objetivos em mente, o restante deste livro vai explorar em detalhes a forma de conduzir uma conversa-aprendizado desde os primeiros passos até a solução final.

8

Primeiros passos:
Comece pela Terceira História

O momento mais estressante de uma conversa difícil geralmente é o começo. Às vezes logo de cara descobrimos que as notícias não são lá muito boas para nós, que a outra pessoa enxerga a situação de forma muito diferente da nossa ou que provavelmente não vamos conseguir o que queremos. Nosso interlocutor pode ficar irritado, apreensivo ou podemos descobrir que ele simplesmente não quer dialogar conosco.

No entanto, embora o começo seja repleto de perigos, ele também representa uma oportunidade. É o momento em que a sua capacidade de influenciar toda a direção da conversa é maior. Claro, às vezes começamos de um jeito que leva a conversa a dar de cara no muro; todo mundo já fez isso alguma vez. Mas não precisa ser assim. O que você diz logo na abertura da conversa pode encaminhá-lo direto para a compreensão e a solução de problemas. Existem técnicas que você pode adotar para aproveitar a oportunidade que o começo representa e princípios simples para compreender por que suas abordagens habituais não costumam dar certo.

Como começar uma conversa? Vejamos primeiro como *não* começar.

Por que as nossas introduções típicas não servem

Se vamos ter uma conversa, é preciso começar dizendo *alguma coisa*, de um jeito ou de outro. Então, talvez lembrando a orientação de um professor de natação da nossa infância, fechamos os olhos, respiramos fundo e pulamos:

Se você contestar o testamento do papai, isso vai acabar com a nossa família.

Fiquei muito chateado com o que você disse na frente do nosso supervisor.

Seu filho Nathan é problemático em sala de aula – bagunceiro e contestador. Você já disse que as coisas em casa estão bem, mas algo deve estar incomodando o Nathan.

Antes que possamos nos dar conta, já nos metemos em uma enrascada. A outra pessoa fica magoada ou irritada, nos colocamos na defensiva, nosso roteiro vai pelos ares e ficamos nos perguntando por que, afinal de contas, achamos que era uma boa ideia ter aquela conversa.
O que foi que deu errado?

Partimos da nossa história

Quando entramos numa conversa, normalmente partimos da nossa própria história. Descrevemos o problema da nossa perspectiva e, ao fazê-lo, provocamos justamente o tipo de reação que esperávamos evitar. Começamos precisamente pelo ponto que a outra pessoa acredita estar causando o problema. Se ela concordasse com a nossa história, provavelmente não estaríamos nem precisando ter aquela conversa. Nossa história dispara um alarme que estimula o outro a se defender ou a contra-atacar.

Disparamos a conversa sobre a identidade já no primeiro momento

Nossa história invariavelmente (ainda que não de propósito) comunica um julgamento sobre o outro – o tipo de pessoa que ele é – e a mensagem de que, na nossa versão dos fatos, ele representa o problema. Mesmo algo tão simples quanto uma frase de abertura pode nos denunciar. Vamos analisar os exemplos apresentados anteriormente:

Frase de abertura	Mensagem implícita
Se você contestar o testamento do papai, isso vai acabar com a nossa família.	Você é egoísta, ingrato e não se importa com a família.
Fiquei muito chateado com o que você disse na frente do nosso supervisor.	Na pior das hipóteses, você me traiu – na melhor, você foi idiota.
Seu filho Nathan é problemático em sala de aula – bagunceiro e contestador. Você já disse que as coisas em casa estão bem, mas algo deve estar incomodando o Nathan.	Seu filho é um garoto que causa problemas, provavelmente porque você é um péssimo pai que criou um ambiente doméstico tóxico. O que você está tentando esconder?

Poderíamos imaginar maneiras ainda piores de começar, mas não é difícil ver por que essas deixam os outros na defensiva. Nós disparamos a conversa sobre a identidade da outra pessoa desde o primeiro momento e não sobra espaço em nossa agenda para a história dela. É natural que ela rejeite a nossa versão e queira expor a dela: "Não estou tentando acabar com a nossa família, só estou defendendo o que o meu pai queria." Ou: "Nathan não é problemático. Quem sabe lidar com crianças vê que ele é um garoto muito sensível."

Ao deixar de fora a história da outra pessoa, estabelecemos implicitamente uma disputa entre a nossa versão dos fatos e a dela, entre os nossos sentimentos e os dela.

A questão é o que fazer em vez disso. A seguir apresentamos duas diretrizes poderosas para dar início à conversa no rumo certo: (1) comece a conversa pela "Terceira História" e (2) faça um convite para explorar a questão em conjunto.

Primeiro passo: comece pela Terceira História

Além da sua história e da história da outra pessoa, toda conversa difícil inclui uma Terceira História invisível. A Terceira História é a que um observador atento contaria, alguém sem interesse na sua questão particular.

Por exemplo, na disputa entre as bicicletas e os carros pelas ruas da cidade, a Terceira História seria narrada pelos urbanistas, que são capazes de entender as demandas de cada lado e ver por que um está irritado com o outro. Quando surgem tensões em um casamento, a Terceira História pode ser proposta por um terapeuta de casais. Em uma disputa entre amigos, a Terceira História pode ser a perspectiva de um amigo em comum que vê que ambos os lados têm preocupações válidas que precisam ser tratadas.

Pense como um mediador

O urbanista, o terapeuta de casais e o amigo em comum têm, cada um, o ponto de vista de um observador neutro, de um mediador. Mediadores são terceiros que ajudam as pessoas a resolver seus problemas. Ao contrário de juízes ou árbitros, os mediadores não têm poder para impor uma solução; eles estão lá para ajudar os dois lados a se comunicar de maneira mais eficaz e a explorar possíveis formas de fazer progressos.

Uma das ferramentas mais úteis que um mediador tem é a capacidade de identificar essa Terceira História invisível, ou seja, a capacidade de descrever o problema entre as duas partes de uma forma que soe verdadeira para ambas. É fácil descrever o problema de modo que apenas uma das partes concorde com a descrição – de fato, é isso que cada um de nós faz quando dá início à própria história. Difícil é fazer com que duas pessoas com histórias diferentes assinem embaixo de uma mesma descrição da situação.

Os mediadores não têm uma intuição mágica que lhes permita fazer tal coisa. Eles contam com uma fórmula (e um tanto de prática), e essa fórmula pode ser aprendida por qualquer um. Você não precisa ser um observador imparcial para partir da Terceira História. Você pode começar suas conversas dessa forma.

Nem certo nem errado, nem melhor nem pior – apenas diferente

O segredo é aprender a descrever o hiato – ou a diferença – entre a sua história e a história da outra pessoa. Independentemente do que você estiver pensando ou sentindo, é possível ao menos aceitar que você e a outra pessoa enxergam as coisas de formas distintas. Vejamos um exemplo.

A história de Jason. A colega de quarto de Jason, Jill, deixa louça suja por dias a fio. Isso enlouquece Jason e faz com que ele acabe lavando a maior parte da louça, já que não suporta deixar a pia desse jeito. No passado, Jason abordou a questão com Jill dizendo: "Será que eu tenho que fazer *tudo* aqui? Você não pode deixar louça suja na pia por tanto tempo. É um risco para a saúde."

Obviamente, Jason está falando a partir da história dele. Jill não ficará nem um pouco empolgada com esse início de conversa e provavelmente vai reagir se defendendo ou atacando Jason. Isso valeria ainda que Jason começasse com mais tato, dizendo algo como: "Jill, precisamos conversar sobre o seu problema em lavar a louça." Com ou sem tato, essa ainda é a história *dele*.

A história de Jill. Se Jill abordasse a questão, ela começaria de outra forma: "Jason, precisamos falar sobre o fato de você ser tão irritantemente obsessivo com a louça. Ontem à noite você praticamente tirou a mesa antes de eu ter terminado de jantar. Você precisa relaxar." É claro que isso combina muito bem com Jill, mas não com Jason.

A Terceira História. A Terceira História retiraria o teor de julgamento da descrição e, em vez disso, descreveria o problema como uma *diferença* entre Jason e Jill. Poderia ser algo como: "Jason e Jill têm preferências diferentes quando se trata de lavar a louça e padrões diferentes para o que constitui uma limpeza normal ou obsessiva. Um está descontente com a abordagem do outro." É assim que um mediador ou um amigo observador poderia descrever o problema. Jason e Jill poderiam assinar embaixo dessa diferença.

Porque claramente existe uma diferença, e na Terceira História não há julgamento sobre quem está certo ou errado, nem mesmo sobre qual visão é mais comum. A Terceira História simplesmente resume essa diferença. É isso que permite que os dois lados aceitem uma mesma descrição do problema: ambos sentem que sua história é reconhecida como parte legítima da discussão.

Depois de encontrá-la, você mesmo pode começar pela Terceira História. Assim, Jason poderia dizer: "Jill, você e eu parecemos ter visões diferentes sobre quando tirar os pratos da mesa e quando eles devem ser lavados. Gostaria de saber se podemos debater essa questão." Jason pode dizer isso sem sacrificar seus pontos de vista (em breve ele vai perguntar sobre a história de Jill e depois contar a sua) e Jill poderá entrar na conversa sem ficar na defensiva.

É importante ressaltar que você não precisa estar ciente das implicações da história da outra pessoa para incluí-la dessa forma ao dar início à conversa. Tudo que você precisa fazer é admitir a existência dela: provavelmente há muitas coisas que você não entende sobre a perspectiva do outro e um dos motivos pelos quais você quer conversar é que deseja saber mais sobre a visão dele. Você pode partir da Terceira História dizendo: "Tenho a impressão de que você e eu vemos essa situação de maneira diferente. Gostaria de compartilhar o modo como eu a vejo e saber mais sobre como você a vê."

A maioria das conversas pode tomar a Terceira História como ponto de partida, de modo a incluir ambas as perspectivas e fazer um convite à exploração em conjunto. Peguemos as frases de abertura que examinamos anteriormente e como elas podem soar se partirmos da Terceira História:

Frases de abertura

Partindo da sua história: *Se você contestar o testamento do papai, isso vai acabar com a nossa família.*

Partindo da Terceira História: Queria falar sobre o testamento do papai. Você e eu obviamente temos visões diferentes quanto ao que o papai desejava e quanto ao que é justo para cada um de nós. Queria entender por que você vê as coisas do jeito que vê e mostrar a minha perspectiva e os meus sentimentos. Além do mais, tenho muito medo do que uma luta judicial representaria para a família e desconfio que você também tem.

Partindo da sua história: *Fiquei muito chateado com o que você disse na frente do nosso supervisor.*

Partindo da Terceira História: Queria falar com você sobre o que aconteceu na reunião hoje de manhã. Fiquei chateado com uma coisa que você disse. Queria explicar o que está me incomodando e saber o seu ponto de vista sobre a situação.

> **Partindo da sua história:** Seu filho Nathan é problemático em sala de aula – bagunceiro e contestador. Você já disse que as coisas em casa estão bem, mas algo deve estar incomodando o Nathan.
>
> **Partindo da Terceira História:** Queria compartilhar com você minhas preocupações sobre o comportamento do Nathan em sala de aula e ouvir mais sobre a sua percepção do que pode estar contribuindo para isso. A partir da nossa conversa anterior, sei que você e eu temos opiniões diferentes sobre esse assunto. Minha impressão é que, se uma criança apresenta problemas na escola, geralmente existe alguma coisa em casa que a está deixando perturbada, e eu sei que você tem uma opinião muito forte de que isso não é válido nesse caso. Quem sabe juntos possamos descobrir o que está provocando esse comportamento no Nathan e como lidar com isso.

Sair da sua história não significa renunciar ao seu ponto de vista. Seu objetivo ao iniciar a conversa é convidar a outra pessoa para uma exploração conjunta. No decorrer dessa exploração, vocês vão dedicar algum tempo à perspectiva um do outro e retornarão às suas para reajustar seus pontos de vista com base no que aprenderam e no que compartilharam.

Depois de conversar com o seu irmão sobre como cada um acha que os bens do pai de vocês devem ser repartidos, sobre a origem dessas opiniões e sobre como você se sente em relação a esse conflito, pode ser que sua opinião sobre o que é justo mude. A opinião do seu irmão também pode mudar. E vocês dois podem encontrar um modo de resolver o problema que pareça justo para ambos.

Ou pode ser que vocês dois continuem discordando. Você acha que a fazenda deve ser dividida igualmente entre os três filhos. Seu irmão diz que o pai queria que ela fosse dividida igualmente entre os sete netos – de modo que o lado dele, com três filhos, ficasse com uma fatia maior do que você e a sua filha única. Ainda que vocês discordem quanto à essência da disputa, você teve a chance de expressar quão perturbador, triste e preocupante esse conflito é para você e obter uma compreensão mais aprofundada da razão pela qual seu irmão o enxerga dessa forma. Pode ser que vocês encontrem um meio de resolver a disputa ao mesmo tempo que protegem o relacionamento familiar de uma briga arrasadora. Manter os canais de comunicação abertos e entender os sentimentos e as perspectivas envolvidos transmitem a mensagem importante de que, mesmo quando discordamos, nos preocupamos uns com os outros. De que vamos nos manter em contato, ainda que levemos a questão para ser decidida nos tribunais. No mínimo, você será capaz de separar melhor as discordâncias substantivas da importância dos relacionamentos.

Mesmo que o outro dê início à conversa, você pode se valer da Terceira História

É claro que nem sempre você terá a chance de refletir sobre como deseja iniciar a conversa. Às vezes conversas difíceis simplesmente caem no seu colo – aparecem no seu escritório ou na porta da sua casa –, quer você esteja pronto para elas ou não.

Você pode seguir as diretrizes da Terceira História mesmo quando não tiver dado início à conversa. Eis como: você aproveita o que o outro está dizendo como a metade dele na composição da Terceira História. Como a Terceira História inclui a parte dele, dar início à conversa com a visão dele não significa que você esteja no rumo errado.

Se Jill for até Jason e disser "Precisamos conversar sobre como você estraga todas as nossas refeições por ser tão obsessivo com a louça", Jason pode acabar sentindo vontade de responder partindo da própria história: "O quê? *Você* é que tem problema. Você é a pessoa mais desleixada que eu conheço!" Mas, se fizer isso, estará jogando a conversa pela janela.

Em vez disso, Jason pode aplicar a frase de abertura de Jill como a parte dela na Terceira História. Ele pode dizer: "Parece que você está bem infeliz com a forma como eu lido com a louça. Eu também tenho questões com a forma como você lida com ela, então acho que cada um de nós tem preferências e suposições diferentes. Acredito que seria bom falarmos sobre isso..."

Jason não apenas reconheceu que a história de Jill é uma parte importante da conversa como também incluiu a própria história no processo de compreensão do problema. E, ao fazê-lo, conseguiu mudar o objetivo da conversa – rumo à compreensão em vez de à briga.

Segundo passo: faça um convite

O segundo passo para começar bem é fazer um convite simples: "O problema já foi descrito de uma forma que nós dois aceitamos. Agora eu queria propor que nossos objetivos sejam a compreensão mútua e a solução de problemas, saber se isso faz sentido para você e te convidar pra se juntar a mim em uma conversa."

Explique quais são seus objetivos

Se a outra pessoa aceitar seu convite, ela precisa saber com que está concordando. Dizer logo de cara que sua meta na conversa é entender melhor a perspectiva dela, compartilhar a sua e falar sobre como avançar em conjunto torna a conversa sensivelmente menos misteriosa e ameaçadora. Ciente de que a perspectiva dela tem lugar na conversa e de que aquilo não é uma campanha para fazê-la mudar de ideia, a outra pessoa ficará muito mais propensa a aceitar o seu convite.

Não obrigue, convide

Um convite, é claro, pode ser recusado. Nenhuma pessoa pode forçar outra a ter uma conversa. Se você definir a sua tarefa como "estabelecer a descrição do problema e os objetivos da conversa", mesmo uma abertura bem elaborada poderá encontrar alguma resistência, porque você está trabalhando com a sua versão da Terceira História. Portanto, seu convite deve estar aberto a alterações por parte do outro.

Em vez disso, pense numa meta mais parecida com "propor e debater uma descrição e um objetivo" para a sua conversa. Em outras palavras, descrever a questão e definir objetivos é uma tarefa conjunta.

Faça do outro um parceiro nessa busca

É mais provável que seu convite seja aceito se você oferecer à outra pessoa um papel atraente no gerenciamento da questão. Você precisa evitar a tentação de escalá-la no papel de "o problema" ou de colocá-la sob uma luz desfavorável, pois isso fará disparar a conversa sobre a identidade dela, matando a conversa entre vocês. Portanto, se, diante de um impasse numa negociação de contrato, você diz "Vejo que temos ideias diferentes sobre o salário que faz sentido", até aí tudo bem. Mas, se acrescentar "E, como você é novo nisso, posso lhe dizer melhor como as coisas são feitas", você desvaloriza o outro como um mero iniciante e o barco afunda.

Se, para aceitar o seu convite, é necessário que a outra pessoa admita que é ingênua, insensível, manipuladora ou qualquer outro adjetivo desagradável ou inadequado, é bem pouco provável que ela aceite. Se, por outro lado, você disser "Você pode me ajudar a entender por que…?", você se coloca no papel de consultor. "Vamos trabalhar em como podemos…" convida a formar uma parceria. "Gostaria de saber se é possível…" lança um desafio, que oferece à outra pessoa o potencial papel de protagonista.

O papel que você oferece tem que ser genuíno. Mas não se iluda achando que o seu roteiro original – a história que coloca o outro como sendo o vilão, por exemplo – é mais genuíno do que um no qual ele desempenhe outro papel. Para designar papéis mais atraentes às outras pessoas, talvez seja preciso admitir que, se a intenção é enxergar as coisas de maneira mais ampla – e fazer algum progresso real –, você vai precisar da ajuda delas.

Às vezes a coisa mais genuína que você pode fazer é compartilhar o conflito interior que você enfrenta para conseguir atribuir um papel mais positivo ao outro. Você pode dizer algo como: "Na história que eu conto na minha cabeça sobre essa situação, você está sendo negligente. Em algum nível, sei que isso é injusto com você e preciso que você me ajude a colocar as coisas em uma perspectiva melhor. Preciso que você me ajude a entender melhor sua participação nisso." É honesto e, ao mesmo tempo, oferece ao outro o papel de "alguém que pode me ajudar a recuperar minha perspectiva".

Seja persistente

Ser persistente não entra em conflito com o conselho de convidar em vez de obrigar. Ajudar o outro a entender o que você está propondo pode exigir um pouco de trabalho.

Ruth quer ter uma conversa com o ex-marido sobre o tempo que ele passa com a filha deles, Alexis. No passado, as conversas deles resultaram em brigas. Dessa vez, Ruth parte da Terceira História e oferece alguns objetivos mais úteis. Mesmo assim, é preciso um pouco de negociação para fazer com que o ex-marido entenda:

> RUTH: Brian, acho que a gente está tendo dificuldade em deixar claro um pro outro se está confirmado ou não que você vai vir buscar a Lexi pra passar um tempo com ela.
> BRIAN: Eu sei, eu sei. Me desculpa, ok? Tivemos um problema na loja, e eu fiquei preso em várias reuniões tentando resolver.
> RUTH: Eu sei que às vezes surgem imprevistos. Mas eu estava me referindo ao geral, porque em várias ocasiões nos últimos meses achei que estava confirmado que você ia passar o dia com Lexi e só depois vi que você tinha entendido que essa confirmação era mais uma intenção. Você ficou achando que o plano era você aparecer *caso* conseguisse se liberar.
> BRIAN: Foi o que eu disse. *Caso* eu conseguisse me liberar, eu iria.
> RUTH: Olha, e eu, aqui, fiquei achando que o nosso combinado era definitivo – que você viria não importasse o quê. Portanto, a gente não está se entendendo. Eu gostaria de resolver isso, porque quem sofre é a Alexis quando eu e você não nos comunicamos bem. Será que a gente pode dedicar um tempo a esclarecer essa questão?
> BRIAN: Claro. Não quero causar nenhum mal pra Lexi...

Perceba que Brian não aceitou ou talvez nem mesmo tenha entendido a descrição do problema feita por Ruth nem os objetivos dela desde o princípio. Ele esperava que ela gritasse com ele por não ter aparecido e reagiu de acordo com essa expectativa. Mas Ruth faz um bom trabalho ao ser persistente e, ao mesmo tempo, estar aberta à resposta de Brian.

Alguns tipos específicos de conversa

Além do conselho mais amplo de iniciar a conversa a partir da Terceira

História, podemos oferecer conselhos mais específicos sobre como começar, de acordo com a natureza da conversa difícil que você está prevendo.

Dar más notícias

Como dissemos no capítulo 2, deve haver uma conversa mesmo quando temos que dar más notícias, e costuma ser melhor começar por elas. Não tente induzir a outra pessoa a expressá-las primeiro, por exemplo, com uma pergunta do tipo "Então, o que você está achando do nosso relacionamento?", quando o que você quer dizer é "Eu quero terminar". E não fique duas horas falando sobre algumas das "questões" que você tem tido com o relacionamento se já sabe que, no fim das contas, o que você quer é terminar.

Se precisa contar aos seus pais que você e a sua família não vão passar o Natal com eles, você pode dizer: "Conversamos muito sobre quão importante é pra vocês que a gente vá praí nas festas de fim de ano e também sobre como é difícil fazer isso em termos financeiros e emocionais. Estou ligando porque eu e o Juan debatemos muito esse assunto e decidimos que vamos passar o Natal aqui com as crianças. Foi uma decisão muito difícil e estou triste por decepcionar vocês. Eu queria que vocês soubessem disso quanto antes, assim que tomamos a decisão, e, se vocês quiserem, podemos falar um pouco sobre a reação de vocês e sobre o que a gente pensou aqui."

Isso não significa que, se você tem boas e más notícias, precisa obrigatoriamente começar pelas más. Em vez disso, deixe claro que você tem as duas. Inclusive você pode conversar com o interlocutor para saber por quais delas começar. Ou pode haver uma ordem lógica a ser seguida que você possa explicar para ele.

Fazer um pedido

Algumas conversas difíceis se concentram no nosso desejo de conseguir algo. Um exemplo comum é pedir um aumento. Por onde começar?

"Será que não faria sentido…?" O conselho mais simples para pedir alguma coisa é o seguinte: não trate o pedido como uma exigência. Em vez disso, convide o outro a fazer uma análise para saber se seria justo você receber um aumento, se faria sentido. Fazer isso não é ser evasivo, é estar mais em contato com a realidade. Seu chefe tem informações sobre você e seus colegas que você não tem. Ainda que pareça um apego muito grande aos detalhes, a verdade é que você não tem como saber se merece um aumento sem explorar essa questão com seu chefe.

Em alguma camada você sabe disso, e esse um dos principais motivos pelos quais pedir um aumento eleva tanto a ansiedade. Tente substituir o "Acho que mereço um aumento" por "Eu gostaria de analisar se faz sentido eu receber um aumento. Pela informação que eu tenho, acho que mereço, sim. [Eis aqui meu raciocínio.] Gostaria de saber como você enxerga isso." Essa mudança aparentemente pequena ajuda não só a reduzir o estresse como também a dar início à conversa de forma mais equilibrada. No fim das contas, você pode descobrir tanto que não merece um aumento como que merece um aumento ainda maior do que achava a princípio.

Retomar conversas que não acabaram bem

Às vezes você sabe, talvez por experiência prévia, que é provável que a outra pessoa reaja de maneira negativa no minuto em que você abordar um tópico especialmente sensível. Seu filho não quer falar sobre as notas dele, sua esposa não quer falar sobre as despesas e, no instante em que você aborda a questão do racismo no departamento, seus colegas reviram os olhos. Como dar início a uma conversa mais construtiva quando as tentativas anteriores não correram bem e quando o simples fato de abordar uma questão antiga coloca você no papel de chato?

Fale sobre como falar sobre isso. A abordagem mais fácil é primeiro falar sobre como falar. Trate "o modo como as coisas costumam acontecer quando tentamos ter essa conversa" como o problema e descreva-o a partir da Terceira História: "Eu sei que, um tempo atrás, quando levantei a questão sobre quem está recebendo as promoções e o papel que a cor da pele tem tido nesse processo, as pessoas ou se sentiram acusadas ou se irritaram. Não quero acusar ninguém nem fazer com que ninguém se sinta desconfortável.

Ao mesmo tempo, para mim é importante discutir isso. Eu me pergunto se não poderíamos conversar sobre como cada um de nós reage a essa conversa e se não existe um modo melhor de resolver essa questão."

Ou imagine que você tem uma amiga que, a seu ver, está tão atolada de compromissos que você acha que isso está afetando a saúde dela. Só que ela não vê dessa forma e, sempre que você tenta falar sobre isso, ela fica na defensiva. Abordar o assunto falando sobre como falar pode soar mais ou menos assim: "Entendo perfeitamente que você não goste de discutir a sua agenda, pelo menos não do jeito que eu abordei esse assunto. O problema é que fico preocupado e queria compartilhar o motivo da minha preocupação de uma forma que seja útil pra você. Acho que não sei como fazer isso e fiquei pensando se você teria uma dica."

Ainda que você adote essa abordagem, sua amiga pode mandar você não se meter. Mas também pode ser que ela embarque: "Sabe, eu meio que concordo com você. Mas é tanta gente me falando isso, de tantos pontos de vista diferentes, que neste momento o que eu preciso mesmo é de alguém que apenas me apoie sem tentar me dar um conselho. Alguém só pra me escutar enquanto eu reflito sobre as coisas e decido do que vou abrir mão. Você entende?"

Um mapa para o progresso: a Terceira História, a história do outro, a sua história

Partindo da Terceira História, você chega em segurança à base da montanha. No entanto, depois disso ainda tem a montanha inteira para escalar. Assim que houver uma descrição do problema e que seus objetivos estiverem claros, você vai precisar dedicar algum tempo a explorar as Três Conversas de cada uma de suas perspectivas. A outra pessoa compartilhará os pontos de vista e os sentimentos dela e você vai retornar à sua história para poder compartilhá-la.

Sobre o que falar: as Três Conversas

À medida que vocês compartilham as suas histórias, cada uma das Três Conversas oferece um caminho útil a ser explorado. Vocês podem falar sobre as experiências passadas que explicam por que vocês veem a situação atual da forma como veem: "Acho que a razão pela qual reagi de modo tão explosivo é que, na última vez que um distribuidor não nos pagou, a situação foi piorando cada vez mais."

Você pode perguntar sobre as intenções da outra pessoa e compartilhar o impacto que as atitudes dela têm em você: "Não sei se você sabe disso, mas, quando você não ligou, eu fiquei desesperado de tanta preocupação." Você pode demonstrar simpatia pelo que o outro está sentindo: "Se eu fosse você, estaria muito decepcionado neste momento." Ou compartilhar o que está acontecendo na sua conversa sobre a identidade: "Acho que a razão de eu achar isso tão difícil é que ser justo é muito importante para mim. Me incomoda muito imaginar que a maneira como lidei com essa situação pode ter sido injusta com você." Por fim, o que você compartilha vai depender do contexto, do relacionamento e do que parece apropriado e útil no momento.

Sobre o que falar

Explore de onde vem cada história
"Minha reação provavelmente teve a ver com a minha experiência em outro trabalho..."

Compartilhe o impacto que teve em você
"Não sei se era a sua intenção, mas eu me senti extremamente desconfortável quando..."

Assuma a responsabilidade pela sua contribuição
"Sei que algumas coisas que eu fiz deixaram essa situação mais difícil..."

Descreva os sentimentos
"Tocar nesse assunto me deixa angustiada, mas, ao mesmo tempo, é importante falarmos sobre ele..."

Reflita sobre as questões de identidade
"Acho que esse assunto me incomoda desse jeito porque não gosto de pensar em mim como alguém que..."

Como falar: escutar, compartilhar e buscar soluções

As Três Conversas compõem um ótimo mapa sobre *o que* falar; os capítulos seguintes se aprofundam em *como* falar.

Para poder ver a história da outra pessoa de dentro, você vai precisar saber perguntar, escutar e abrir espaço de formas bem específicas. Para compartilhar a sua história com clareza e força, você precisa se sentir no direito de fazê-lo e ter o cuidado de falar apenas por si mesmo. Os capítulos 9 e 10 exploram esses desafios e oferecem diretrizes para que a conversa seja eficaz. É claro que as coisas nunca serão tão certinhas quanto partir da *Terceira História*, passar para a *História do Outro* e chegar à *Sua História*. Uma conversa de verdade é um processo interativo – em que você está o tempo todo escutando, expressando a sua opinião, fazendo perguntas e fazendo concessões para trazer a conversa de volta aos eixos quando ela começar a sair dos trilhos. O capítulo 11 oferece orientações sobre como gerenciar esse processo interativo e como caminhar em direção à solução de problemas. Por fim, o capítulo 12 retorna à nossa primeira história, a de Jack e Michael, e oferece um longo exemplo que ilustra como tudo funciona na prática.

9

Aprender: *Como escutar de dentro para fora*

Andrew está visitando seu tio Doug. Enquanto Doug está falando ao telefone, Andrew puxa a perna da calça do tio, dizendo:
– Tio Doug, eu quero ir lá fora.
– Agora não, Andrew, estou falando no telefone – diz Doug.
Andrew insiste:
– Mas, tio Doug, eu quero ir lá fora!
– Agora não, Andrew!
– Mas eu quero sair! – repete Andrew.
Depois de várias rodadas disso, Doug tenta uma abordagem diferente:
– Ei, Andrew. Você quer muito sair, né?
– Quero.
Então, sem dizer mais nada, Andrew se retira e começa a brincar sozinho. Andrew, ao que parece, só queria saber que seu tio o entendia. Ele queria saber que tinha sido ouvido.

A história de Andrew demonstra uma coisa que vale para todos nós: temos um profundo desejo de nos sentirmos ouvidos e de saber que os outros se importam em nos ouvir.

Algumas pessoas se consideram boas ouvintes. Outras sabem que não são, mas não se importam. Seja você parte de um grupo ou de outro, pode ser que fique tentado a pular este capítulo. Não faça isso. Saber ouvir bem é uma das habilidades mais poderosas que você pode usar numa conversa difícil. Ela ajuda você a entender o outro. E, mais importante, ajuda o outro a entender você.

Escutar transforma a conversa

Há um ano, a mãe de Greta descobriu que tinha diabetes e recebeu ordens para seguir um plano rigoroso de medicamentos, dieta e exercícios. Greta está preocupada que a mãe não esteja seguindo o plano, mas teve pouco sucesso em incentivar a mãe a fazê-lo. A conversa típica entre as duas costuma ser assim:

> Greta: Mãe, você tem que seguir o plano de exercícios. Fico preocupada que você não esteja entendendo a importância disso.
> Mãe: Greta, por favor, para de me perseguir com esse assunto. Você não entende. Eu estou fazendo o melhor que posso.
> Greta: Mãe, eu entendo, sim. Sei que fazer exercício pode ser difícil, mas quero que você fique bem. Quero que você tenha saúde pra aproveitar os seus netos.
> Mãe: Greta, eu não gosto nem um pouco dessas conversas. É tudo muito difícil para mim, a dieta, os exercícios.
> Greta: Eu sei que é difícil. Fazer exercício não é divertido, mas depois de uma ou duas semanas fica mais fácil e você começa até a ansiar por ele. A gente pode achar alguma atividade que você goste mais.
> Mãe: [com a voz embargada] Você não faz ideia. É estressante demais. Não vou mais falar sobre esse assunto, ponto. Já foi, chega!

Não é de surpreender que essas conversas façam Greta se sentir frustrada, impotente e profundamente triste. Ela se pergunta como pode ser mais assertiva, como pode convencer a mãe a mudar.

Mas o problema de Greta não tem a ver com assertividade. O que está faltando na postura dela é curiosidade. Na conversa seguinte, Greta muda seu objetivo, que passa a ser aprender em vez de convencer. Para isso, ela se limita a ouvir, fazer perguntas e abrir espaço para os sentimentos da mãe:

> Greta: Eu sei que você não gosta de falar sobre o diabetes nem sobre os exercícios.

Mãe: Não gosto mesmo. É um assunto que me incomoda muito.

Greta: Quando você diz que isso incomoda, o que quer dizer? Como é que incomoda?

Mãe: Tudo me incomoda, Greta! Você acha que isso é divertido para mim?

Greta: Não, mãe, eu sei que é muito difícil. O que eu não sei direito é o que você pensa sobre isso, o que isso significa pra você, como você se sente em relação a isso.

Mãe: Olhe, se seu pai ainda estivesse vivo, seria bem diferente. Ele era muito atencioso quando eu ficava doente. Ter que seguir todas essas regras complicadas... ele seria ótimo nisso. Estaria tomando conta de tudo. Ficar doente assim faz com que eu sinta muita saudade dele.

Greta: Parece que você está se sentindo muito sozinha sem o papai.

Mãe: Eu tenho amigos e você tem sido maravilhosa, mas não é o mesmo que ter o seu pai aqui pra ajudar. Acho que eu me sinto mesmo sozinha, mas odeio falar sobre isso. Não quero ser um fardo pra vocês.

Greta: Você acha que, se disser pra gente que está se sentindo sozinha, isso vai ser um fardo? Que vamos ficar muito preocupados?

Mãe: Só não quero que você tenha que passar pelo que a minha mãe passou. Você sabe que a mãe *dela* morreu de diabetes.

Greta: Eu não sabia. Caramba.

Mãe: É assustador descobrir que você tem a mesma doença que matou a sua avó. É difícil eu aceitar isso. Sei que os remédios são melhores agora e por isso mesmo eu devia estar seguindo todas essas regras, mas seguir todas essas regras faz com que eu me sinta uma velhinha doente.

Greta: Então, seguir o plano seria como aceitar algo que você ainda não aceita totalmente?

Mãe: Não é racional. Não estou dizendo que é. [com a voz embargada] É só muito assustador, é muita coisa.

Greta: Eu sei, mãe.

Mãe: Vou lhe contar outra coisa. Eu ainda nem entendi direito o que tenho que fazer. A alimentação, os exercícios. Se você faz um, isso afeta outro, e você precisa estar sempre atenta. É complicado, e o médico não foi lá muito prestativo na hora de explicar. Eu não sei por onde começar. O seu pai saberia.

GRETA: Talvez eu possa ajudar com isso.

MÃE: Greta, eu não quero ser um fardo.

GRETA: Mas eu quero ajudar. Isso, na verdade, faria com que eu me sentisse melhor. Menos impotente.

MÃE: Se você puder, isso tiraria uma pressão enorme das minhas costas...

Greta ficou ao mesmo tempo espantada e encantada com a melhoria das suas conversas depois que começou a escutar melhor a mãe. Ela passou a enxergar os problemas do ponto de vista da mãe, a ver que eles eram muito mais profundos do que ela imaginava e como ela poderia ajudar a mãe da maneira que ela queria ser ajudada. Este talvez seja o benefício mais óbvio de saber escutar: aprender sobre o outro. Mas há um segundo benefício também, ainda mais surpreendente.

Escutar o outro ajuda a fazer com que o outro escute você

Ironicamente, quando parou de tentar convencer a mãe a se exercitar e passou simplesmente a escutá-la e a abrir espaço para o que ela estava sentindo, Greta conseguiu alcançar a meta que até aquele momento lhe escapava. Não foi por acaso. Uma das reclamações mais comuns que ouvimos a respeito de conversas difíceis é que a outra pessoa não escuta. E, quando alguém nos diz isso, nosso conselho padrão é: "*Você* precisa dedicar mais tempo a escutar *o outro.*"

Quando a outra pessoa não está escutando, você pode achar que é porque ela é teimosa ou porque não entende o que você está tentando dizer. (Caso contrário, entenderia por que deveria escutar você.) Como consequência, você pode tentar superar esse obstáculo repetindo mais vezes, explicando de outras formas, falando mais alto e assim por diante.

Diante da situação, essas estratégias parecem boas. Mas não são. Por quê? Porque, na grande maioria dos casos, o motivo pelo qual a outra pessoa não está escutando você não é porque ela é teimosa, mas porque *ela* não se sente ouvida. Em outras palavras, ela não está escutando você pelo mesmo motivo que você não a está escutando: ela acha que *você* é que é devagar ou teimoso. Portanto, ela se repete, explica as coisas de outra forma, fala mais alto e por aí vai.

Se o obstáculo é o fato de a outra pessoa não se sentir ouvida, a forma de remover esse obstáculo é fazer com que essa pessoa se sinta ouvida – é se esforçar ainda mais para escutar o que ela tem a dizer e, talvez o mais importante, demonstrar que você entende o que ela está dizendo e como ela se sente.

Se você não acredita nessa abordagem, experimente. Escolha a pessoa mais teimosa que você conhece, aquela que parece não absorver nunca o que você diz, aquela que se repete em todas as conversas que vocês têm – e escute o que ela está dizendo. Dê ouvidos principalmente aos sentimentos, como frustração, orgulho ou medo, e abra espaço para eles. Depois veja só se essa pessoa não se torna uma ouvinte melhor.

A postura da curiosidade: como escutar de dentro para fora

O que, especificamente, Greta faz de diferente na segunda conversa? Ela pergunta. Ela repete com outras palavras o que a mãe disse, para ter certeza de que entendeu e para que a mãe entenda que ela entendeu. Greta também está escutando os sentimentos que podem estar por trás do que a mãe diz e abre espaço para eles.

Cada uma dessas atitudes é extremamente importante para ser um bom ouvinte. Mas nenhuma delas basta por si só. O mais importante que Greta fez foi mudar sua postura interior de "Eu entendo" para "Me ajude a entender". Todo o resto vem na esteira disso.

Esqueça as palavras, concentre-se na autenticidade

Dezenas de workshops e livros sobre "escuta ativa" ensinam o que você deve fazer para ser um bom ouvinte. Os conselhos que eles dão são relativamente parecidos – pergunte, repita o que a outra pessoa disse com as suas palavras, abra espaço à opinião dela, preste atenção e olhe nos olhos –, e são todos bons. Você sai desses cursos ansioso para testar suas novas habilidades, mas perde toda a empolgação assim que seus amigos ou colegas se queixam de que você parece falso ou mecânico. "Não vem com esse troço de escuta ativa pra cima de mim", eles dizem.

O problema é este: alguém lhe ensinou o que dizer e como se portar, mas a essência do bom ouvinte é a autenticidade. As pessoas "leem" não apenas as suas palavras e a sua conduta, mas o que está acontecendo dentro de você. Se a sua "postura" não for genuína, as palavras não terão nenhuma importância. O que será comunicado, invariavelmente, é se você está genuinamente curioso, se você genuinamente se importa com a outra pessoa. Se as suas intenções forem falsas, não há escolha de palavras nem boa conduta que bastem para ajudá-lo. Se as suas intenções forem legítimas, mesmo uma linguagem desajeitada não será problema.

Escutar só é poderoso e eficaz se for algo autêntico. Autenticidade significa que você está escutando porque está curioso e porque se importa, não apenas porque deve. Portanto, a questão é a seguinte: você está curioso? Você se importa?

O comentarista em sua mente: esteja mais consciente da sua voz interior

Você pode dizer o que está acontecendo dentro de você escutando *a si mesmo*. Encontrar e prestar atenção à sua voz interior – aquilo que você está pensando mas não diz – é um primeiro passo crucial para superar a maior barreira à escuta não autêntica. Se não damos atenção a isso, essa voz bloqueia a boa escuta; a sua capacidade de escutar a outra pessoa, na melhor das hipóteses, é cerca de metade da medida em que você está ouvindo a sua voz interior.

Tire um momento para encontrar o comentarista dentro da sua cabeça. Ele está dizendo algo como "Hmm, essa voz interior é um conceito interessante" ou "Do que é que eles estão falando? Eu não tenho voz interior nenhuma" (*essa* é a voz).

Aumente o volume

Surpreendentemente, talvez, nosso conselho não é que você desligue essa voz interior, nem mesmo que baixe o volume. Isso seria impossível. Em vez disso, rogamos que faça o oposto – *aumente* o volume dela, pelo menos por algum tempo, e preste atenção no tipo de coisa que ela diz. Em outras palavras, dê ouvidos a ela. Somente quando estiver totalmente consciente dos próprios pensamentos você poderá começar a gerenciá-los e a se concentrar no outro.

Os pensamentos e sentimentos intermináveis que você pode ter enquanto está escutando são inúmeros, mas agora você já conhece o padrão: sua voz estará vibrando em cada uma das Três Conversas. Na conversa sobre o que aconteceu, você vai se pegar pensando em coisas como "Eu tenho razão", "Eu não tinha intenção de te magoar" e "A culpa não é minha". Você também vai notar muitos sentimentos ("Não acredito que ela ache isso de mim! Que raiva!") e questões de identidade ("Será que fui mesmo tão negligente? Não é possível"). Não raro, você pode estar simplesmente sonhando acordado ("Será que vai ter comida suficiente pra todo mundo?") ou começando a preparar a sua réplica ("Quando for minha vez de falar, tenho quatro coisas a dizer").

Não é de admirar que a pessoa que está falando sinta que você não está escutando com toda a atenção.

Gerenciando a sua voz interior

Como, então, você pode dedicar toda a sua atenção à outra pessoa e escutar com curiosidade se o seu comentarista interior não para de falar? Você pode tentar duas coisas. Primeiro, veja se consegue abrir caminho para a curiosidade. Veja se consegue colocar sua voz interior no modo aprendizado. Se isso não der certo, e às vezes não dá, talvez seja necessário expressar o que a sua voz interior está dizendo antes de escutar o outro.

Abra caminho para a curiosidade. É um erro achar que é impossível mudar a sua voz interior. Se a sua curiosidade falhar, você pode tentar revitalizá-la.

Relembre a si mesmo que a tarefa de entender o universo de outra pessoa é sempre mais difícil do que parece. Relembre a si mesmo que, se você acha que já sabe como a pessoa se sente ou o que ela está tentando dizer, isso é só uma ilusão. Relembre a si mesmo um momento em que você tinha *certeza* de que estava com a razão, mas depois descobriu um pequeno fato que mudou tudo. Você tem sempre alguma coisa a aprender. Relembre a si mesmo a profundidade, a complexidade, as contradições e as nuances que compõem as histórias de cada um de nós.

A filha de Audrey, Jocie, de 6 anos, acordou a mãe no meio da noite. Jocie estava assustada por causa de um filme a que as duas tinham assistido, sobre a mãe de um filhote que fugiu e nunca mais voltou. Audrey supôs que Jocie estivesse com medo de ser abandonada e disse a ela: "Eu jamais fugiria e te deixaria sozinha."

Mas, no fim das contas, não era com isso que Jocie estava preocupada. Ela estava preocupada com a sua nova tartaruga. O filme fez com que ela ficasse se perguntando se sua tartaruga não era mãe de alguém e se não havia em algum lugar um bebê tartaruga que precisava da mãe de volta. Na verdade, a tartaruga de Jocie é que era um bebê, mas Jocie não sabia disso e foi consumida pelo medo e pela culpa. Audrey tinha caído na armadilha de ouvir sua voz interior em vez de ouvir a filha. Sua voz interior disse "Já entendi qual é a questão aqui" e isso pôs fim à sua curiosidade.

Outra forma de reavivar a curiosidade é manter o foco no seu objetivo para aquela conversa. Se o seu objetivo é vencer, persuadir o outro a fazer alguma coisa ou convencê-lo da sua opinião, sua voz interior vai estar falando coisas alinhadas a esse objetivo, como "Por que é que você não faz desse jeito? Sem dúvida essa é a melhor solução". Se, em vez disso, entre os seus principais objetivos está o de entender a outra pessoa, isso estimula sua voz interior a fazer perguntas do tipo "O que mais eu preciso saber para que isso faça mais sentido?" ou "Como posso enxergar as coisas de tal modo que isso faça sentido?".

***Não* escute: fale.** Às vezes você descobre que sua voz interior é forte demais para ser enfrentada. Você tenta abrir caminho para a curiosidade, mas simplesmente não consegue. Se os sentimentos que você experimenta envolvem dor, indignação ou traição ou, pelo contrário, se você está tomado por alegria ou amor, escutar pode ser uma tarefa inútil.

Escutar parece totalmente fora de alcance para Dalila ao descobrir que Heather, sua colega de quarto há seis meses, é bissexual. Enquanto Heather fala, Dalila fica confusa, envergonhada e até um pouco irritada. Em vez de fingir escutar, Dalila precisa fazer o oposto. Para se manter autêntica na conversa, ela precisa primeiro ser honesta quanto ao que está pensando e sentindo: "Fico feliz que você confie em mim o suficiente para me contar, e eu quero muito ouvir. Ao mesmo tempo, isso é muito estranho pra mim. Eu me sinto desconfortável, como se não soubesse direito como agir com você agora, e dar sentido a tudo isso é muita coisa pra mim."

Dalila e Heather têm uma conversa difícil pela frente. Não apenas cada uma delas tem sentimentos fortes para organizar e compartilhar, mas as duas também têm pontos de vista muito diferentes sobre sexualidade. Enquanto conversam sobre a amizade delas e sobre como lidar com a situação de dividirem o quarto, será extremamente importante que tenham a capacidade de escutar uma à outra. Às vezes, para escutar é preciso primeiro falar.

Quando você se encontrar numa situação dessas, diga que você deseja escutar e que se importa com o que ela tem a dizer, mas que não tem como escutar naquele momento. Muitas vezes basta uma síntese do que você está pensando: "Estou surpreso que você esteja dizendo isso. Acho que eu discordo, mas me fale mais sobre o que você pensa" ou "Preciso admitir que, por mais que eu queira escutar o que você tem a dizer, estou me sentindo um pouco na defensiva". Tendo deixado isso claro, você pode voltar a escutar, sabendo que sinalizou a sua discordância e que assim que puder voltará a falar da sua opinião.

Em alguns casos, você pode chegar à conclusão de que não tem como escutar nem como falar. Pode ser que esteja muito chateado ou confuso ou simplesmente precise fazer outra coisa. Em vez de dar à outra pessoa apenas metade da sua atenção, é melhor dizer: "Isso é importante para mim, quero encontrar um tempo para falarmos sobre isso, mas, neste momento, não consigo."

Gerenciar sua voz interior não é fácil, principalmente no começo. Mas é fundamental para aprender a escutar bem.

Três habilidades: perguntar, repetir e aceitar

Embora a postura interior seja a chave para escutar bem, existem algumas técnicas específicas que podem ser ensinadas, algumas orientações que costumam ser úteis. Além da postura da curiosidade, existem três habilidades principais que todo bom ouvinte utiliza: perguntar, repetir e aceitar. A seguir estão alguns dos prós e contras de cada uma.

Faça perguntas visando a aprender

O título já diz tudo: para aprender, pergunte. Sempre pensando em aprender. Para saber se uma pergunta vai contribuir para a conversa ou prejudicá-la, basta pensar no motivo de ela estar sendo feita. A única resposta certa é "Para aprender".

Não faça afirmações disfarçadas de perguntas

Qualquer criança que já esteve em um carro pronunciou as palavras "Já tá chegando?" em tom de impaciência. Você sabe que ainda não chegaram e seus pais sabem que você sabe, e eles respondem em um tom tão impaciente quanto o seu. O que você realmente quis dizer foi "Estou me sentindo inquieto", ou "Queria que já tivéssemos chegado", ou "Esta viagem está sendo muito demorada pra mim". Qualquer alternativa dessas provavelmente geraria uma resposta mais produtiva dos pais.

Isso ilustra uma regra importante sobre perguntar: se o que você quer dizer não é uma pergunta, não faça uma pergunta. Jamais disfarce de pergunta uma afirmação. Isso gera confusão e ressentimento, porque essas perguntas sempre são recebidas como sarcásticas e, às vezes, como mal-intencionadas. Vejamos alguns exemplos de afirmações disfarçadas de perguntas:

"Você vai deixar a porta da geladeira aberta assim?" (Em vez de "Feche a porta da geladeira, por favor" ou "Eu fico decepcionado quando você deixa a porta da geladeira aberta".)

"Será que você consegue prestar atenção em mim pelo menos uma vez?" (Em vez de "Estou me sentindo ignorado" ou "Gostaria que você prestasse mais atenção em mim".)

"Você precisa dirigir tão rápido?" (Em vez de "Isso está me deixando tenso" ou "É difícil eu relaxar quando não estou no controle".)

Observe que esses exemplos de afirmações disfarçadas tratam de sentimentos ou de pedidos. E isso não surpreende. Compartilhar sentimentos e fazer pedidos são duas coisas que muitos de nós têm dificuldade em fazer de maneira direta. Podem nos deixar vulneráveis. Transformar o que queremos dizer em um ataque – uma pergunta sarcástica – pode soar mais seguro. Mas essa segurança é uma ilusão, e perdemos mais do que ganhamos. Dizer "Gostaria que você prestasse mais atenção em mim" tem mais probabilidade de gerar uma conversa (e um resultado satisfatório) do que perguntar "Será que você consegue prestar atenção em mim pelo menos uma vez?".

Por quê? Porque, em vez de ouvir o sentimento ou o pedido nas entrelinhas, a outra pessoa se concentra no sarcasmo e no ataque. Em vez de ouvir que você se sente sozinho, ela ouve que você acha que ela é insensível. A verdadeira mensagem não chega, porque a outra pessoa se distrai diante da necessidade de se defender. Aliás, é provável que ela responda na mesma moeda: "Ora, é claro que eu consigo prestar atenção em você *uma* vez." E, a partir daí, as coisas só pioram.

Não use perguntas para acusar

Um segundo erro que nos coloca em apuros é usar perguntas para apontar falhas na argumentação da outra pessoa. Por exemplo:

"Tenho a impressão de que você acha que a culpa é minha. Mas sem dúvida você concorda que cometeu mais erros do que eu, não?"

"Se é verdade que você fez todo o possível para fechar a venda, como explica o fato de a Kate ter conseguido logo depois que você desistiu?"

Essas perguntas estão erradas desde o início. Elas são fruto do objetivo de convencer a outra pessoa de que você está certo e ela está errada, não do desejo de aprender.

Para usar de forma construtiva as hipóteses contidas nessas perguntas, fale diretamente sobre as afirmações acopladas nas perguntas – mas não como se fossem verdades. Em vez disso, compartilhe-as na forma de dúvidas ou de observações em aberto e peça a opinião da outra pessoa. Em vez de presumir que aquele é um argumento que ela ignorou, presuma que ela *tenha pensado* nele, mas que ao mesmo tempo tenha tido motivos para contar uma história diferente. Você pode dizer, por exemplo: "Imagino que você acredite ter feito o possível para fechar a venda. Mas, pra mim, isso parece incoerente diante do fato de Kate ter fechado a venda logo depois que você desistiu. Qual é a sua opinião a respeito disso?"

Faça perguntas abertas

Perguntas abertas são perguntas que dão à outra pessoa uma ampla margem de resposta. Elas trazem à tona mais informações do que perguntas dos tipos "sim ou não" ou múltipla escolha, como "Você estava tentando fazer A ou B?". Em vez disso, pergunte: "O que você estava tentando fazer?" Dessa forma você não distorce a resposta nem distrai o raciocínio da outra pessoa por meio da necessidade de processar o seu ponto de vista. Isso permite que ela direcione a resposta para o que *ela* considera importante. Os exemplos mais comuns de perguntas abertas são variações de "Me fale mais sobre…" e "Me ajude a entender melhor…".

Peça mais informações concretas

Para entender de onde vieram as conclusões que a outra pessoa tirou e enriquecer sua compreensão sobre o que ela espera dali para a frente, é bom pedir que ela seja mais explícita quanto ao raciocínio e ao ponto de vista dela: "O que te leva a dizer isso?", "Você pode me dar um exemplo?", "Como seria isso?", "De que jeito isso funcionaria?", "Como poderíamos testar essa hipótese?".

Vejamos a situação que envolve Ross e seu chefe. Ross recebeu um folheto sobre um seminário profissional ao qual gostaria de ir. Seria proveitoso para seu cargo de gerente de produtos, de modo que achou que a conversa com o chefe sobre a empresa pagar pelo seminário e liberá-lo pelos dias necessários seria moleza.

Ele estava enganado. A conversa se deu mais ou menos assim:

> Chefe: Para que eu possa cogitar a ideia de a empresa pagar para você participar desse seminário, eu precisaria de mais evidências de que você planeja trabalhar aqui a longo prazo, e, no momento, não vejo isso.
> Ross: Como assim? Eu sou totalmente dedicado à empresa. Eu já te disse isso. Esse é o principal motivo de eu querer participar desse seminário.
> Chefe: Não me parece. Tenho a sensação de que você vê esse emprego como um trampolim para outra coisa.
> Ross: Bem, não sei o que mais posso dizer além de que eu amo trabalhar aqui e que pretendo ficar. E de que o seminário seria muito útil para o trabalho que eu faço...

Não é difícil entender por que essa troca é improdutiva. Não há praticamente nenhuma informação sendo trocada além de "Estou, sim!" e "Não está, não!". Em suma, o chefe de Ross está dizendo: "Não acho que você seja dedicado, mas não vou lhe dizer por quê." E, infelizmente, Ross não pergunta.

Depois de algum treinamento, Ross voltou a abordar a questão, mas dessa vez pediu informações mais concretas:

> Ross: Me fala mais sobre os seus critérios pra avaliar a dedicação das pessoas e sobre o que você observou em mim que sugere que eu não seja tão dedicado quanto você gostaria.
> Chefe: Bem, obviamente são várias coisas. Em parte, é porque você não parece interessado nos eventos sociais daqui. Pela minha experiência, isso sempre foi um bom indicador de dedicação. As pessoas que querem passar muito tempo trabalhando na empresa sabem a

importância de construir e manter um bom relacionamento com os colegas de trabalho e compareçam ao maior número possível de eventos sociais.

Ross: Uau. Estou surpreso de ouvir você dizer isso. Achei que você avaliasse dedicação com base em coisas como trabalhar até tarde e cumprir bem um grande número de tarefas.

Chefe: Isso também é muito importante. Mas às vezes as pessoas só fazem isso para ter um bom histórico na hora em que resolvem mudar de emprego. Pela minha experiência, o aspecto social é o que está mais fortemente relacionado ao interesse a longo prazo...

Finalmente Ross e seu chefe estavam chegando a algum lugar. Terminada a conversa, eles tinham uma compreensão muito mais profunda dos motivos pelos quais cada um chegou a uma conclusão diferente sobre o comprometimento de Ross com a empresa, informações que eram muito importantes para ele.

Faça perguntas sobre as Três Conversas

Cada uma das três conversas oferece um terreno fértil para a curiosidade:

- Você pode falar um pouco mais sobre como vê as coisas?
- Que informação você talvez tenha e eu não?
- Se você enxerga isso de forma diferente, como é?
- Que impacto as minhas ações tiveram em você?
- Você pode falar um pouco mais sobre por que acha que a culpa é minha?
- Você estava reagindo a alguma coisa que eu fiz?
- Como você se sente diante disso tudo?
- Me fale mais sobre por que isso é importante pra você.
- Se isso se concretizasse, qual seria o significado pra você?

Se as respostas não forem totalmente claras, insista. Se necessário, aponte o que ainda não está claro ou parece inconsistente e peça esclarecimentos: "Ok, seu ponto de vista é que a Kate fechou a venda porque ela podia oferecer um valor menor no contrato de serviço. Sinto que isso pode ter feito diferença. O que ainda não está claro pra mim, no entanto, é por que você não foi capaz de fazer isso nem de obter permissão para fazer. Tem como você falar mais sobre esse aspecto?"

Crie um ambiente seguro para o caso de o outro não querer responder

Às vezes até mesmo uma pergunta feita com tato coloca o outro na defensiva. Você faz uma pergunta com genuíno cuidado e com genuíno desejo de aprender, mas mesmo assim a outra pessoa reage e se afasta, se defende, contra-ataca, acusa você de estar mal-intencionado ou muda de assunto.

Uma forma de lidar com isso é dizer que você está tentando ajudar e que não há necessidade de ela ficar na defensiva e, em seguida, continuar insistindo para obter uma resposta. Mas a outra pessoa pode interpretar isso como uma tentativa de manipulação, o que provoca ainda mais resistência. É melhor que a sua pergunta seja mais um convite do que uma exigência e que isso fique claro. A diferença é que um convite pode ser recusado sem punição. Isso gera uma sensação maior de segurança e, especialmente no caso de a outra pessoa se recusar a responder e a sua reação demonstrar que não há problema nisso, gera maior confiança entre vocês.

Quer você esteja conversando com seu chefe ou com sua filha de 8 anos, dar a eles a opção de não responder aumenta a chance de que eles respondam e de que respondam com honestidade. Ainda que não respondam de imediato, eles podem responder mais tarde, depois de refletir. Saber que a escolha é deles torna mais evidente a sua preocupação com eles e os deixa mais livres para pensar na questão.

Repita com as suas palavras para esclarecer

A segunda habilidade que um bom ouvinte aplica à conversa é repetir para a outra pessoa, com as próprias palavras, o que entendeu do que ela falou. Existem dois grandes benefícios em se fazer isso.

Conferir se você entendeu mesmo

Primeiro, repetir com as suas palavras oferece a chance de conferir se você entendeu mesmo. Conversas difíceis se tornam mais difíceis quando ocorre um mal-entendido, e os mal-entendidos são mais comuns do que imaginamos. Repetir dá à outra pessoa a oportunidade de dizer: "Não, não foi exatamente isso que eu quis dizer. O que eu realmente quis dizer foi..."

Mostrar que você escutou

Segundo, repetir permite que a outra pessoa saiba que foi ouvida. Em geral, quando uma pessoa fala diversas vezes a mesma coisa em uma conversa é porque ela não tem nenhum indício de que você entendeu o que foi dito. Se você perceber que a outra pessoa está fazendo isso, enxergue como um sinal de que você precisa repetir mais vezes o que ela disse com as suas palavras. Uma vez que ela se sinta ouvida, a probabilidade de ela conseguir ouvir *você* aumenta drasticamente. A outra pessoa não será mais absorvida pela voz interior dela e vai ser capaz de se concentrar no que você tem a dizer.

Vejamos esta conversa entre Rachel e Ron, um casal que se desentende com frequência sobre como observar rigorosamente o Shabat (o sábado judaico) e sobre suas regras tradicionais que restringem os deslocamentos:

Ron: Eu falei pro Chris que vou lá amanhã.
Rachel: Ron, amanhã é sábado. Você sabe que não pode dirigir até a casa do Chris no Shabat. Além disso, a gente tem a sinagoga de manhã.
Ron: Eu sei, mas eu disse pro Chris que ia. É o único dia em que ele pode.
Rachel: Bem, eu acho importante irmos ao culto em família. Por que você não vai no Chris no domingo?
Ron: Ele não pode no domingo... ele tem a missa e outras coisas.
Rachel: Ah, quer dizer então que a prática religiosa dele é mais importante que a nossa?

Nem Rachel nem Ron se sentem ouvidos nessa conversa. Se eles quiserem quebrar esse ciclo, um dos dois vai precisar tomar a iniciativa de escutar e repetir com as próprias palavras o que o outro está dizendo. Vamos supor que Ron decida tentar:

Ron: Falei pro Chris que eu vou lá amanhã.
Rachel: Ron, amanhã é sábado. Você sabe que não pode dirigir até a casa do Chris no Shabat. Além disso, a gente tem a sinagoga de manhã.
Ron: Tenho a sensação de que os meus planos te deixaram frustrada.
Rachel: Estou frustrada, sim, sem dúvida. Achei que a gente fosse à sinagoga.
Ron: Então, parte do problema é o fato de eu ter feito planos sem consultar você?
Rachel: Não, é mais porque eu odeio ser sempre quem insiste pra gente ir à sinagoga.
Ron: Você fica com a sensação de que eu transformo a nossa vida religiosa em uma responsabilidade sua?
Rachel: Isso. Eu odeio me sentir a "polícia do Shabat". Além disso, eu me preocupo com a mensagem que isso passa pras crianças.
Ron: Então você tem medo de que, se me virem violando o Shabat, as crianças não o levem a sério?
Rachel: Em parte, sim, mas são vários motivos. É triste ir sozinha. E eu quero que você vá à sinagoga porque quer, não porque estou te obrigando.
Ron: Eu entendo que você se sinta sozinha. E eu quero, sim, ir por vontade própria. Acho que às vezes, quando me sinto pressionado a ir, eu resisto porque não gosto da sensação de que alguém está me dizendo o que fazer. Além disso, às vezes acho que estou seguindo o espírito da lei de outras formas.
Rachel: [cética] Tipo o quê?
Ron: Bem, tipo ajudando o Chris. Ele está passando por um momento muito difícil no casamento, e eu queria passar algum tempo com ele. Isso faz com que eu me sinta conectado com as pessoas da

nossa comunidade, que é um pouco do que eu sinto quando vou à sinagoga. E eu gostaria que as crianças vissem que demonstrar preocupação com os outros é, em grande parte, o sentido de tudo. Talvez a gente possa conversar com eles sobre isso.
RACHEL: É, seria bom...
RON: Mas isso pode não resolver seu desejo de ter companhia ou de não querer carregar o peso da responsabilidade por isso na família. Me fala um pouco mais sobre isso.

Dessa vez Rachel e Ron estão começando a chegar a algum lugar em uma questão complexa e carregada em termos emocionais. Ao repetir o que Rachel disse com as próprias palavras, Ron deixa claro que está tentando entendê-la e que se importa com os sentimentos dela. Ele para de ficar falando as mesmas coisas e ela passa a ouvir.

Aceite os sentimentos do outro

Perceba que Ron repete o que Rachel falou, reagindo não ao que ela disse, mas ao que ela não disse: que está frustrada. É uma regra fundamental: sentimentos anseiam por espaço. Assim como os radicais livres, os sentimentos vagam pela conversa procurando um espaço ao qual se agarrar. Eles não ficarão satisfeitos até conseguir, nada os fará desistir. A menos que obtenham o espaço de que precisam, os sentimentos vão causar problemas na conversa – como uma criança desesperada por atenção, não importa se positiva ou negativa. E, ao abrir esse espaço, você estará dando à outra pessoa e ao relacionamento algo precioso, algo que talvez ela não tenha como obter de mais ninguém.

Responda às perguntas ocultas

Por que abrir espaço para os sentimentos é tão importante? Porque, associada a cada expressão de sentimento, há uma série de perguntas ocultas: "Meus sentimentos são razoáveis?", "Você entende esses sentimentos?", "Você se importa com eles?", "Você se importa comigo?". Essas perguntas são muito importantes e é difícil prosseguir com a conversa antes de obtermos respostas. Dedicar um tempo a abrir espaço para os sentimentos do outro comunica em alto e bom som que a resposta para cada uma dessas perguntas é "Sim".

Como abrir esse espaço

Abrir espaço para os sentimentos é simplesmente isto: qualquer indício de que você está se dedicando a entender o conteúdo emocional do que a outra pessoa está dizendo. Se a outra pessoa disser: "Estou decepcionado com o fato de você ter mentido para mim", você pode responder de diferentes formas:

Bem, isso não vai se repetir.

Eu gostaria de esclarecer que eu *não* menti.

Acho que você está exagerando um pouco.

Todas essas respostas são compreensíveis. As duas primeiras remetem à essência do que está sendo dito; a terceira faz um julgamento. Mas nenhuma delas abre espaço para o sentimento nem responde às perguntas ocultas. Em contraste, todas as opções a seguir reconhecem esse espaço:

Tenho a impressão de que você ficou chateada de verdade com isso.

Parece que isso é mesmo importante para você.

Se eu estivesse no seu lugar, provavelmente também estaria confuso.

Não existe reação perfeita. Aliás, pode ser que você não tenha que dizer nada. Às vezes basta um simples aceno de cabeça ou mesmo um olhar para dar espaço ao sentimento do outro.

A ordem importa: abra espaço para os sentimentos antes de buscar soluções

Em última instância, é claro, as pessoas querem que os problemas sejam resolvidos. Perguntas do tipo "O que vamos fazer em relação a isso?", "Por que você fez o que fez?", "Como você explica o que aconteceu?" são importantes. Mas a ordem importa. Quer isso seja dito ou não, muitas vezes as pessoas precisam que haja espaço para os seus sentimentos antes de passarem à conversa sobre o que aconteceu.

Durante conversas difíceis, é muito comum pularmos direto para a solução de problemas sem abrir espaço para os sentimentos, e, ainda que isso seja feito com a melhor das intenções, a perda é significativa. "Você está trabalhando demais", diz o seu marido. "Eu não te vejo mais." Você percebe que ele está certo e responde: "Bem, no mês que vem meu volume de trabalho vai ser muito menor. Vou fazer um esforço para chegar em casa todo dia às seis." Seu marido parece não ficar satisfeito, e você se pergunta o que mais poderia ter dito.

Mas a reclamação do seu marido não é uma equação matemática. Você pode achar que "resolveu" o problema, mas as perguntas ocultas não foram abordadas. Seu marido quer que você abra espaço para os sentimentos dele. "Têm sido um período difícil esses últimos meses, não têm?" ou "Tenho a impressão de que você está se sentindo abandonado" talvez fossem mais apropriadas. Solucionar os problemas é importante, mas isso precisa esperar.

Abrir espaço não é sinônimo de concordar

A preocupação mais comum que surge em torno da questão do espaço dado aos sentimentos é a seguinte: e se eu não concordar com o que a outra pessoa está dizendo? É uma questão relevante. Aqui vale fazer distinção entre a conversa sobre os sentimentos e a conversa sobre o que aconteceu. Ainda que você não concorde com a essência do que a outra pessoa está dizendo, mesmo assim pode reconhecer a importância dos sentimentos dela.

Por exemplo, uma supervisora transferiu um de seus funcionários para outro departamento e ele foi ao escritório dela para reclamar. Observe como a supervisora abre espaço para os sentimentos dele sem concordar com a conclusão que ele tira:

> Funcionário: Eu trabalhei tanto por você, e aí você me transfere. Isso não é justo. Sempre fui leal à equipe, mas o que vai acontecer comigo agora?
> Supervisora: Me parece que você está se sentindo muito magoado e traído. Eu entendo que isso possa ter te deixado insatisfeito.
> Funcionário: Então você concorda comigo que isso é injusto?
> Supervisora: O que eu quero dizer é que entendo quão chateado você está e me dói vê-lo assim. Também entendo por que você acha que essa transferência é injusta e por que parece que eu traí a sua lealdade. Esses fatores fizeram com que a decisão de transferir você fosse muito difícil pra mim. Foi um esforço muito grande me acostumar a essa ideia. Ela me deixa triste, mas acho que é a decisão correta e, de modo geral, não é injusta. Deveríamos conversar sobre por que eu acho isso.

Fazer esse tipo de distinção exige alguma reflexão, mas pode ajudar imensamente. Muitas vezes presumimos que temos que concordar ou discordar. Na verdade, podemos reconhecer o poder e a importância que os sentimentos têm ao mesmo tempo que discordamos da essência do que está sendo dito.

Uma última reflexão: a empatia é uma jornada, não um destino

A empatia é a forma mais profunda de entender outra pessoa. A empatia envolve uma mudança de perspectiva: em vez de observar a aparência do outro por fora, você imagina como se sentiria sendo ele, como seria estar na pele dele, com toda a sua trajetória e o seu conjunto de experiências, e ver o mundo com os olhos dele.

O ouvinte que tem empatia está em uma jornada que tem uma direção, mas não um destino. Você nunca "chega". Você nunca vai poder dizer: "Eu te entendo completamente." Somos todos complexos demais para isso, e nossa capacidade de nos imaginarmos na pele de outras pessoas é muito limitada. Mas, em certo sentido, isso é uma boa notícia. Psicólogos descobriram que estamos muito mais interessados em saber que a outra pessoa está *tentando* demonstrar empatia – que ela está disposta a se esforçar para entender como nos sentimos e como enxergamos as coisas – do que em acreditar que ela realmente conseguiu. Saber escutar, como já dissemos, tem a ver com saber se comunicar. E se esforçar para compreender transmite a mensagem mais positiva de todas.

10

Compartilhar: *Expresse o que você tem a dizer com clareza e força*

Partir da Terceira História é uma forma produtiva de dar início a uma conversa. Ouvir a história da outra pessoa com um desejo real de entender o que ela está pensando e sentindo é o passo seguinte, e é essencial. Mas compreender a outra pessoa raramente encerra a questão; a outra pessoa também precisa ouvir a *sua* história. Você também precisa compartilhar.

Não é preciso ser eloquente

Expressar-se bem em uma conversa difícil não tem nada a ver com a extensão do seu vocabulário nem com a sua eloquência ou a sua perspicácia. Winston Churchill e Martin Luther King eram excelentes oradores, mas, em conversas difíceis, seus poderes de oratória não seriam de grande ajuda.

Em uma conversa difícil, sua principal tarefa não é convencer, impressionar, enganar, desbancar, converter ou conquistar a outra pessoa. É compartilhar como e por que você enxerga as coisas de determinada maneira, a forma como se sente e até mesmo quem você é. O autoconhecimento e a crença de que o que você deseja compartilhar é relevante são capazes de levar você muito mais longe do que a eloquência e a perspicácia.

Na primeira parte deste capítulo, vamos abordar a questão do direito. Para se comunicar com clareza e poder, você primeiro precisa se colocar em uma posição na qual acredite de verdade que o que deseja compartilhar merece ser compartilhado – a crença de que os seus pontos de vista e os seus sentimentos são tão importantes quanto os de qualquer outra pessoa.

Ponto. Na segunda parte, vamos entender *o que* você deseja compartilhar e *como* compartilhar isso da melhor forma. Vamos analisar vários erros comuns e muito prejudiciais na hora de compartilhar, maneiras de evitá-los e métodos para se expressar bem.

Você tem direito (sim, você mesmo)

John, aluno do segundo ano da faculdade de Direito, estava se preparando para se reunir com um respeitado juiz federal a fim de tratar de algumas questões relacionadas ao seu período de estágio, que estava para começar. O juiz tinha a reputação de às vezes ser um tanto espinhoso e argumentativo, e, quando entrou no gabinete, John estava apreensivo, com medo de perder a coragem de falar.

O professor preferido de John lhe dera alguns conselhos: "Sempre que me sinto intimidado ou destratado por alguém acima de mim, eu me lembro do seguinte: somos todos iguais perante Deus."

Nem mais nem menos

Independentemente da nossa orientação espiritual, todos nós podemos tirar proveito desta mensagem: não importa quem somos, não importa quanto gostemos de achar que somos elevados e poderosos ou quão reles e indignos possamos nos sentir, todos nós merecemos ser tratados com respeito e dignidade. Minhas opiniões e meus sentimentos são tão legítimos, valiosos e importantes quanto os seus – nem mais nem menos. Para algumas pessoas, isso é perfeitamente óbvio. Para outras, é uma novidade importante.

Em um ensaio no seu livro *Irmã Outsider*, a poeta e ativista Audre Lorde refletiu sobre a questão do direito de se expressar, pouco depois de saber que tinha câncer de mama:

> Eu passei a acreditar que o que é mais importante para mim deve ser falado, verbalizado e compartilhado, mesmo correndo o risco de não sair perfeito ou de ser mal interpretado. (…)

Ao me ver forçada e substancialmente consciente da minha mortalidade e do que eu queria e desejava para a minha vida, por mais curta que fosse, uma luz impiedosa caiu com força sobre as minhas prioridades e as minhas omissões, e o que mais me causou arrependimento foram os meus silêncios. Eu ia morrer, se não de imediato, em breve, independentemente de ter me expressado ou não. Meus silêncios não me protegeram de nada. O seu silêncio não vai proteger você. (…)

Podemos aprender a trabalhar e a nos expressar quando temos medo, da mesma maneira que aprendemos a trabalhar e a nos expressar quando estamos cansados. Pois fomos socializadas para respeitar o medo mais do que as nossas necessidades de linguagem e definição, e, se ficarmos esperando em silêncio pelo privilégio de não sentir mais medo, o peso desse silêncio nos sufocará.

Lorde enxerga riscos substanciais em se expressar. Mas reconhece que os custos do silêncio são ainda maiores. Reconhecer o *seu* direito pode ajudar você a encontrar tanto a sua voz em uma conversa quanto a coragem de se defender quando se sentir assustado ou impotente.

Cuidado com a autossabotagem

Às vezes podemos nos sentir divididos entre a crença de que devemos nos defender e o sentimento oculto de que não merecemos ser ouvidos, de que não temos esse direito. Nessa situação, nosso inconsciente às vezes oferece uma "solução" desonesta e ilusória: fingimos tentar, mas de forma desleixada, para que dê errado. Esperamos para falar até que não haja mais tempo para lidar com o que nos aflige. Convenientemente, esquecemos nossos argumentos. Tudo aquilo que tínhamos para falar desaparece da nossa cabeça de uma hora para outra. E *voilà*! Todos os nossos desejos são atendidos: podemos nos sentir bem por termos tentado e secretamente satisfeitos por não termos conseguido. Assim funciona a arte da autossabotagem.

Se isso parecer um truque familiar do seu repertório, talvez você precise prestar mais atenção quando estiver hesitante. Quando tiver essa mesma sensação de mal-estar ou de desorientação, visualize uma enorme placa de

PARE e se detenha por um momento. Antes de prosseguir, você precisa ter uma conversa sobre a identidade. Por que você não tem direito? De quem é a voz vinda do passado que você escuta dentro da cabeça lhe dizendo isso? Do que você precisa para se sentir plenamente autorizado a se expressar?

Não se expressar deixa você de fora do relacionamento

O bilhete da barca para a ilha de Martha's Vineyard, em Massachusetts, é como a maioria dos bilhetes de meios de transporte. Tem uma linha pontilhada no meio e um aviso que diz "Nulo se destacado".

Corremos esse mesmo risco nas conversas difíceis. Quando deixamos de compartilhar o que é mais importante para nós, nos destacamos da outra pessoa e prejudicamos o relacionamento.

A maioria de nós, no fundo, prefere estar com alguém que diz o que pensa. Angela terminou o noivado porque seu noivo era "bonzinho demais". Ele nunca demonstrava preferência por nada, nunca discutia, nunca levantava a voz, nunca pedia nada. Ainda que apreciasse a gentileza, ela sentia que faltava alguma coisa: ele próprio.

Se às vezes você se sente só ou sem ânimo mas não compartilha isso com as pessoas mais próximas, você priva essas pessoas da oportunidade de conhecer melhor uma parte sua. Você presume que elas não vão mais respeitar, amar ou admirar você da mesma forma se souberem o que você pensa e sente de verdade. Mas é difícil apresentar apenas essa versão asséptica de si mesmo. Muitas vezes, no intuito de esconder uma parte de quem somos, acabamos escondendo tudo. E, dessa forma, sobra apenas uma fachada que parece distante e sem vida.

Compartilhar pode ser difícil e desafiador, mas dá ao relacionamento a oportunidade de mudar e de ficar mais forte. Callie, uma indígena norte-americana, não se sentia muito próxima de seus colegas de trabalho em um programa de tutoria para adolescentes problemáticos. Em parte por serem brancos, ela suspeitava que eles não a entendiam de verdade; além disso, muitas vezes ela os achava insensíveis.

No entanto, um dia ela se arriscou e compartilhou algumas histórias. Descreveu como tinha sofrido ofensas e provocações quando era criança e como, durante anos, desejou ser "normal". Essas revelações mudaram significativamente o relacionamento com os colegas, que passaram a ter grande admiração por ela. Eles, por sua vez, se sentiram encorajados a compartilhar as próprias histórias envolvendo sentimentos de exclusão ou inadequação. Se Callie não tivesse compartilhado a história dela, teria privado os colegas da chance de corrigir um estereótipo que ela carregava – de que "os brancos não entendem e não se importam". E não teria oferecido a eles a oportunidade, talvez inédita, de entender o que ela sente e demonstrar que se importam.

Um relacionamento se sustenta e cresce quando os dois lados enxergam a si mesmo e o outro como autênticos. Esses relacionamentos são mais confortáveis (é um alívio poder ser você mesmo) e nutritivos para a alma ("Meu chefe conhece alguns dos meus pontos fracos e gosta de mim apesar disso").

Ter direito não é sinônimo de ter obrigação

Você tem o direito de se expressar. Se não acredita nisso do fundo do coração, ainda tem muito trabalho pela frente.

Mas ter direito não significa que você tem obrigação. Caso contrário, o direito se transforma em mais um problema: "Eu deveria estar dizendo o que penso, mas estou com muito medo. Eu não faço nada certo mesmo!" Muitas vezes é extremamente difícil se expressar. Encontrar coragem para fazer isso é um processo para a vida toda. Se você não compartilha o tanto que gostaria, trabalhe esse aspecto, sem se punir.

Vá ao cerne da questão

O primeiro passo para se expressar melhor é perceber que você tem o direito de falar; o segundo é descobrir exatamente o que você quer dizer.

Comece pelo que mais importa

Não existe melhor forma de começar a sua história do que por aquilo que está no âmago da questão: "Para mim, isso tudo tem a ver mesmo com...", "O que estou sentindo é...", "O que é mais importante para mim é que...".

Compartilhar o que é importante para nós é senso comum e, no entanto, é um conselho que na maior parte das vezes negligenciamos. Vejamos a história de Charlie, o mais velho de quatro irmãos, que quer melhorar seu relacionamento com o irmão mais novo, Gage, de 16 anos. Gage tem dislexia, o que é particularmente difícil porque todos os irmãos concluíram o ensino médio entre os melhores alunos de suas turmas e conseguiram bolsa de estudos para entrar na universidade. Gage tem dificuldades na escola, se irrita com facilidade e passou a beber com frequência para lidar com essa situação.

Charlie quer ajudar contribuindo com sua experiência e seus conselhos: "Você precisa participar da equipe de debates. O orientador é ótimo, e isso vai te ajudar quando você tentar entrar pra faculdade." E "Sabe, Gage, não exagere na bebida. Isso pode te fazer mal de verdade." Mas o que Charlie diz faz com que Gage se sinta criticado e infantil e fique na defensiva. Em consequência disso, os dois acabam por se afastar ainda mais.

Quando perguntamos a Charlie por que aquele relacionamento era importante para ele, a história mudou de rumo. Charlie admira a maneira como Gage se esforça tanto para ter sucesso. Ele se sente mal pela forma como tratava Gage quando os dois eram mais novos. E, por fim, Charlie tem uma necessidade muito grande de se sentir um bom irmão, que ama e é amado de volta. Charlie inclusive chorou ao revelar isso.

Quando Charlie finalmente compartilhou essas coisas com o irmão mais novo, Gage ficou fascinado. Charlie precisava *dele*. Charlie precisava da ajuda de Gage para ser um bom irmão. Foi uma reviravolta positiva no relacionamento.

Gage teria que saber ler pensamentos para perceber uma pista desses significados todos na primeira vez que Charlie falou com ele. O cerne da questão simplesmente não estava presente. Tampouco havia algum indício da profundidade dos sentimentos que estavam em jogo. Em vez disso, a mensagem passada era muito diferente: "Você é um idiota que precisa da minha ajuda e é burro demais para pedir."

Infelizmente, isso é bem típico das conversas difíceis. Falamos as coisas menos importantes, às vezes repetidamente, e depois ficamos nos perguntando por que é que a outra pessoa não entende o que estamos pensando e sentindo de verdade.

Ao dar início a uma conversa difícil, pergunte a si mesmo: "Será que eu já disse o que está no cerne da questão para mim? Já compartilhei o que está em jogo?" Em caso negativo, tente descobrir por que e veja se consegue reunir coragem para tentar.

Diga o que você quer dizer: não espere que o outro adivinhe

Uma forma comum de evitar compartilhar as coisas importantes para nós é inserir essas coisas nas entrelinhas em vez de simplesmente dizê-las com todas as letras.

Não conte com as entrelinhas. Lembre-se da Introdução, em que discutimos o dilema entre embarcar numa conversa ou evitá-la. Um jeito comum de gerenciar esse dilema – usado principalmente quando não estamos certos do nosso direito de abordar uma questão – é se comunicar pelas entrelinhas. Você tenta passar sua mensagem indiretamente por meio de piadas, perguntas, comentários improvisados ou da linguagem corporal.

Abordar uma questão sem abordá-la diretamente parece um meio-termo seguro entre embarcar e evitar. É um jeito de fazer as duas coisas e nenhuma delas ao mesmo tempo. O problema é que, ao fazer as duas coisas, você faz ambas da pior forma. Você acaba provocando todos os problemas que tinha medo de provocar, sem o benefício de dizer claramente o que queria dizer.

Suponha que você e o seu marido costumam passar os sábados dormindo, zanzando pela casa, passeando com o cachorro ou resolvendo pendências juntos. Há pouco tempo, no entanto, ele descobriu o golfe e começou a frequentar o clube todo sábado de manhã. Sua rotina de sábado nunca foi especialmente importante – não é como se fosse um momento romântico ou algo assim –, mas, agora que não existe mais, você sente falta dela. Vocês dois não passam muito tempo juntos durante a semana e, em consequência, você fica cada vez mais irritada com o novo hobby dele.

Uma forma de evitar o conflito seria simplesmente não dizer nada, embora, como vimos, seja alta a probabilidade de a sua insatisfação acabar escapando de qualquer jeito. Ou você pode tentar falar indiretamente:

"Querido, tem muita coisa pra fazer em casa esse fim de semana", "O golfe é tão importante assim que você precise jogar todo sábado?" ou "Querido, você está jogando golfe demais!".

Nenhum desses comentários transmite o que você realmente quer dizer, que é: "Eu quero passar mais tempo com você." Vamos analisar o texto e o subtexto de cada uma dessas afirmações:

"Querido, tem muita coisa pra fazer em casa esse fim de semana." Esse comentário é insuficiente por vários motivos. Primeiro, porque é o assunto errado. Ter coisas para fazer em casa até está relacionado, mas é diferente de passar o tempo juntos. Segundo, mesmo que fosse essa a questão, a declaração é compartilhada como se fosse uma "verdade". Seu marido pode responder: "Não tem muita coisa pra fazer, não, a gente fala sobre isso quando eu voltar."

"O golfe é tão importante assim que você precise jogar todo sábado?" Este é um exemplo clássico de uma afirmação disfarçada de pergunta. Está claro que esse comentário tem algo escondido nas entrelinhas. O que é menos claro é o quê. Seu tom de voz carrega raiva ou frustração. Mas não fica claro o que está causando essa raiva nem o que o seu marido deve fazer a respeito disso. Você está com raiva pelo fato de seu marido praticar um esporte sem sentido em vez de fazer serviço comunitário ou as tarefas domésticas? Está com raiva por ele não estar levando você junto? Está com raiva por não estarem passando tempo suficiente juntos? Ele não tem como saber.

"Querido, você está jogando golfe demais!" Esta afirmação é uma opinião expressada como um fato. Seu marido fica pensando: "Muito golfe em relação a quê?", "Quanto golfe é golfe demais?", "O que seria uma quantidade apropriada de golfe?", "Ainda que eu esteja jogando muito golfe, e daí?". É claro que, mesmo que ele soubesse as respostas a essas perguntas, ele não vai ter recebido a mensagem pretendida. A diferença entre "Você está jogando golfe demais" e "Eu gostaria de passar mais tempo com você" é enorme.

Para se expressar melhor, você precisa entender ao certo o que está pensando e sentindo e, depois, dizer isso diretamente: "Gostaria de passar mais tempo com você, e as manhãs de sábado eram um dos poucos momentos que a gente tinha pra ficar juntos. Por causa disso, estou irritada com o seu interesse pelo golfe."

Às vezes tudo que você queria era não precisar ser explícito. Você queria que a outra pessoa já soubesse que existe um problema e que fizesse algo a respeito dele. Essa é uma fantasia comum e compreensível – nosso companheiro ideal ou colega perfeito deve ser capaz de ler os nossos pensamentos e atender às nossas necessidades sem termos que pedir. Infelizmente, essas pessoas não existem. Com o tempo, cada um pode entender melhor como o outro pensa e sente, mas jamais seremos perfeitos. Ficar decepcionado porque alguém não consegue ler nossos pensamentos é uma das *nossas* contribuições para o problema.

Evite rodeios. Um modo parecido e, por vezes, destrutivo de nos comunicarmos pelas entrelinhas é o que chamamos de "ficar de rodeios". É quando você tenta amenizar uma mensagem transmitindo-a de maneira indireta por meio de pistas e perguntas orientadas. Isso é muito comum em análises de desempenho profissional: "Então, como você acha que se saiu?", "Você acha que deu tudo que podia dar?", "Estou passando pelo mesmo problema, mas provavelmente teria sido um pouco melhor se fosse feito da maneira tal, não acha?"

Ficar de rodeios transmite três mensagens: "Eu tenho uma opinião", "Ela é constrangedora demais para ser discutida diretamente" e "Eu não vou conseguir ir direto ao ponto com você". Não surpreende que essas mensagens deixem os destinatários ansiosos e na defensiva. E a imaginação deles quase sempre inventa uma mensagem pior do que a verdadeira.

Uma abordagem melhor é deixar o assunto claro e aberto ao debate expondo diretamente o seu ponto de vista, ao mesmo tempo que indica, com sinceridade, que está interessado em saber se a outra pessoa vê a situação de outra maneira e como: "Com base no que eu sei, tenho a impressão de que você poderia ter feito mais. No entanto, você sabe melhor do que eu o que aconteceu. Você enxerga isso de outra forma?" Depois, caso discordem, vocês poderão falar diretamente sobre como testar, reconciliar ou administrar os seus diferentes pontos de vista.

Não simplifique a sua história: use o "e particular"

Todos nós aprendemos que, para que outras pessoas nos entendam, temos que dizer as coisas de forma clara e simples. Isso é válido, na medida do possível. O problema é que o que acontece dentro da nossa cabeça muitas vezes é uma mistura complexa de pensamentos, sentimentos, suposições e percepções. Quando tentamos simplificar, é muito comum que a mensagem fique incompleta.

Suponha que você recebe um e-mail de um colega de trabalho que o deixa confuso. Você pensa: "Este e-mail demonstra uma criatividade incrível e, ao mesmo tempo, está tão mal escrito que me deixa maluco." Numa tentativa de ser direto, você diz: "Seu e-mail está tão mal escrito que me deixa maluco" ou, pior ainda, "Seu e-mail me deixa maluco".

Você pode evitar uma simplificação excessiva usando o "*e particular*". A "postura do *e*" assinala a importância de se falar sobre cada um dos vários sentimentos, percepções e suposições. Isso vale para as suas percepções *e* as do outro, para os seus sentimentos *e* os do outro. Ela também se aplica aos diversos sentimentos, percepções e suposições que coexistem *dentro de você*. Já o "*e particular*" conecta dois aspectos de algo que você pensa ou sente. E, apesar de complexo, não deixa de ser claro e preciso. Uma afirmação com o "*e particular*" soa mais ou menos assim:

Eu acho que você é brilhante e talentoso *e* acho que não está se esforçando o suficiente.

Eu me sinto mal pelo fato de as coisas terem sido difíceis para você *e* estou decepcionado com você.

Estou chateado comigo mesmo por não ter percebido que você estava se sentindo tão sozinha. *E* eu também estava tendo problemas naquela época.

Eu estou aliviada e feliz por ter finalmente assinado o divórcio; foi a decisão acertada. *E* às vezes sinto saudades do meu ex.

O "*e* particular" também é útil para superar um obstáculo comum presente no começo de uma conversa difícil: o medo de sermos mal interpretados. Você acha que a sua equipe seria a melhor para cuidar de um novo cliente, mas teme que isso soe egoísta, que você defenda isso só pelos louros e pelo bônus. Se esse é o seu medo, compartilhe-o junto com o seu argumento: "Tenho uma opinião sobre esse assunto que gostaria de compartilhar *e* preciso dizer que estou nervoso em fazê-lo, porque tenho receio de que pareça egoísmo. Portanto, se vocês acharem que alguma coisa na minha fala não parece legítima, por favor, digam, pois assim poderemos discutir." Ou, em uma situação diferente: "Estou tendo um sentimento muito ruim diante desse assunto que eu gostaria de compartilhar *e* tenho medo de me sentir constrangida se eu não conseguir ser muito clara ou objetiva no início. Espero que, se isso acontecer, você tenha paciência comigo e me ajude a continuar, até que eu consiga falar de forma mais sucinta."

Como contar a sua história com clareza: três diretrizes

A forma como você se expressa faz diferença, é óbvio. O modo como você diz o que quer dizer determina, em parte, como o outro vai reagir e quais serão os rumos da conversa. Portanto, quando você optar por compartilhar algo importante, procure fazer isso de modo a maximizar a probabilidade de a outra pessoa entender e reagir de maneira produtiva. A chave para isso é a clareza.

1. Não apresente suas conclusões como se fossem A Grande Verdade

Alguns aspectos das conversas difíceis nunca deixam de ser difíceis, mesmo quando você se comunica com muita habilidade: demonstrar vulnerabilidade, dar más notícias, aprender algo doloroso em relação a como a outra pessoa enxerga você. No entanto, um desastre que pode ser inteiramente evitado é o de apresentar a sua história como se fosse A Grande Verdade, pois isso gera ressentimento, deixa o outro na defensiva e provoca brigas.

E é um erro comum, que se baseia em uma falha de raciocínio: com frequência, nos relacionamos com nossas crenças, opiniões e nossos julgamentos como se fossem fatos. Quando você está falando sobre o seu filme preferido, seu prato favorito ou seu atleta preferido, não tem problema apresentar a sua visão como sendo a verdade. Mas, numa conversa difícil, não cai bem. Fatos são fatos. O resto é o resto. E você precisa estar meticulosamente atento a essa distinção.

Algumas palavras – como "atraente", "feio", "bom" e "ruim" – carregam, indiscutivelmente, julgamentos de valor. Mas esteja atento também a palavras como "inadequado", "deveria" ou "profissional". Os julgamentos contidos nessas palavras são menos óbvios, mas mesmo assim podem provocar uma reação do tipo "Quem é você pra me dizer isso?!". Se você quer dizer que algo é "inapropriado", preceda o seu julgamento com "Minha opinião é que…" Mas o melhor é evitar completamente essas palavras.

Isso não significa que não existe uma verdade ou que todas as opiniões são igualmente válidas. Significa apenas que opinião e fato são coisas distintas e permite que você tenha uma conversa atenta que proporcione um melhor entendimento e uma melhor tomada de decisão em vez de ficar se defendendo e tendo brigas sem sentido.

2. Explique de onde vêm as suas conclusões

O primeiro passo em direção à clareza, portanto, é compartilhar as suas conclusões e opiniões como sendo as suas conclusões e opiniões, não como a verdade. O segundo é compartilhar o que está por trás dessas conclusões – as informações de que você dispõe e o modo como as interpretou.

Como vimos no capítulo 2, é comum haver apenas uma troca de conclusões, sem nunca entrarmos no processo de explorar de onde vêm os pontos de vista de cada um. Você tem informações sobre si às quais a outra pessoa não tem acesso. Esse tipo de informação pode ser importante; considere a hipótese de compartilhá-las. E você tem experiências de vida que influenciam o que você pensa e por quê, além de como você se sente.

Quando você conta essas histórias, elas dão um pouco de estofo aos seus pontos de vista.

Você e sua esposa divergem quanto a matricular a filha, Carol, numa escola particular. Sua esposa diz: "Acho que deveríamos mesmo fazer isso este ano. É uma idade importante, e sei que temos como conseguir o dinheiro." Você responde: "Acho que ela está indo bem na escola pública. Creio que deveríamos manter a Carol lá."

Para que essa conversa chegue a algum lugar, vocês dois precisam compartilhar de onde estão vindo essas conclusões: que informações específicas estão dentro da cabeça de cada um? Que experiências passadas influenciam o modo como vocês avaliam essa situação? Você precisa compartilhar a sua experiência numa escola particular – o medo que sentiu nos primeiros meses, a sensação de não conseguir se encaixar naquele ambiente. A culpa que você sentiu por seus pais não terem podido comprar um carro porque passaram anos pagando a mensalidade da sua escola. Conte essa história com toda a riqueza de detalhes que está na sua cabeça ao debater suas preocupações com essa decisão. Nada mais que você disser fará sentido se sua esposa não souber das experiências que alimentam os seus sentimentos em relação a esse assunto.

3. Não generalize com "sempre" ou "nunca": dê espaço para o outro mudar

No calor do momento, é fácil expressar sua frustração com um pouco de exagero: "Por que você *sempre* critica as minhas roupas?", "Você *nunca* diz uma palavra de gratidão ou de encorajamento. Você só abre a boca para dizer que alguma coisa está errada!".

"Sempre" e "nunca" fazem um belo trabalho ao transmitir frustração, mas têm duas sérias desvantagens. Primeiro, raramente é verdade que alguém faz críticas *toda* hora ou que não tenha dito *alguma coisa* de positivo em determinado momento. O uso dessas palavras é um convite para uma briga sobre a questão da frequência: "Isso não é verdade. Eu disse várias coisas bacanas pra você no ano passado, quando você venceu o concurso de novas ideias entre as filiais" – uma resposta que só tende a aumentar a irritação.

"Sempre" e "nunca" também tornam mais difícil – não mais fácil – que a outra pessoa cogite mudar de atitude. Na verdade, "sempre" e "nunca" insinuam que essa mudança é difícil ou impossível. A mensagem implícita é "O que há de errado com você pra criticar as minhas roupas com tanta frequência?", ou até "Você é visivelmente incapaz de agir como uma pessoa normal".

Uma abordagem melhor (por mais difícil que seja) é agir como se a outra pessoa simplesmente não tivesse consciência do impacto das ações dela sobre você e, sendo uma boa pessoa, ela sem dúvida fosse querer mudar de atitude ao tomar consciência desse impacto. Você pode dizer algo como: "Quando você me diz que a minha roupa parece uma cortina velha e enrugada, eu fico magoada. Criticar a minha roupa soa como um ataque às decisões que eu tomo e faz com que eu me sinta incompetente." Se você conseguir também sugerir o que gostaria de ouvir, melhor ainda: "Eu gostaria de ouvir com mais frequência que você confia em mim. Seria muito bom de verdade ouvir algo simples como 'Acho que essa cor fica bem em você'. Qualquer coisa, desde que seja positiva."

O segredo é compartilhar o que você sente de um jeito que convide e incentive o destinatário a pensar em novas maneiras de agir em vez de sugerir que ele é um imbecil e que é uma pena que não haja nada que ele possa fazer a respeito disso.

Ajude o outro a compreender você

Não é fácil entrar na história de outra pessoa. E fica especialmente difícil quando os problemas contêm uma carga emocional muito forte ou quando as opiniões são calcadas em gerações ou culturas corporativas radicalmente diferentes. Você vai precisar da ajuda da outra pessoa para compreendê-la. E ela vai precisar da sua para compreender você.

Se você se sente tomada de ansiedade ao deixar seus filhos com a babá e o seu marido diz que você "tem que aprender a relaxar", você pode expressar essa ansiedade em termos que ele seja capaz de entender: "É como o seu medo de andar de avião. Lembra quando eu tento te dizer pra relaxar durante a decolagem, mas isso não tem impacto nenhum e até piora a situação? Bem, é a mesma coisa."

E aceite o fato de que pessoas diferentes assimilam as informações em velocidades e de modos diferentes. Por exemplo, algumas têm orientação visual. Para elas, convém usar metáforas visuais e se referir a imagens ou, em um ambiente de negócios, gráficos. Algumas preferem conhecer todo o problema primeiro e não conseguem ouvir nada do que você diz até que isso seja feito. Outras gostam de saber logo todos os detalhes. Preste atenção nessas diferenças.

Peça ao outro que repita o que você disse

Repetir o que a outra pessoa disse com as suas palavras é útil para conferir se você entendeu e para ela saber que você ouviu. Você pode pedir a ela que faça o mesmo por você: "Me ajude a saber se fui claro. Você se importa em repetir com as suas palavras o que eu disse até agora?"

Pergunte como – e por que – a outra pessoa vê a situação de modo diferente

Explicar com clareza a sua história é o primeiro passo para ser compreendido. Mas não espere sucesso imediato. A verdadeira compreensão pode levar algum tempo. Se a outra pessoa parece estar intrigada ou não ter sido convencida pela sua história, em vez de expressá-la de modo mais enfático ou de um jeito diferente, pergunte à pessoa como *ela* vê. Em particular, pergunte o que há de *diferente* na forma como ela vê aquela situação.

Uma tendência comum é pedir que a outra pessoa concorde, talvez porque seja tranquilizador: "Isso faz sentido?", ou "Você não acha?". Mas perguntar à outra pessoa o que há de *diferente* na forma como ela vê aquela situação é mais útil. Se você pede à pessoa que concorde com você, ela pode relutar em compartilhar as dúvidas e as reservas que tem. Ela não sabe muito bem se você quer mesmo ouvir isso. Então diz "É, acho que sim", mas você não tem como saber se no fundo ela estaria pensando: "É, de um jeito limitado e distorcido que é bem a sua cara." Se você perguntar explicitamente o que há de *diferente* na forma como ela vê aquela situação, é mais provável que obtenha uma reação genuína. E só aí você pode começar a ter uma conversa de verdade.

• • •

O segredo para compartilhar de maneira produtiva é aceitar que você é a autoridade máxima sobre si mesmo. Você é especialista no que pensa, em como se sente e em por que chegou até aqui. Se você pensa ou sente alguma coisa, tem o direito de se expressar e ninguém pode contradizê-lo legitimamente. Você só vai ter problemas se tentar fazer afirmações sobre coisas nas quais *não* é a autoridade máxima – quem está certo ou errado, quem teve a intenção de quê, o que aconteceu. Compartilhe todo o espectro da sua experiência e você será claro. Fale por si mesmo e você estará falando com propriedade.

11

Buscar soluções:
Conduza a conversa

Pode ser que a pessoa com quem você está conversando já tenha lido este livro e saiba como se engajar em uma conversa-aprendizado. Mas não conte com isso.

O mais provável é que você fale sobre compreensão enquanto ela fala sobre quem está certo; que você fale sobre contribuição enquanto ela está presa à questão da culpa. Você vai dar um passo para trás para escutar e abrir espaço para os sentimentos dela e, em troca, será atacado, interrompido e julgado. Você está fazendo o possível para melhorar a maneira como vocês dois se comunicam; ela faz o possível para garantir que não haja nenhuma comunicação construtiva entre vocês. Pode ser que ela ainda esteja com medo de ser responsabilizada ou que não compreenda a terminologia que você está usando. Talvez ela ainda não confie em você e em sua nova postura, que, afinal de contas, é uma postura diferente da que você teve da última vez que conversaram.

O que fazer?

Habilidades para conduzir a conversa

Para que as suas conversas cheguem a algum lugar, você terá que conduzi-las. Há uma série de "ações" poderosas que você pode colocar em prática durante a conversa – reformular, escutar e explicitar o problema – que podem ajudar a manter a conversa nos eixos, independentemente de se a outra pessoa está ou não cooperando.

Quando a outra pessoa toma um rumo destrutivo, *reformular* traz a conversa de volta aos eixos. Isso permite que você traduza afirmações inúteis em afirmações úteis. *Escutar* é uma habilidade que não só permite que você entre no mundo da outra pessoa, mas também é a ação mais poderosa que você pode pôr em prática para que a conversa construtiva continue sendo construtiva. E *explicitar o problema* é útil quando você deseja tratar de um aspecto preocupante da conversa. É uma estratégia especialmente boa quando o outro domina a conversa e parece relutante em deixar que você a conduza.

Reformular, reformular, reformular

Reformular significa pegar a essência do que a outra pessoa diz e "traduzir" em conceitos mais úteis – especificamente, conceitos que compõem a estrutura das Três Conversas. Você está seguindo um novo caminho e convidando a outra pessoa a se juntar a você. É como iluminar o caminho.

Voltemos à situação envolvendo Miguel e Sydney, apresentada no capítulo 4. Sydney está liderando uma equipe de engenheiros em um projeto no Brasil. Depois de inicialmente apresentar alguma resistência à liderança de Sydney, Miguel se transformou em seu maior entusiasta. Infelizmente para Sydney, o entusiasmo de Miguel pareceu progredir para um interesse romântico também. Ele passou a acompanhá-la de um lado para outro, expressando quanto gostava de passar o tempo com ela e a convidando para dar passeios a sós na praia.

Quando Sydney para de se concentrar na culpa, começa a notar que talvez esteja dando sinais confusos para Miguel. Ela percebe que, ao não expressar diretamente o desconforto que sente, está contribuindo para aquela situação. Sydney decide abordar a questão com Miguel. Ela sabe que, para que a conversa seja bem-sucedida, terá de ser persistente em reformular, desviando a conversa da culpa para a contribuição. Vejamos um trecho do diálogo já em andamento:

SYDNEY: Eu devia ter abordado isso antes, por isso é muito importante pra mim que a gente fale sobre isso agora...

Miguel: É claro que você deveria ter dito que se sentia desconfortável! É por isso que você está desconfortável. Uma líder de equipe deveria saber lidar melhor com isso.

Sydney: Não interessa se eu deveria ou não, o importante é que eu não fiz isso. E acredito que, ao não ter dito nada, eu provavelmente piorei o problema. Em vez de me concentrar em qual dos dois aqui é culpado, estou tentando entender como chegamos a esse ponto, independentemente de qualquer coisa. Acho que cada um de nós fez – ou deixou de fazer – coisas que agravaram a situação.

Miguel: Bem, acho que tudo isso é porque você é americana. As mulheres americanas são sensíveis demais a essas questões e inventam problema onde não há.

Sydney: A gente podia passar o dia inteiro discutindo se as mulheres americanas são ou não sensíveis demais. O que importa, talvez, é o fato de que você e eu estamos lidando com isso de perspectivas culturais bem distintas. Os seus comentários, pra mim, soaram sugestivos e constrangedores, ao passo que você parecia ver a nossa interação como algo perfeitamente condizente com um relacionamento profissional. Não é isso?

Miguel: Sim, é verdade. Para mim, o que eu fiz foi uma coisa normal, não era nenhuma questão.

Sydney: Quando diz "normal", você quer dizer que acha essa interação normal para duas pessoas que têm um relacionamento estritamente profissional? Ou que acha normal que duas pessoas em um relacionamento profissional possam optar por buscar algo mais?

Miguel: As duas coisas. A gente pode trocar provocações. Eu posso te dizer quanto gosto de você. Se você não estiver a fim, pode ignorar. Se estiver, pode responder de acordo. O problema é que você está exagerando e devia ter falado sobre isso antes.

Sydney: Como eu disse no começo, concordo que, se eu tivesse falado logo sobre isso, poderíamos ter evitado essa situação em parte. Acho que me senti incomodada com o fato de eu ter *tentado* ignorar e você ter insistido. Toda hora eu tinha que recusar seus convites para tomar um drinque no bar ou dar uma volta na praia.

MIGUEL: Bom, em alguns momentos eu percebi que tinha alguma coisa errada. Acho que eu também devia ter perguntado se estava tudo bem, se eu tinha te ofendido de alguma forma. E acho que a gente devia ter falado sobre as nossas expectativas em relação um ao outro logo de cara...

Com essa última frase, Miguel finalmente começa a perceber a diferença entre contribuição e culpa e passa a se sentir confortável o suficiente para reconhecer a própria contribuição. Mas, para chegar a esse ponto, Sydney teve que ser persistente ao guiá-lo para longe da culpa.

Tudo pode ser reformulado

Reformular funciona em todas as frentes; você pode reformular qualquer coisa que a outra pessoa diz de modo a encaminhar a interação na direção de uma conversa-aprendizado. Veja alguns exemplos:

O OUTRO DIZ: Eu tenho razão e é impossível que você também tenha!
VOCÊ REFORMULA: Quero ter certeza de que estou entendendo o seu ponto de vista. É visível que você está muito certo da sua opinião. Mas eu também gostaria de compartilhar a minha perspectiva sobre a situação.

Você pode reformular	
Verdade	→ Histórias diferentes
Acusações	→ Intenções e impacto
Culpa	→ Contribuição
Julgamentos, caracterizações	→ Sentimentos
O que há de errado com você?	→ O que está acontecendo com o outro?

O outro diz: Você me magoou de propósito!

Você reformula: Vejo que você ficou com muita raiva por causa do que eu fiz, e isso me deixa muito triste também. Não era a minha intenção. Me fala mais sobre como você se sentiu.

O outro diz: Isso é tudo culpa sua!

Você reformula: Tenho certeza de que contribuí para o problema; acho que nós dois contribuímos. Em vez de a gente se preocupar em encontrar culpados, eu queria apenas analisar como foi que a gente chegou até aqui – qual foi a contribuição que cada um deu para a situação.

O outro diz: Você é a pessoa mais detestável que eu já conheci.

Você reformula: Parece que você está se sentindo muito mal.

O outro diz: Eu não sou um mau vizinho!

Você reformula: Céus, eu também não acho que você seja. E espero muito que você não pense isso de mim. Mas sinto que a gente discorda sobre como essa situação deve ser tratada, o que me parece muito normal entre bons vizinhos. A questão é se podemos trabalhar em conjunto para descobrir como lidar com o que importa tanto para mim quanto para você.

É claro que é pouco provável que uma única frase faça mágica, mas esses exemplos dão uma ideia de por onde começar. Assim como Sydney, você precisa persistir e reformular constantemente a conversa para mantê-la em uma direção produtiva.

O "e conjunto"

Uma segunda ação de reformulação que você pode pôr em prática é passar do "ou isso ou aquilo" para o "e". Se a outra pessoa estiver encarando a questão como uma escolha entre o que você pensa e o que ela pensa, entre como você se sente e como ela se sente, você pode rejeitar essa escolha adotando a "postura do *e*".

No capítulo anterior vimos o "*e* particular". Mas, em termos de gerenciamento de interações, o que é crucial é o "*e* conjunto". Este não é o "e" que aplicamos interiormente, mas entre nós e o outro. É o "e" que diz: "Eu posso ouvir e entender o que você tem a dizer *e* você pode ouvir e entender o que eu tenho a dizer."

O "*e* conjunto" foi de grande valia para Stacy em sua busca pela mãe biológica. A mãe adotiva de Stacy, Joyce, a contestou dizendo que aquela busca seria, sem dúvida, infrutífera e dolorosa. Stacy evitou entrar numa discussão sobre se isso era verdade ou não usando o "e" para abraçar as duas histórias: "Pode ser que você esteja certa. Pode ser que todos os meus esforços não cheguem a lugar nenhum e que, ainda que a encontre, eu acabe me decepcionando. Ela pode não querer me conhecer. *E*, mesmo assim, pra mim é importante tentar. E a razão disso é que…"

Quando Joyce perguntou "Depois de tudo que fizemos pra te dar amor e te criar, o que é que você precisa que só a sua mãe biológica pode dar?", Stacy respondeu usando o "*e* particular" e o "*e* conjunto". Se isso parece complexo, é porque é mesmo. E é por isso que a resposta de Stacy foi tão construtiva e eficaz: "Eu percebi que essa minha busca é uma coisa muito difícil pra você. Você é a melhor mãe do mundo e vai ser pra sempre a minha única mãe. Isso não vai mudar nunca. Essa busca também é difícil pra mim, porque é difícil ver você tão magoada assim – às vezes acho que estou sendo egoísta ou ingrata. Ao mesmo tempo, tenho perguntas pras quais eu quero muito uma resposta. Espero que a gente possa continuar falando sobre o que isso significa para cada uma de nós quando eu começar a correr atrás disso." Stacy conseguiu se afirmar sem invalidar o poder e a relevância das preocupações da mãe.

Qualquer hora é a hora certa para escutar

Não importa se você é bom na reformulação, a regra mais importante sobre o gerenciamento da interação é a seguinte: *Não é possível encaminhar a conversa para uma direção mais positiva até que a outra pessoa se sinta ouvida e compreendida.* E a outra pessoa não se sentirá ouvida e compreendida até você escutá-la. Quando a outra pessoa estiver muito emotiva, escute e abra espaço para os sentimentos dela. Quando ela disser que a versão dela da história é a única que faz sentido, repita com outras palavras o que você está ouvindo e faça perguntas sobre por que ela vê a situação dessa forma. Se ela acusar você, procure, antes de se defender, tentar entender a opinião dela.

Sempre que você se sentir sobrecarregado ou inseguro quanto a como proceder, lembre que *qualquer* hora é uma boa hora para escutar.

Seja persistente em escutar

Muitas vezes presumimos que o ouvinte desempenha um papel passivo na conversa, mas isso não é necessariamente verdade. Você pode usar o ato de escutar para direcionar a conversa.

Vejamos esta conversa telefônica entre Harpreet e sua esposa, Monisha. Monisha é representante comercial de uma grande empresa farmacêutica e passa uma quantidade significativa de tempo na estrada. A distância ressalta algo que tem sido uma questão complicada ao longo de todo o relacionamento.

> Monisha: Bom, é melhor eu dormir um pouco. Tenho uma apresentação importante amanhã bem cedo.
> Harpreet: Então te vejo na quinta-feira?
> Monisha: É, quinta à noite. Devo chegar em casa lá pelas sete.
> Harpreet: Ok, dorme bem. [silêncio] Te amo.
> Monisha: Boa noite. Até quinta.

Harpreet desliga, magoado e frustrado. "Ela nunca me diz que me ama", reclama ele. "Sempre que eu abordo essa questão, ela diz alguma coisa do tipo: 'Você já sabe que eu te amo, então por que eu preciso dizer isso o tempo todo?'"

Essa questão é visivelmente importante para Harpreet. E, por isso mesmo, é importante que ele seja persistente em levá-la a Monisha. Muitas pessoas acham que ser persistente significa reafirmar um ponto de vista – em outras palavras, que Harpreet deveria apenas repetir o que pensa. Mas isso não funciona.

É preciso encontrar um modo de ser persistente sem esquecer que uma conversa é uma via de mão dupla. Persistência, em uma conversa difícil, significa se manter interessado em escutar as opiniões do outro com o mesmo afinco com que você expressa as suas.

Ao repassar mentalmente as Três Conversas, Harpreet começou a sentir curiosidade em relação aos motivos pelos quais Monisha reagia da forma como reagia. Na conversa seguinte ele decidiu que seu objetivo seria principalmente escutar, perguntar e tentar entender como Monisha encarava aquela questão.

>HARPREET: Quando eu digo que te amo, em que você pensa?
>MONISHA: Eu penso: "Ok, ele espera que eu diga o mesmo." E isso me faz não querer dizer, porque me sinto pressionada. Além disso, você sabe que eu te amo.
>HARPREET: Às vezes eu tenho mesmo certeza de que você me ama. Mas outras vezes não tenho tanta certeza assim. Quando você diz que eu já sei, o que te faz achar isso?
>MONISHA: Bem, eu ainda estou aqui com você, certo?
>HARPREET: Esse é um parâmetro bem preguiçoso! Além disso, meus pais ficaram juntos por anos depois que pararam de se amar. Talvez seja por isso que às vezes eu me sinta tão ansioso em relação a esse assunto...
>MONISHA: Hmm. Acho que tenho a experiência oposta. Meus pais eram loucos um pelo outro e estavam sempre dizendo essas coisas idiotas na nossa frente. Eu ficava com vergonha. A sensação que eu tenho é que, se duas pessoas se amam de verdade, não precisam ficar dizendo isso o tempo todo. É possível só demonstrar.
>HARPREET: Demonstrar como?
>MONISHA: Não sei, sendo gentis um com o outro. Como quando eu larguei tudo e peguei um avião de volta pra casa naquele fim de semana em que sua mãe ficou doente. Fiz isso porque sabia o quão difícil aquilo era pra você e queria estar perto pra ajudar...

Harpreet e Monisha têm um caminho a percorrer. No entanto, ao simplesmente ouvir as respostas e os argumentos relacionados aos sentimentos e às histórias, Harpreet colabora para que os dois tenham uma conversa muito mais interessante e construtiva sobre um tópico que é difícil para ambos.

Explicite o problema: deixe claro o que está acontecendo de errado na conversa

Reformular e escutar servem para encaminhar a conversa para a direção que você deseja que ela tome. São ferramentas poderosas, e a maioria das suas conversas vai exigir ambas. Às vezes, porém, elas não são suficientes. Não importa quão bom você seja em escutar, não importa quantas vezes faça reformulações, a outra pessoa não para de interromper, de atacar e de menosprezar. Toda vez que vocês começam a chegar a algum lugar, ela apresenta outro argumento para dizer que o problema não é um problema, afinal de contas. Ou talvez ela esteja *agindo* como quem está chateada, mas, toda vez que você pergunta sobre isso, ela diga: "Não, não, tá tudo bem. Não estou chateada."

Em momentos assim, explicitar o problema pode ajudar. Você coloca em pauta, como tópico para discussão, algo que percebe que está acontecendo na sua conversa. Em certo sentido, você está agindo como "médico" da sua conversa, diagnosticando o problema e prescrevendo uma forma de recuperar a saúde. Esses tipos de diagnóstico e prescrição costumam soar assim:

> Tenho percebido que, sempre que paramos para falar sobre isso, o tempo se acaba antes de encerrarmos o assunto. Talvez devêssemos reservar uma hora em que nós dois possamos nos concentrar exclusivamente nessa questão e resolvê-la.

> Já tentei dizer o que estava pensando três vezes e você me interrompeu todas as vezes. Não sei se você percebe que faz isso, mas eu acho muito incômodo. Se tem alguma coisa importante no que você disse que eu não entendi, por favor me fale. E, depois disso, quero poder concluir o que eu estava falando.

> Tenho notado uma coisa. Eu pergunto se você está magoado com o que eu falei e você responde: "Não, não, não, claro que não. Não sou esse tipo

de pessoa." Mas você continua agindo como as pessoas agem quando estão magoadas ou com raiva. Pelo menos é assim que estou enxergando. Acho que a melhor coisa a fazer é tentar descobrir o que é que eu estou fazendo que pode estar lhe causando incômodo. Caso contrário, acho que não vamos chegar a lugar algum.

Espera um segundo. Por diversas vezes, quando eu listei as coisas que eram importantes pra mim, você ficou com tanta raiva que eu cheguei a ficar com medo. Não sei o que está provocando essa reação. Se você está chateado, tenho interesse em saber por quê. Se está tentando me intimidar pra me fazer mudar de ideia, não vai funcionar. Eu realmente quero saber o que está te incomodando *e* quero que a gente encontre uma forma de falar sobre isso que não seja intimidadora para mim.

Explicitar o problema entre vocês pode ser extremamente útil para melhorar o clima. Chama atenção para o que vocês estão realmente pensando e sentindo mas não colocam em pauta para que seja debatido abertamente. E pode ajudar a interromper interações frustrantes logo cedo; com muita frequência a outra pessoa não está ciente de que está fazendo algo que incomoda você. No entanto, isso desvia um pouco a conversa de sua essência e, às vezes, pode aumentar a tensão. Portanto, explicitar o problema deve ser visto como algo a tentar somente quando nada mais funcionou.

E agora? Comece a buscar soluções

Muitas vezes basta pôr em prática as Três Conversas e lançar luz sobre o cerne da questão para cada um dos envolvidos para que os problemas entre vocês se resolvam. Mas nem sempre. Vocês percorreram um longo caminho para entender a história um do outro e desvendar o que aconteceu. Vocês têm uma melhor compreensão dos sentimentos em jogo. Mas, ao fim de tudo isso, ainda precisam decidir juntos como seguir em frente, e pode ser que não cheguem a um acordo sobre como fazer isso.

Esse é o momento de buscar soluções. Essencialmente, buscar soluções consiste em reunir informações e pôr à prova os pontos de vista de cada um, conceber alternativas que atendam às principais reivindicações de ambos os lados e, quando isso não for possível, tentar encontrar maneiras justas de equilibrar a diferença.

Quando um não quer, dois não... concordam

Conversas difíceis exigem uma certa dose de concessões e de acomodação das necessidades de cada um. Se você acha difícil solucionar problemas e isso lhe gera ansiedade, talvez seja porque você está focado em satisfazer a outra pessoa. Quem cai nessa armadilha se debate como peixe no anzol, tentando desesperadamente atender as demandas aparentemente insaciáveis do outro e chegar a um acordo razoável sobre como seguir adiante. Não é surpresa nenhuma. Essa dinâmica deixa o outro totalmente no controle – até que ele esteja satisfeito, você tem que continuar lutando.

Descrever o padrão dessa forma ressalta o defeito dele: existem duas pessoas envolvidas e não haverá acordo a menos que ambas concordem. Você precisa satisfazer a outra pessoa nem mais nem menos do que ela precisa satisfazer você. Assim, você sempre tem a opção de inverter essa dinâmica, fazer ao outro um convite para pensar em algo que satisfaça você e insistir até que isso aconteça. Caso você esteja aberto a encontrar uma solução, e também preparado, se for absolutamente necessário, para lidar com o fato de não haver acordo, será capaz de fazer isso com convicção: "Eu entendo que você está determinado a ter o seu artigo revisado esta semana, mas ainda não estou convencido de que devo passar as minhas férias fazendo essa revisão."

Para muitas pessoas, perceber que não é preciso haver acordo traz uma enorme sensação de liberdade, alívio e empoderamento.

Reunir informações e pôr à prova os pontos de vista de cada um

Henry tinha planejado passar um fim de semana com os amigos meses atrás. Ele fez hora extra durante toda a semana, finalizando os novos materiais e as escalas de trabalho. Era manhã de sexta-feira quando a chefe de Henry, Rosario, foi até a sala dele.

"Henry, estou com um problema enorme com esse fornecedor. Temos que resolver essa questão no fim de semana, para termos certeza de que haverá estoque para lidar com a correria do feriado no mês que vem", explicou ela. "Sinto muito, porque sei que você tinha planos para este fim de semana, mas eu preciso que você esteja aqui. Tenho certeza de que você pode reagendar com seus amigos, certo?"

Proponha um teste. Em vez de explodir ou começar uma discussão, Henry decidiu aprender mais sobre por que Rosario estava tão preocupada. Ao repassarem suas histórias, Henry e Rosario descobriram que tinham diferentes suposições sobre o relacionamento com o fornecedor em questão. Henry acreditava que, ainda que eles tivessem um problema aqui ou ali, o fornecedor seria compreensivo o bastante para acelerar o pedido de um dia para outro. Rosario havia tido muitas experiências ruins com fornecedores ao longo dos anos, de modo que, para ela, acertar de primeira seria a única coisa capaz de garantir que o feriado fosse tranquilo.

Visões divergentes geralmente se baseiam em uma ou mais suposições ou hipóteses conflitantes. Se elas forem identificadas, vocês serão capazes de conceber um teste justo para descobrir qual das suposições é empiricamente válida ou até que ponto é válida. Henry sugeriu que eles ligassem para o fornecedor e perguntassem sobre a disponibilidade do estoque em questão e se haveria alguém disposto a trabalhar com eles caso surgissem problemas nas semanas seguintes. Rosario queria garantir que fosse feita uma série de perguntas sobre possíveis imprevistos e que fosse estabelecido um relacionamento mais próximo com alguém do outro lado que pudesse assumir a responsabilidade por garantir que o combinado desse certo. Esse teste, claro, precisa ser justo e adequado para satisfazer ambas as partes.

Diga o que ainda está faltando. Enquanto se debatem com suas percepções e conclusões conflitantes, cada uma das partes precisa dizer, sem meias palavras, em que pontos a história da outra pessoa ainda não faz sentido. Ao acompanhar o raciocínio *dela*, o que falta para que essa versão faça sentido? Portanto, Henry poderia dizer: "Acho que agora entendo por que os problemas de estoque causaram prejuízos no ano passado. Temos que resolver essa questão quanto antes, me parece. No entanto, nesse momento temos 30 dias de vantagem em relação ao problema, de modo que não vejo por que este fim de semana faria diferença."

Diga o que faria você mudar de ideia. Saber o que o faria mudar de ideia é algo poderoso. Permite que você seja honesto e firme sobre os seus pontos de vista e escute os pontos de vista da outra pessoa. "Com base na minha leitura, parece que meu assistente, Bill, tem a competência necessária para fazer o inventário durante o fim de semana, o que me daria alguma vantagem para começar a abordar o problema na semana que vem. A sua leitura é diferente? Talvez você tenha preocupações em relação a Bill que possam me fazer mudar de ideia."

Pergunte o que (caso exista) faria o outro mudar de ideia. "Apresentei vários motivos, que me pareceram muito bons, para dizer por que não faz sentido eu cancelar meus planos e trabalhar neste fim de semana. No entanto, você continua inflexível. Existe algum motivo pra isso ao qual eu não prestei atenção? Se não, eu me pergunto se existe algo que eu possa dizer pra fazer você mudar de ideia e, nesse caso, o que seria."

Peça conselho ao outro. "Me diz como você ia se sentir, e o que poderia estar pensando sobre a situação, se estivesse no meu lugar. O que você faria? Por quê? Você consegue imaginar um jeito de trabalhar neste fim de semana que não acabe tornando mais provável que situações como essa se repitam?"

Pela nossa experiência, as pessoas que sabem que mudar de ideia deve ser uma via de mão dupla raramente acabam em situações como essa. A reputação que elas têm de não serem facilmente convencidas faz com que conquistem o respeito dos demais e, ao mesmo tempo, fornece a elas um leque de alternativas mais amplo do que costumam ter as pessoas mais propensas a tentar tirar vantagem das outras.

Concebendo alternativas

Voltemos àqueles seus vizinhos cujo cachorro não para de latir. Quando você por fim aborda essa questão, descobre que eles acham que o latido do cão é importante por razões de segurança e que eles o deixam fora de casa à noite por medo de que machuque acidentalmente o filho recém-nascido deles (que ele adora). Isso faz sentido para você *e* você é capaz de compartilhar quão cansativo é passar a noite em claro. Quando chegar a hora de descobrir o que fazer a respeito, você pode ficar empacado. A sua solução (eles se livrarem do cachorro) não é nada atraente para eles e a deles (que você ponha tampões nos ouvidos ou feche as janelas) soa ridícula para você.

Muitas situações difíceis podem ser resolvidas com soluções criativas que atendam à maioria das necessidades de cada lado, mas que talvez não sejam tão óbvias e possam exigir certo esforço para encontrar. Elas exigem um brainstorming conjunto. "Gostaria de saber se podemos trabalhar em conjunto para encontrar uma forma criativa de atender aos interesses de ambos os lados. O que vocês acham? Estão dispostos a tentar?" São altas as chances de que a persistência dê resultado.

O brainstorming pode trazer algumas ideias úteis. Por exemplo, seu filho pode passar algum tempo brincando com o cachorro do vizinho, para que o animal faça mais exercício e receba mais atenção durante esse período em que eles estão ocupados com o bebê. Isso também pode atender ao interesse de seu filho, que quer ter um cachorro. Seus vizinhos podem decidir comprar um segundo cachorro para fazer companhia ao atual ou levar o cachorro para dentro de casa depois das 10 da noite e fechar a porta do quarto do bebê. Ou talvez eles peçam a você que ligue para eles quando os latidos começarem a incomodar, para que possam resolver o problema imediatamente e você não tenha que passar mais uma noite sem dormir.

O mais importante é que as duas partes entendam que, se quiserem continuar a morar lado a lado, é preciso trabalhar juntos para encontrar uma solução que satisfaça a todos – você, eles e o cachorro.

Pergunte quais parâmetros devem ser usados

Geralmente, a melhor forma de gerenciar conflitos de modo a preservar um relacionamento é procurar parâmetros ou princípios justos para orientar a solução em vez de tentar discutir ou intimidar a outra pessoa. Se você não conseguir encontrar um jeito criativo de resolver o problema, pergunte quais parâmetros de justiça devem ser aplicados e por quê. No caso do cachorro, pode haver uma lei municipal que fale de ruídos ou um método usado por outros moradores da vizinhança para manter seus cachorros quietos. Práticas gerais ou locais, precedentes legais e princípios éticos oferecem formas de resolver o problema sem que ninguém precise recuar nem se sentir humilhado.

Nem todos os parâmetros têm o mesmo poder de formar consensos, é claro. Alguns parecem ir mais diretamente ao ponto, outros são mais amplamente aceitos ou mais relevantes em termos de tempo, local ou circunstância. Esse é mais um tópico a ser debatido à medida que você explora se cada um desses parâmetros é justo.

O princípio do cuidado mútuo. Uma dinâmica importante a ter em mente nessa fase de uma conversa difícil é a tendência universal de acharmos que o nosso jeito de fazer as coisas é o jeito "certo". Isso pode nos levar a achar que o problema está no "jeito do outro" e a sugerir uma "solução" que se resuma a fazer tudo do nosso jeito: "Se você mudasse, esse problema ia deixar de existir."

Essa frustração é compreensível, mas o argumento não convence. Tanto os desafios quanto o tempero dos relacionamentos residem na diferença entre as pessoas. Sentir-se frustrado eventualmente é o preço a ser pago. E, como já vimos, nenhum relacionamento tem futuro se há uma parte que sempre cede à outra. Uma boa resolução geralmente exige que ambos os lados encontrem espaço para abrigar as diferenças do outro ou que haja uma variação – pendendo para um lado em algumas questões e para o lado oposto em outras. Esse é o princípio do cuidado mútuo.

Se ainda não houve acordo, repense as alternativas

Nem todo conflito pode ser resolvido de comum acordo. Às vezes, mesmo após uma comunicação altamente qualificada, você e a outra pessoa simplesmente não conseguem encontrar uma alternativa que funcione para os dois. Então você se vê diante de um impasse: será que deve aceitar menos do que deseja ou deve arcar com as consequências de não haver acordo?

Voltemos à questão envolvendo Henry e Rosario. Rosario é a chefe. Henry é um funcionário valioso. Se eles não conseguirem decidir se Henry terá ou não de trabalhar no fim de semana, será preciso fazer uma escolha. Cada um precisará pensar no que fazer caso não consigam chegar a uma solução em conjunto.

Para encerrar uma conversa sem que haja acordo, são necessárias duas coisas. A primeira delas é explicar por que você está encerrando a conversa. Quais interesses e preocupações não seriam atendidos pelas soluções debatidas? Vamos supor que Henry decida tirar o fim de semana apesar da insistência contínua de Rosario em que ele trabalhe. Em vez de simplesmente fugir, Henry deve ser claro quanto aos seus sentimentos, interesses e escolhas. Ele pode dizer: "Rosario, eu sinto muito mesmo. Quero muito ser um bom funcionário e ajudar sempre que possível. Normalmente, não tenho problema nenhum em trabalhar nos fins de semana ou depois do horário... espero que você já tenha percebido isso. É só uma questão de planejamento. Eu me sinto mal por deixá-la nessa situação; ao mesmo tempo, esses planos são muito importantes para mim, você sempre esteve ciente deles e eu trabalhei muito a semana toda para poder me liberar. Portanto, não gosto de ter que tomar essa decisão, mas, diante de tudo isso, eu vou manter meus planos."

Agora Henry precisa da segunda coisa: a disposição de arcar com as consequências. Ele pode chegar ao escritório na segunda-feira e descobrir que não tem mais emprego. Se for capaz de lidar com isso ou, quem sabe, até preferir isso, manter o passeio com os amigos faz sentido. E, do mesmo jeito, ele pode chegar ao trabalho e descobrir que Rosario está ao mesmo tempo infeliz *e* demonstrando maior respeito por ele e pelo tempo dele. Talvez ela até peça desculpas a ele ou o chame para conversar sobre como evitar situações parecidas no futuro.

Se Henry não for capaz de lidar com a possibilidade de perder o emprego, a melhor opção provavelmente será trabalhar no fim de semana. Ele ficará frustrado por não ter encontrado os amigos, mas estará convicto de que lidou com a conversa de maneira hábil e de que, no fim das contas, fez uma escolha sábia.

É preciso tempo

A maioria das conversas difíceis não é, na prática, uma única conversa, mas uma série de trocas e explorações que acontecem ao longo de um tempo. Mesmo que Henry e Rosario cheguem a um consenso nessa ocasião, muitos outros problemas ainda vão surgir entre eles. As demandas do trabalho continuarão sendo altas e eles terão que trabalhar em parceria para encontrar formas de conciliar essas demandas com os compromissos particulares de Henry. Michael e Jack, os amigos que discutem sobre o folheto no capítulo 1, precisarão encontrar formas de restaurar a amizade e explorar se e como trabalharão juntos no futuro. Você e seus vizinhos terão que fazer um teste deixando seu filho cuidar do cachorro ou mantendo o bicho dentro de casa à noite para ver o que acontece. E, não importa o que ocorra, você vai precisar ter novas conversas para avaliar o andamento das coisas e, se necessário, procurar novas formas de lidar com a questão.

12

Juntando todas as pontas

Jack gostaria de tentar conversar com Michael mais uma vez. "Eu achei que, assim que resolvêssemos a questão do folheto, as coisas se acalmariam entre a gente", explica ele. Mas, meses depois, Michael continua distante e a relação deles está estranha. Jack sabe que deveria falar com Michael, mas sobre quê? Ele acredita que o principal ponto é o seguinte: Michael estava apenas sendo babaca.

Primeiro passo: repasse as Três Conversas para se preparar

Durante a preparação para a conversa, Jack tirou um tempo e repassou consigo mesmo as Três Conversas, fazendo anotações sobre como Michael poderia estar enxergando as coisas e sobre qual foi a contribuição de cada um para o problema (uma versão resumida das anotações de Jack pode ser vista na p. 240). Ao longo do processo, Jack fez algumas descobertas. Percebeu que Michael provavelmente não sabia que ele havia deixado de lado outras coisas e virado a noite trabalhando. Jack também não tem como afirmar que Michael tinha a intenção de intimidá-lo. Ele percebeu a contribuição que deu para o problema ao não compartilhar com Michael nada do que estava sentindo nem durante a conversa nem assim que o folheto ficou pronto.

Anotações preparatórias de Jack

O que aconteceu?		
Múltiplas histórias	Impacto/Intenção	Contribuição
Qual é a minha história? Interrompi um trabalho importante para fazer um favor a um amigo, que depois reagiu de maneira desmedida a um erro insignificante e me coagiu a refazer o trabalho. Não ouvi nenhum agradecimento e Michael não se responsabilizou por ter aprovado a impressão. *Qual é a história dele?* Michael estava contando comigo para fazer tudo certo e eu o decepcionei. Em seguida, discuti com ele sobre isso em vez de corrigir o problema. *Hmm. Tudo isso faz algum sentido.*	*Minhas intenções:* Ajudar um amigo. Fazer um bom trabalho. Convencer Michael de que o erro não foi grande coisa (!). *Impacto em mim:* Me senti intimidado. Não reconhecido. Frustrado. *Intenções de Michael:* Produzir o folheto rápido? Conferir se o folheto estava certo? Me intimidar? *Impacto em Michael:* Frustração? Decepção? Ficou numa saia justa com o cliente?	*Quais foram minhas contribuições para o problema?* Não disse a Michael que estava chateado nem na hora nem depois. Cometi o erro. Não fiz perguntas a Michael para entender a situação dele. *Quais contribuições ele deu?* Michael também não percebeu o erro. Ele ligou em cima da hora, então era um trabalho urgente. Ele ficou perguntando "Você vai refazer? Sim ou não?", o que soou como assédio moral.

Sentimentos	Questões de identidade
Quais sentimentos estão por trás das minhas atribuições e dos meus julgamentos? **Raiva.** **Frustração.** **Decepção** por ter havido problemas e por Michael ter contratado outra pessoa. **Mágoa.** **Culpa**: Eu gostaria de ter lidado melhor com a situação. **Vergonha/Constrangimento:** Que erro estúpido! **Gratidão** pelo apoio de Michael em outras ocasiões. **Tristeza** por nossa amizade ter caído num limbo.	***De que forma isso que aconteceu ameaça a minha identidade?*** Caramba! Provavelmente isso tem muito a ver com a minha identidade, principalmente porque eu me considero perfeccionista. É difícil aceitar que deixei passar um erro tão bobo. E, mais do que isso, eu gostaria de ter lidado melhor com a nossa conversa. Eu costumo me sair bem nessas coisas – gerenciar problemas do cliente. Agora eu tenho o pior dos dois mundos. Não consegui fazer minha defesa e ainda perdi Michael como cliente e como amigo.

Isso deixou Jack ainda mais determinado a, dessa vez, mudar sua contribuição e colocar em pauta seus sentimentos. "Repensar minhas suposições sobre o que aconteceu abalou minha convicção de que eu estava certo e de que o problema era o Michael", diz Jack. "Acho que a coisa mais importante que percebi foi que eu realmente não tinha visto nada disso pela perspectiva do Michael. Agora estou disposto a tentar."

Ter suas convicções abaladas pode parecer um jeito inusitado de se preparar para uma conversa. Mas o resultado disso é que Jack está mais aberto a ouvir o que Michael tem a dizer, mais curioso em aprender sobre o que não sabe (por exemplo, as intenções de Michael ou qual a contribuição que Michael acha que Jack deu). E, em certo sentido, Jack está *mais* convicto. Aceitar o papel que desempenhou no problema o ajudou a se sentir mais bem fundamentado, não menos. Embora Jack não tenha mais a convicção de que sua história está "certa" e de que a de Michael está "errada", ele está absolutamente certo de que ambas as histórias são importantes.

Segundo passo: confira seus objetivos e decida se eles devem ser abordados

Ainda mais importante, Jack se sente seguro de que abordar essas questões é uma boa coisa a ser tentada, independentemente de como Michael vá reagir. "No começo, quando pensei em trazer essa questão à tona novamente, pensei: 'Bem, e se o Michael achar que isso não é importante ou simplesmente me ignorar? Vou ficar me sentindo um idiota, como se não tivesse valido o esforço.' Refleti sobre a ideia de não abordar esse assunto, mas aí eu estaria fugindo em vez de fazer uma escolha consciente por abrir mão dele."

"Então eu queria abordar a questão, mas estava nervoso. Daí me lembrei do conselho de não tentar controlar a reação da outra pessoa. Eu escolho abordar uma questão porque *eu* acho que ela é importante e farei isso da melhor forma possível. Se o Michael não estiver interessado em falar sobre ela ou se não estiver aberto, bem, pelo menos eu tentei e posso ficar em paz por ter tentado me posicionar."

A seguir apresentamos trechos da conversa de Jack e Michael de uma perspectiva bem realista, mas com um pequeno toque: para destacar o que

Jack está fazendo do jeito certo e o que não está tão certo assim, demos a ele um coach, que provê conselhos quando ele fica empacado. Também demos a Jack o poder de pausar e retomar a conversa quando quiser e de recomeçar do zero caso as coisas saiam dos eixos.

Terceiro passo: comece pela Terceira História

A seguir, a primeira tentativa de Jack e o resultado alcançado.

> Jack: Olha, Michael, pode falar o que quiser, mas o problema com esse folheto foi que, depois de todo o trabalho que eu tive, você me tratou muito mal, e você sabe disso!
> Michael: O problema com esse projeto foi, acima de qualquer coisa, eu ter tido a infeliz ideia de te contratar. Mas esse erro eu não cometo nunca mais!

. . . . .

Jack: Ok, corta. Isso não está dando certo.
Coach: O que deu errado?
Jack: Não sei. Ele não reagiu muito bem.
Coach: Perceba que você deu início à conversa partindo da sua história.
Jack: Eu deveria ter começado pela Terceira História. É isso. Vou tentar de novo.

. . . . .

> Jack: Michael, andei pensando muito sobre o que aconteceu entre nós no caso do folheto. Fiquei muito frustrado com essa experiência e desconfio que você também. Mas o que mais me preocupa é que isso parece ter afetado a nossa amizade. Eu queria saber se a gente pode conversar sobre isso. Queria entender melhor a sua visão dos fatos, como você se sentiu ao trabalharmos juntos e também compartilhar o que me incomodou.

MICHAEL: Bem, Jack, o problema é que você não é cuidadoso e é incapaz de admitir quando comete um erro. Eu fiquei com raiva de verdade quando você começou a inventar desculpas.

. . . . .

JACK: Peraí, ele tá me atacando. Eu achei que, se eu começasse pela Terceira História, ele seria mais cordial.
COACH: Bem, a reação de Michael não foi nem de longe tão agressiva quanto na sua primeira tentativa. Você começou muito bem, de verdade. Fez um ótimo trabalho ao partir da Terceira História. Lembre-se: persistência. Michael não vai entender de pronto que você está tentando ter uma conversa-aprendizado. Você tem que estar preparado para a possibilidade de ele ficar um pouco na defensiva.
JACK: E eu falo o quê, se ele me atacar?
COACH: Ele já está dentro da própria história. A melhor coisa que você pode fazer durante a conversa é escutar com uma postura autêntica de curiosidade, fazer perguntas e prestar atenção especial nos sentimentos por trás das palavras.

Quarto passo: explore a história do outro e a sua

JACK: Você teve a sensação de que eu estava inventando desculpas? Me fala mais sobre isso.
MICHAEL: A verdade, Jack, é que você não tinha que ter discutido comigo sobre o gráfico. Você tinha que ter corrigido o folheto e só.
JACK: Bom, então o que você achou foi que, como o gráfico estava desalinhado, era minha obrigação corrigir e reimprimir os folhetos. E parece que, quando eu questionei isso, você ficou decepcionado.
MICHAEL: *Claro* que eu fiquei decepcionado. Eu estava com a cliente no meu pescoço, mais do que insatisfeita comigo.
JACK: Por quê?
MICHAEL: Porque ela já tinha dito que, em outro material, havíamos usado uma imagem errada. A imagem estava certa, mas em momentos assim

a gente não discute. Foi isso que me deixou decepcionado de verdade, Jack. Parece que você não entende que o cliente tem sempre razão.

JACK: Então a cliente já estava procurando motivo pra reclamar?

MICHAEL: A sensação que eu tive foi essa, sem dúvida. E, no meio de tudo que você podia fazer errado, o gráfico das receitas era a primeira coisa que ela ia notar. Os investidores já estão descontentes com algumas das decisões mais recentes dela. Sim, o gráfico estava só um pouco desalinhado e era o tipo de coisa que não corrigiríamos em uma circunstância qualquer, mas nesse caso, dada a situação, era algo que tinha que ficar perfeito.

JACK: Eu não fazia ideia de que era essa a conjuntura. Parece que você estava tendo que lidar com um monte de coisas ao mesmo tempo.

· · · · ·

JACK: *Pausa!*

COACH: *Você está indo muito bem!*

JACK: *Sim, talvez. Está sendo bem útil, na verdade. Estou começando a ter uma noção de como ele vê as coisas. Mas ele não tem nenhuma noção de como eu vejo. Quando é que vou começar a mostrar o meu lado da história?*

COACH: *Você já fez um bom trabalho em escutar. Talvez o Michael já esteja em uma posição melhor pra começar a te escutar também.*

· · · · ·

JACK: Do meu ponto de vista, Michael, o problema foi que eu fiz um favor pra você e depois você me desrespeitou. Você agiu mal.

· · · · ·

COACH: *Corta! Ok, você quer avançar logo pra sua perspectiva, mas precisa primeiro de uma fala de transição, algo que deixe claro que você está começando a entender a visão dele nesse caso e deseja mostrar a sua. E, ao expor a sua, se quiser incluir sentimentos, inclua. Mas o que você acabou de dizer é um julgamento sobre o Michael, o que raramente ajuda. Melhor dizer como você se sente.*

. . . . .

JACK: Estou começando a ter uma noção de como você enxerga essa situação toda, e isso é muito útil pra mim. Eu também queria tentar te dar uma ideia de como eu estava enxergando a situação e como eu estava me sentindo.
MICHAEL: Ok.
JACK: Hmm. Eu não costumo ser muito bom em falar sobre os meus sentimentos, mas vou tentar. Eu fiquei magoado com algumas coisas que você falou…
MICHAEL: Jack, eu não queria te magoar, eu só precisava do folheto pronto do jeito certo! Às vezes eu acho que você é sensível demais.

. . . . .

JACK: Peraí, depois de eu passar todo esse tempo ouvindo, agora ele vai lá e me interrompe logo de cara. Eu não tive nem a chance de concluir a primeira frase. O Michael é assim. Ele sempre interrompe e eu nunca consigo expor direito o que estou pensando.
COACH: É nesse momento que você precisa ser persistente, um pouco mais assertivo ao contar a sua história. Você pode interrompê-lo para abrir espaço para o que você está tentando dizer. Precisa deixar bem claro que ainda não terminou de explicar o seu ponto de vista e que gostaria que ele ouvisse.

. . . . .

JACK: Olha, espera um pouco. Antes de a gente passar para como você se sente em relação ao que eu sinto, quero falar mais um pouco sobre como eu vejo essa situação.
MICHAEL: Tudo bem, mas o que eu quero dizer é que você está encarando essa questão da nossa interação profissional de um jeito muito pessoal…

. . . . .

Jack: Ele fez de novo. Viu? É o que ele sempre faz.
Coach: Ele gosta mesmo de interromper. Como você está se sentindo neste momento?
Jack: Estou muito frustrado.
Coach: Bom, mas você tem algumas opções aqui. Pode desistir, mas acho que é muito cedo pra isso. Pode escutar mais, o que é sempre uma boa ideia. Mas digamos que você não queira fazer isso nesse momento. Você pode tentar outras duas coisas. Uma é simplesmente reafirmar que quer expor a sua opinião, e eu desconfio que isso, em algum momento, pode funcionar. A outra é que você pode expor a sua frustração por estar sendo interrompido.
Jack: Se eu fizer isso, ele vai me interromper para me dizer que eu não devia ficar frustrado. Acho que vou tentar ser assertivo mais uma vez.

. . . . .

Jack: Michael, tudo bem você achar que eu levo as coisas muito pro lado pessoal. A gente pode falar disso depois. Mas, antes, quero te dar uma noção melhor do ponto de onde estou partindo.

. . . . .

Coach: Sensacional! Primeiro você ouviu e depois repetiu com outras palavras a sensação dele de que você leva demais as coisas para o lado pessoal. Isso ajuda a apaziguar a necessidade dele de ficar repetindo isso. Agora você está em uma ótima posição para continuar a contar a sua história.
Jack: Estou pegando o jeito.

. . . . .

Jack: Acompanha o meu raciocínio. Bem, a questão é a seguinte. Quando você ligou, o que me veio à cabeça foi: "Meu Deus, eu já estou sobrecarregado. Preciso entregar o material da Anders amanhã e combinei sair pra jantar com a Charlotte hoje à noite." E aí eu pensei: "Bem, vou ter que ligar pro pessoal da Anders e avisar que vou atrasar um dia a entrega e ligar pra Charlotte pra cancelar o jantar." Porque, Michael, do jeito que você falou, parecia uma emergência, e eu queria muito te ajudar.

MICHAEL: E eu fiquei grato por isso…

JACK: Mas você nunca expressou gratidão. Do meu ponto de vista, depois de fazer todo esse sacrifício, o primeiro feedback que eu recebi foi: "Meu Deus, Jack, você fez tudo errado!" Você consegue entender por que eu fiquei tão chateado?

MICHAEL: Eu não devia ter dito isso, Jack. Eu queria te agradecer. Acho que eu estava sobrecarregado com as minhas frustrações naquele momento. É engraçado. Para ser sincero, eu não tive a sensação de que você estava me fazendo um favor, embora eu agora possa ver que estava. Eu tive a sensação, e ainda tenho, de que era *eu* que estava te fazendo um favor. Você sabe, ao te passar esse trabalho. Havia outras pessoas para quem eu poderia ter ligado, mas achei que você ia gostar de fazer esse trabalho.

JACK: Eu gostei. Acho que, da minha parte, eu estava tão absorto pela ideia de dar conta de tudo que não enxerguei aquilo como um favor seu. Mas, obviamente, eu gosto de trabalhar com você.

. . . . .

JACK: Isso está ficando quase divertido.
COACH: Você está indo muito bem. Continue.

. . . . .

MICHAEL: Jack, eu também quero falar com você sobre outra coisa. Já que a gente está jogando limpo aqui, eu queria dizer que fico muito chateado quando você tenta negar que cometeu um erro. Sabe, quando você diz que o gráfico não tem nada de errado, mas tem.

. . . . .

JACK: Ok, já deixou de ser divertido de novo.
COACH: É assim que as conversas difíceis são. Com altos e baixos. Você tem que continuar fazendo a sua parte.

• • • • •

JACK: Michael, eu não estava negando nada. Eu não cometi erro *nenhum*!

• • • • •

COACH: Ok, devagar. Você está em um ponto complicado aqui, e existe potencial tanto para virar uma grande briga quanto para ajustar algumas coisas de maneira útil.
JACK: Eu acredito em você, mas não estou vendo como.
COACH: Repare no que o Michael falou. Ele disse que fica muito chateado quando você tenta negar que cometeu um erro. Ele está cometendo um dos maiores equívocos no que diz respeito a impacto e intenções, e você está cometendo outro. Na fala de Michael, ele presume que está ciente do que você estava tentando fazer, que sabe quais eram as suas intenções.
JACK: Mas ele não sabe.
COACH: Exato. Então ele está cometendo o erro de supor que sabe quais eram as suas intenções, quando na verdade não sabe. Quando fazemos isso numa conversa, acontece justamente o que aconteceu aqui. A outra pessoa começa a se defender e os dois caem em uma discussão inútil.
JACK: Tem como eu não me defender?
COACH: A melhor forma de lidar com a confusão criada em torno do impacto e da intenção não é se defender. Primeiro você precisa abrir espaço para os sentimentos da outra pessoa e só depois deve tentar esclarecer suas intenções.

• • • • •

JACK: O que você está dizendo é que a minha resposta te deixou frustrado.
MICHAEL: Deixou. Eu não queria ser grosseiro. Eu só queria que o material fosse corrigido.

Jack: Deixa eu tentar explicar a minha resposta. Eu não estava tentando fingir que o gráfico não tinha erro nem tentando jogar a culpa em você. Eu achava de verdade que estava bom do jeito que estava. Depois de termos conversado sobre isso, percebi que não tinha todas as informações à minha disposição quando reagi daquela forma. Não sei ao certo o que pensar sobre o gráfico agora. O que sei é que, se eu achasse que deveria ser refeito naquela época, eu seria o primeiro a admitir.

Michael: Eu não tenho tanta certeza assim. Ainda acho que às vezes você fica muito na defensiva quando comete algum erro.

Jack: Isso não é verdade.

. . . . .

Coach: *Você foi ótimo em destrinchar a questão das intenções. Isso não é nada fácil. Agora estamos entrando em outra área complicada. Você acha mesmo, do fundo do coração, que não há nenhum problema em cometer erros?*

Jack: *É claro que eu não acho! Eu odeio errar. Não suporto. Fico maluco quando cometo um erro, principalmente um erro bobo.*

Coach: *Então por que você disse que não há problema algum em errar?*

Jack: *Acho que eu não queria admitir que tenho um pouco de dificuldade em assumir a responsabilidade pelos meus erros.*

Coach: *O negócio é o seguinte: o Michael, por algum motivo, tem a sensação de que você tem problemas com erros. O melhor que você pode fazer é compartilhar algumas das suas conversas sobre identidade com ele. É um movimento arriscado, mas, nesse caso, nem tanto, visto que ele aparentemente já sabe.*

. . . . .

Jack: Pensando melhor, Michael, admitir erros é, *sim,* uma coisa às vezes um pouco problemática pra mim. Na verdade, até isso é difícil de admitir.

Michael: Bem, fico muito grato por você ter dito isso. Eu queria que você tivesse admitido o erro só pra que a gente pudesse corrigir logo.

Jack: Bem, eu não quero misturar as duas questões. Eu cometi um erro no gráfico *e* eu tinha uma convicção muito forte, pelo menos naquela época, de que não era tão grave a ponto de precisar ser refeito.

. . . . .

Coach: *Fabuloso. Você assumiu a responsabilidade por um problema que você de fato tem e também fez um ótimo trabalho ao usar a "postura do e" para deixar claro que, nesse caso, você tinha a convicção de estar usando o bom senso.*
Jack: *Então, qual o próximo passo? Já está perto de acabar?*
Coach: *Você está quase lá. O que mais você sente que é importante dizer? O que mais parece importante que você aprenda?*
Jack: *Nós conversamos sobre o erro que eu cometi no folheto, mas não conversamos sobre o erro que Michael cometeu. Afinal de contas, ele revisou o folheto e me deu o aval.*
Coach: *Essa é uma questão importante. Veja se você consegue colocá-la em pauta como uma questão de contribuição conjunta, não de culpa.*

. . . . .

Jack: Michael, tem outro ponto que eu queria abordar. Tenho a sensação de que você acha que o fato de o folheto ter sido impresso com erro foi responsabilidade só minha.
Michael: Jack, a gente não precisa entrar nessa questão de novo. Não estou tentando esfregar isso na sua cara. Eu entendi que você trabalhou muito no folheto e agradeço por isso.
Jack: Eu sei. Eu só queria oferecer um ângulo diferente sobre essa questão da culpa. Como fui eu que fiz o trabalho, a sua reação foi dizer que o problema no gráfico era culpa minha. E a minha, visto que você revisou e aprovou o folheto, foi achar que a culpa também era sua...
Michael: Não, eu nunca disse que revisei. Isso era obrigação sua. O que eu indiquei foi que, *partindo do pressuposto* de que não havia nenhum erro, você estava autorizado a imprimir.

Jack: Esse é exatamente o meu ponto. O que eu quero dizer é que esse problema tem o dedo dos dois. Houve um mal-entendido. Não estou dizendo que alguém está certo ou errado. Se cada um tivesse entendido o outro de forma mais clara, seria menos provável que a gente tivesse ido parar nessa confusão toda.

Michael: Eu não tenho nenhuma dúvida disso. Mas e daí?

Jack: O ponto é que é mais provável conseguir evitar esse tipo de problema no futuro se a gente tiver mais cuidado em manter uma comunicação clara. Eu devia ter perguntado logo de cara se você tinha revisado o folheto com atenção e você podia ter dito mais claramente que não. Qualquer uma dessas opções teria sido útil nesse caso e será útil numa próxima vez.

Michael: Eu acho que isso faz sentido.

. . . . .

Jack: Uau. Foi muito mais fácil falar assim do que procurar culpados, e muito mais útil.

Coach: E repare que falar sobre a contribuição direciona o seu foco naturalmente para a solução de problemas. Vamos trabalhar um pouco mais nisso. Cada um de vocês tem uma opinião sobre se o folheto deveria ter sido refeito ou não. Aplique um pouco de solução de problemas nesse ponto.

Quinto passo: solução de problemas

Jack: Michael, que tal a gente pensar um pouco sobre como lidar com uma divergência de opiniões, caso isso aconteça de novo no futuro? Por exemplo, se o folheto precisa ser refeito ou não.

Michael: Eu penso como o cliente nessa situação: devemos fazer do meu jeito. Não acho que exista espaço para qualquer tipo de decisão conjunta.

Jack: Eu concordo, em termos de decisão final. Você tem razão nesse caso. Mas o que eu fico me perguntando é como eu poderia lhe dar o benefício da dúvida antes que a decisão fosse tomada. Eu consigo imaginar que haverá alguns momentos em que você vai ter uma opinião, essa opinião vai ser debatida e talvez você mude de ideia.

MICHAEL: Tem razão. Talvez, se formos mais claros sobre qual é o objetivo da conversa, em vez de eu achar que você está tentando tomar a decisão sozinho, eu saiba que você está apenas dando a sua opinião.

JACK: Faz sentido.

MICHAEL: Mas às vezes eu não tenho tempo para ter uma conversa muito demorada sobre o assunto.

JACK: Eu entendo. Se você me avisar isso, vai ajudar. Se não, eu vou ficar sem saber por que a conversa está te deixando tão frustrado.

MICHAEL: Bom, será que eu posso só dizer "Não tenho tempo para falar sobre isso"?

JACK: Sim, e também explicar por quê. Que você precisa ter alguma coisa pronta antes do meio-dia, que essa questão das receitas é delicada ou que a gente pode falar sobre isso mais tarde. Vai levar só cinco segundos e vai me poupar de ficar frustrado com você por não estar me ouvindo.

MICHAEL: É, eu entendo que isso seria frustrante.

· · · · ·

COACH: Jack, você e Michael estão no caminho certo. Belo trabalho!

JACK: Aproveitando que estou no embalo, quero falar com o Michael sobre algo que, de certa forma, é o mais difícil, que é a questão da nossa amizade. Quero me assegurar de que nada disso prejudique a nossa amizade.

COACH: Revise os seus objetivos nessa questão. "Quero me assegurar de que nada disso prejudique a nossa amizade" dá a impressão de que você vai colocar palavras na boca dele. Soa de modo um pouco controlador. Se você fizer uma pergunta, certifique-se de que é uma pergunta em aberto. Pergunte simplesmente como ele se sente em relação à amizade de vocês. Se o problema já prejudicou a amizade, você quer que ele se sinta à vontade pra dizer.

· · · · ·

Jack: Fico feliz que a gente esteja equacionando essas questões. Pra mim, é difícil trabalhar com amigos. Fico me perguntando se você acha que isso afetou a nossa amizade.

Michael: Bem, qual é a sua resposta para essa pergunta?

Jack: Sinceramente? Agora que conversamos, me sinto muito melhor em relação a tudo. Antes, porém, eu estava com muita raiva. E provavelmente um pouco magoado também. Se não tivéssemos tido essa conversa em algum momento, teria ficado claro pra mim que não éramos mais amigos.

Michael: Estou surpreso com isso. Você e eu certamente reagimos de formas diferentes a esse tipo de situação. Eu não estava feliz com a nossa relação de trabalho, mas achava que estava tudo bem com a nossa amizade. Vejo as duas relações como coisas separadas. Mas, como você visivelmente tem uma opinião diferente, fico feliz por termos conversado sobre isso.

· · · · ·

Jack: Parece que somos amigos de novo!

Coach: Você lidou com isso com muita habilidade.

Jack: Obrigado. Imagino que não teremos mais esse tipo de problema no futuro.

Coach: Não tenho tanta certeza. Na verdade, acho que é melhor presumir que terão, sim. No entanto, agora você já sabe que aceita falar sobre os problemas, para que os mal-entendidos sejam menos desgastantes em termos emocionais e menos propensos a ameaçar o relacionamento. Mas eu duvido que essa tenha sido a sua última conversa difícil com o Michael.

Como diz o ditado, "A vida é uma caixinha de surpresas". E é mesmo, sem dúvida. Mas agora você tem algumas habilidades para lidar com isso.

Checklist para conversas difíceis

Primeiro passo: repasse as Três Conversas para se preparar

1. Determine **o que aconteceu**.
   - De onde vem a sua história (informações, experiências passadas, regras)? E a do outro?
   - Que impacto essa situação teve em você? Quais podem ter sido as intenções do outro?
   - Qual a contribuição que cada um de vocês deu para o problema?

2. Entenda as **emoções**.
   - Explore a sua pegada emocional e o conjunto de emoções que você experimentou.

3. Consolide a sua **identidade**.
   - O que está em jogo *em relação a você*? O que você precisa aceitar para consolidar melhor sua identidade?

Segundo passo: confira seus objetivos e decida se eles devem ser abordados

- **Objetivos:** O que você espera alcançar com essa conversa? Oriente a sua postura em direção ao aprendizado, ao compartilhamento e à solução de problemas.

- **Decisões:** Será que essa é a melhor forma de resolver o problema e alcançar seus objetivos? O problema está realmente presente na sua conversa sobre a identidade? É possível interferir no problema alterando a sua contribuição? Se você não quiser abordar o problema, o que pode fazer para abrir mão dele?

Terceiro passo: comece pela Terceira História

1. Descreva o problema como a **diferença** entre as suas histórias. Inclua ambos os pontos de vista como parte legítima da discussão.

2. Compartilhe os seus **objetivos**.

3. **Convide** o outro a se juntar a você como *parceiro* na hora de resolver a situação em conjunto.

Quarto passo: explore a história do outro e a sua

- **Escute para entender** a perspectiva do outro sobre o que aconteceu. Pergunte. Abra espaço para os sentimentos que estão por trás dos argumentos e das acusações. Repita com outras palavras para conferir se você entendeu. Tente desvendar como vocês dois foram parar nessa situação.

- **Compartilhe seu ponto de vista**, suas experiências passadas, suas intenções, seus sentimentos.

- **Reformule, reformule, reformule**, para manter a conversa nos eixos. Passe da verdade à percepção, da culpa à contribuição, das acusações aos sentimentos e assim por diante.

Quinto passo: solução de problemas

- Conceba **alternativas** que atendam aos anseios e aos interesses mais importantes de cada um dos lados.

- Determine **parâmetros** para o que *deveria* acontecer. Tenha em mente o parâmetro do cuidado mútuo; relacionamentos que vão sempre por um caminho só raramente duram.

- Fale sobre como manter a **comunicação** aberta à medida que vocês forem fazendo progressos.

Dez perguntas que as pessoas fazem sobre *Conversas difíceis*

Dez perguntas que as pessoas fazem sobre *Conversas difíceis*

1. Tenho a impressão de que vocês estão dizendo que tudo é relativo. Mas será mesmo que não existe verdade e que às vezes algumas pessoas simplesmente estão erradas?

2. E se a outra pessoa de fato tiver más intenções – de mentir, intimidar ou inviabilizar propositalmente a conversa – para conseguir o que quer?

3. E se a outra pessoa for genuinamente difícil, quem sabe até por transtornos psicológicos ou psiquiátricos?

4. Como isso funciona diante de alguém que detém todo o poder – um chefe, por exemplo?

5. Se eu sou o chefe/pai/mãe, por que não posso simplesmente dizer aos meus subordinados/filhos o que fazer?

6. Essa abordagem não é muito americana? Como funciona em outras culturas?

7. E as conversas que não são cara a cara? O que devo fazer de diferente se eu estiver ao telefone ou numa troca de e-mails?

8. Por que vocês aconselham as pessoas a "levar os sentimentos para o ambiente de trabalho"? Não sou terapeuta. As decisões profissionais não deveriam ser tomadas por mérito?

9. Quem tem tempo para tudo isso na vida real?

10. Minha conversa sobre a identidade fica empacada em um "ou isso ou aquilo": ou eu sou perfeito ou eu sou um desastre. Não consigo superar isso. O que eu faço?

1. Tenho a impressão de que vocês estão dizendo que tudo é relativo. Mas será mesmo que não existe verdade e que às vezes algumas pessoas simplesmente estão erradas?

Alguns dos leitores deste livro ficaram se perguntando se não estamos defendendo a tese de que fatos são irrelevantes ou que todos os pontos de vista são razoáveis na mesma medida. Essa questão surge tanto em discussões práticas ("Temos que fechar a fábrica de Newark"; "Meu nome deveria vir primeiro"; "Jasper deveria ficar de castigo por um mês") quanto em outras mais profundas sobre valores e crenças ("Saúde é uma questão de direitos humanos"; "Aborto é assassinato"; "Meu deus é o único deus que existe").

Fatos não são relativos, mas pode ser difícil defini-los

Fatos existem, e as pessoas podem estar certas ou erradas em relação a eles. Vamos começar com um exemplo simples do dia a dia. Se a conta do jantar deu $30,00 e você acha que uma gorjeta de 15% é $6,00, você está errado; 15% de $30,00 são $4,50. Mas, se você acha que 15% é muito pouco e que 20% é "a gorjeta certa", isso é um julgamento, não um fato – mesmo que se baseie em uma pesquisa que mostre que 20% é o valor habitual da gorjeta para aquele serviço naquela região. Essas informações são fatos, mas não fazem necessariamente com que 20% seja o percentual correto.

Para tornar as conversas produtivas, especialmente em um contexto de emoções fortes, altos riscos e percepções complexas, um primeiro passo crítico é distinguir claramente entre fatos, por um lado, e opiniões, suposições, valores, interesses, previsões e julgamentos sobre os fatos, de outro. Seu filho de 5 anos jogar o jantar no chão é um fato; se e como ele deve ser disciplinado é um julgamento. A hora em que você chegou para trabalhar essa manhã é um fato; a visão de seu chefe de que chegar atrasado reflete uma ética de trabalho ruim é uma suposição. Centenas de milhares de pessoas terem sido assassinadas no genocídio de Ruanda é um fato; se os Estados Unidos deveriam ter intervindo é uma questão de interesses, valores e suposições.

Fatos podem ser esclarecidos, verificados e mensurados, mas, mesmo assim, às vezes pode ser difícil defini-los. Assista a qualquer filme de tribunal para ter um exemplo. Um vídeo apresentado como prova parece revelar que ninguém estava presente na cena do crime no momento em questão, mas será que a informação de data e hora está correta? Será que o vídeo foi editado? Existem respostas factuais para essas perguntas, mas podemos ter dificuldade em determiná-las.

Além disso, quando a memória entra em jogo, o nível de incerteza aumenta drasticamente. Estudos mostram que as pessoas, de maneira geral, não são testemunhas muito confiáveis, mesmo quando estão prestando atenção. Muitas vezes temos certeza de lembranças que estão erradas. Podemos, inclusive, transformar memórias inconscientemente, deslocando eventos no tempo e no espaço e cometendo equívocos quanto a quem estava presente, mesmo quando a memória em si parece permanecer vívida e acurada. Cientistas que estudam o cérebro estão começando a entender como esse processo funciona em termos neurológicos e a obter a confirmação de que ele não é raro. Algumas das pesquisas mais recentes, por exemplo, descobriram que, cada vez que você relembra ou reconta algo que está na sua memória, você reescreve essa memória ao devolvê-la ao local de armazenamento. Mesmo num intervalo curto, de 24 horas, sua lembrança pode já ter sido reescrita quase 20 vezes, dependendo de quanto você refletiu sobre ela.

Assim, mesmo quando o que está sendo discutido são fatos, se houver discordância, é imperativo descobrir o que o outro vê e como ele dá sentido a isso. Será que se trata de um simples equívoco, falta de informação, desinformação ou de lembranças seletivas e revisadas, ou será que os fatos são mais dúbios do que você achava?

Nem todas as histórias são equivalentes, mas é preciso ter uma conversa-aprendizado para descobrir isso

A necessidade de entender os fundamentos da história do outro se torna ainda maior quando a divergência gira em torno de interpretações e julgamentos – em torno do *significado* dos fatos. E esse é outro domínio no qual desponta a questão da relatividade: "Você está querendo dizer que a interpretação dele é tão válida quanto a minha? Porque não é, não!" Todos nós sentimos isso às vezes. "Eu entendo de onde vem a expectativa dele; só não acho que seja razoável. Acho que ela é um reflexo das 'questões' e das neuroses dele, não do que é justo."

Para deixar claro, não estamos tentando dizer que todas as interpretações e histórias são válidas na mesma medida. Algumas interpretações são *mesmo* mais razoáveis do que outras, ou pelo menos têm maior probabilidade de assim parecer para a maioria das pessoas. Há várias razões para isso. Algumas histórias refletem uma compreensão mais ampla de determinada situação – ou seja, levam em consideração um volume maior de informações disponíveis. Outras se baseiam em menos suposições, em suposições menos radicais ou em suposições mais intimamente ligadas, no tempo ou no espaço, à situação em pauta. Outras, ainda, contêm menos saltos lógicos ou contradições internas.

No entanto, mais uma vez, para poder comparar histórias de acordo com esses parâmetros – e maximizar as chances de mudar a opinião do outro –, primeiro é preciso se envolver em uma conversa-aprendizado para explorar a história de cada um, saber de onde elas vêm, em que se baseiam e quais são suas interseções. Isso é igualmente válido quer você esteja tentando convencer um adversário, um companheiro de equipe ou qualquer outro tipo de pessoa envolvida.

Como saber o limite? Quando você começar a achar que a opinião do outro está "simplesmente errada", tire um tempo para reexaminar suas suposições. Existe sempre a chance de que ele saiba algo que você não sabe, e não há desvantagem nenhuma em colocar a sua visão à prova nem em procurar entender a do outro. Muitas vezes, *diferentes* interpretações da *mesma* situação podem fazer sentido, como no famoso desenho que pode ser visto tanto como uma mulher idosa quanto como uma jovem. Portanto, analise o ponto de vista do outro em busca do *sentido*, não do *absurdo*. Repita-o com outras palavras, compartilhe onde e por que você não o vê da mesma forma e peça que o outro se manifeste. Procure informações diferentes, interpretações diferentes de informações dúbias ou suposições diferentes em relação às lacunas que ajudem a explicar seus diferentes pontos de vista.

No fim das contas, sua contraparte pode simplesmente não ser persuadida, por mais substancial que seja a conversa-aprendizado de vocês, ou pode optar por não reconhecer o que você ou outras pessoas enxergam, e você vai precisar avaliar em que ponto é melhor seguir em frente sem que haja consenso.

Mas a maioria de nós desiste muito cedo, antes de entender de fato a história do outro e de tentar avaliar com honestidade a legitimidade dela.

Antes de desistirmos, uma coisa que pode ajudar é perguntar ao outro o que ele teria que descobrir para se sentir inclinado a mudar ou, pelo menos, repensar o ponto de vista dele. Mesmo que ele diga que *nada* será capaz de fazer isso, você obtém informações valiosas: descobre que qualquer tentativa adicional de convencê-lo pode ser perda de tempo. Por outro lado, se a resposta for mais sutil, você consegue identificar o desafio e pode avaliar sua capacidade de enfrentá-lo. (A propósito, também vale a pena se perguntar o que *você* precisaria descobrir para mudar de opinião.)

Não importa se verdades são absolutas ou não; nós, seres humanos, temos uma capacidade limitada de percebê-las

Por fim, chegamos à questão de como lidar com pessoas – tanto nós mesmos quanto os outros – que enxergam crenças particulares como verdades absolutas. Podem ser pessoas com visões religiosas que se baseiam em uma fonte sagrada, como a Bíblia, a Torá ou o Alcorão. Ou podem ser pessoas que rejeitam crenças que se baseiam na fé e insistem na primazia de fatos e evidências observáveis e mensuráveis.

Apesar das próprias crenças de cada um, a questão aqui é como conversar sobre esses pontos de vista de modo produtivo. Embora tudo possa parecer ainda mais difícil em um contexto assim, a nossa resposta é a mesma que para qualquer outra conversa-aprendizado: tenha respeito e procure o sentido existente na forma como os outros enxergam a situação. Você pode ter algo a aprender, e entender a história do outro ajuda a encontrar a melhor forma de ajudá-lo a aprender.

Quando nós mesmos enxergamos nossas crenças como verdades absolutas, temos tendência a pensar que elas "sem dúvida são uma exceção a essa regra geral de entendimento mútuo. Se a verdade é absoluta, não seria só uma questão de ajudar o outro a enxergá-la?". Em uma palavra, não. Não temos poder de fazer com que as outras pessoas enxerguem algo da mesma forma que nós enxergamos, e tentativas impetuosas de convencê-las costumam gerar maior resistência em vez de maior compreensão.

O problema, claro, é que as pessoas divergem quanto ao que é verdade.

Por maior que seja a certeza que tenhamos, outras pessoas com visões diferentes têm a mesma certeza. Mesmo em uma comunidade que acredita do fundo do coração em determinadas verdades absolutas, ainda assim pode haver discordância quanto às implicações e ao significado dessas verdades. Nossa experiência como mediadores de um debate em torno dessas questões em um seminário nos permitiu testemunhar uma profunda e complexa apreciação dos desafios de ser um líder moral, um pastor, sem perder a devida humildade em relação à capacidade de qualquer ser humano de decifrar a mente de Deus. "Embora sejamos criados à imagem e semelhança de Deus, todos nós temos um entendimento humano limitado", afirmou um teólogo. "Somos todos almas de mil watts com lâmpadas de quarenta watts."*

Cientistas passam pelo mesmo problema. Embora afirmem a existência de fatos e de proposições observáveis, como as "leis" da física, a maioria dos cientistas que trabalha nos limites do que sabemos e compreendemos mantém um ceticismo saudável em relação ao estado atual do conhecimento. Eles sabem que a próxima descoberta científica pode transformar o que acreditávamos ser verdade, seja na área da exploração espacial, da pesquisa médica ou da física de partículas.

Nesse sentido, a questão crucial é menos sobre *se* existem verdades absolutas e mais sobre até que ponto somos capazes de percebê-las bem. Talvez a única coisa de que um ser humano possa ter certeza absoluta é que não se pode ter nenhuma certeza absoluta. Isso faz parte do domínio *divino*, mesmo que você não acredite em Deus.

Isso não significa que não possamos discutir com paixão e convicção questões com as quais nos importamos profundamente. Mas, ao fazer isso, devemos evitar a arrogância e manter a humildade e o respeito. Afinal, até nossos pontos de vista às vezes mudam com o tempo. Da mesma forma, aqueles que discordam de nós não são necessariamente maus, simplórios pessoas que não pensaram direito no assunto.

---

* Padre Dominic Holtz, O.P., em conversa com Celeste Mueller, Eric Wagner, C.R., Scott Steinkerchner, O.P., Dominic McManus, O.P., Ann Garrido, D.Min. e Sheila Heen, em 27 de fevereiro de 2009, como parte do Truth Symposium Project no Aquinas Institute, em St. Louis, Missouri.

Se encontrar a "verdade" é mais uma jornada do que um destino, conversas animadas com quem enxerga as coisas de maneira diferente são exatamente aquilo de que precisamos para lançar luz sobre nossos pontos cegos, admitir e testar nossas suposições e expandir e aprofundar nossa compreensão.

Podemos fazer melhor

Enquanto escrevemos isso, na primavera de 2010, nosso canto do mundo e muitos outros enfrentam um conjunto desafiador de divergências sociais, políticas, religiosas e morais – inclusive o tamanho e o papel adequados do Estado, reformas nos sistemas de saúde e educação, aborto, casamento homoafetivo, políticas de imigração, segurança nacional, políticas climática e energética e, é claro, a economia. Há ao menos uma percepção de que as pessoas são cada vez menos moderadas e de que o abismo entre pessoas de visões divergentes só aumenta. A raiva e a indignação prevalecem em ambos os lados. Acreditamos que agimos assim porque existe muita coisa em jogo, muita coisa a temer e porque estamos cansados de o outro lado não escutar e não se importar. Estamos fartos da corrupção, da mentira, da estupidez e do egoísmo absurdos que se disfarçam de opiniões bem embasadas e de políticas públicas.

Qual a opinião dos autores deste livro em relação a isso tudo? Nossas diferentes visões em relação à essência desses debates são irrelevantes. Mas temos pontos de vista bem arraigados ao longo do processo. À medida que as divergências aumentam e se tornam mais apaixonadas, é mais difícil – e ao mesmo tempo mais importante – manter uma boa comunicação. Com um ponto de vista acalorado vem a responsabilidade de se informar melhor sobre as questões em jogo e de escutar as pessoas com pontos de vista diferentes. Não necessariamente com o objetivo de concordar ou de encontrar um meio-termo. Mas *pelo menos* com o objetivo de entender como seu vizinho enxerga a questão. Não a mídia, a internet ou a blogosfera, nem adesivos e cartazes, mas o seu *vizinho*, esteja ele do outro lado da rua ou do outro lado do país.

Considere a seguinte afirmação: quanto maior a nossa paixão em relação aos assuntos que importam de verdade para nós, maior a probabilidade de termos uma visão caricata daqueles que enxergam as coisas de outra forma. Essa declaração pode enfurecer você. Você pode ser contra uma generalização tão ridícula. Mas experimente invertê-la: quando os outros acreditam que o *seu* ponto de vista é egoísta, superficial, equivocado ou até mesmo maldoso, você acha que eles estão enxergando você com clareza? O que eles leram e ouviram é um retrato fiel do que você vê e sente? Não. Eles transformaram você numa caricatura que pode ser rejeitada sem que eles tenham de encarar o fato de você se importar tanto quanto eles, de você ser uma pessoa de princípios e convicções e de você estar trabalhando muito para fazer o que é certo diante das mesmas limitações e fragilidades que todo ser humano enfrenta.

Assim como eles.*

2. E se a outra pessoa de fato tiver más intenções – de mentir, intimidar ou inviabilizar propositalmente a conversa – para conseguir o que quer?

Não sabemos ao certo o que está motivando a outra pessoa. O que parece deliberado e estrategicamente intencional para nós pode ser uma reação emocional e intempestiva em resposta a um gatilho que desconhecemos ou uma resposta impensada de alguém no limite da capacidade de permanecer construtivo. Com uma frequência surpreendente, uma mentira "óbvia" e egoísta acaba sendo a verdadeira crença de uma pessoa.

No entanto, as pessoas mentem e às vezes estão, sim, mal-intencionadas. E, sem dúvida, há situações em que as pessoas – de maneira intencional ou

---

* Esta é uma lição fundamental do trabalho do Public Conversations Project, que media o diálogo respeitoso entre defensores convictos de pontos de vista divergentes sobre questões como aborto e casamento homoafetivo. Por repetidas vezes os participantes dessas conversas-aprendizado ficaram surpresos ao saber quanto seus valores mais arraigados contêm pontos em comum com os de seus "oponentes" de longa data. Muitas vezes eles descobriram que suas conclusões extremamente divergentes são resultado de diferenças sutis no peso que dão às mesmas preocupações. E sempre acabam por enxergar o verdadeiro lado humano do "outro". Para mais informações, consulte o site do Public Conversations Project: www.publicconversations.org.

não – manipulam, ameaçam, atrasam, ofuscam, intimidam ou atrapalham as outras na tentativa de conseguir o que querem.

Em situações assim, temos três conselhos iniciais. Primeiro, tenha cuidado ao recompensar o mau comportamento. Se você desiste e dá às pessoas o que elas querem simplesmente para "evitar aborrecimento", acaba ensinando a elas que se comportar mal vale a pena e é provável que veja essa atitude se repetir.

Segundo, cuidado com a reação "na mesma moeda" ou "jogando o jogo deles". Lembre que seu comportamento pode afetar sua reputação muito além dessa interação. Portanto, mesmo que estejam mentindo para você, dificilmente será útil mentir de volta e prejudicar a sua reputação de integridade.

Observe que ser *digno* de confiança não é o mesmo que ser *confiável*. Se a outra pessoa não conquistou sua confiança, você não tem nenhuma obrigação de oferecê-la. Se eles "desafiarem" você, lembre-se da "postura do *e*": "Você não confia em mim?" "Na verdade, eu não te conheço o suficiente para saber e, se você estiver dizendo a verdade, presumo que não veja problema em fornecer provas ou garantias." Em vez de simplesmente reagir da mesma forma, concentre-se no seu objetivo e em como caminhar em direção a ele.

Terceiro, procure entender por que a outra pessoa acha que as intenções e as ações dela são justificáveis. Temos a tendência de associar maus comportamentos a falta de caráter: o outro mentiu porque é uma pessoa ruim. Infelizmente, se fizermos essa suposição, não haverá mais nada a ser feito – o outro não tem mais chance. Na verdade, é provável que as pessoas acreditem que as intenções delas se justificam de algum jeito (por exemplo, pela forma que acreditam que você as tratou) e que, nessas circunstâncias, aquele comportamento é necessário para evitar que outros se aproveitem delas. Embora possamos não concordar com o ponto de vista delas, é útil entender essa lógica. Porque *existe* uma lógica, existe a possibilidade de convencê-las de que outra abordagem faz mais sentido.

Vejamos um exemplo.

A história de Colin

Colin e Matt são sócios, cada um detendo 50% de uma empresa de webdesign. Colin explica:

Matt costuma ser bem racional, mas, quando ele quer muito uma coisa, se utiliza da raiva e de ameaças para conseguir. Pouco tempo atrás, estávamos debatendo sobre a nossa marca e, de repente, ele explodiu: "Vamos refazer tudo! Estou farto de você sempre escolher a opção mais segura!" Eu falei que gostava dos nossos rumos atuais. Ele respondeu com uma ameaça: "Vou jogar tudo pro alto e vender minha parte na sociedade se a gente não fizer do meu jeito." No começo, quando ele fazia algo assim, eu cedia. Isso funcionou por um tempo, mas é claro que o Matt ficava furioso sempre que queria que algo saísse do jeito dele e eu fui ficando cada vez mais ressentido. Ultimamente tenho tentado reagir: quando ele grita, eu grito mais alto. Mas isso só piora o conflito, e agora parece que as coisas estão perto de sair do controle.

Colin tentou lidar com esse problema primeiro cedendo e, mais recentemente, reagindo à altura. Nenhuma das duas coisas ajudou.

Ceder. Há momentos em que é preciso ceder – quando você está convencido de que a outra pessoa tem razão; quando a outra pessoa se importa muito com o resultado e você se importa pouco; quando qualquer solução é melhor que nenhuma solução e você precisa de uma resposta imediata. Mas, como estratégia de longo prazo para lidar com comportamentos problemáticos, não ajuda em nada. Ceder é recompensar o mau comportamento, e o que é recompensado tende a se repetir.

Reagir à altura: jogar o jogo do outro. Existem relações em que a volatilidade recíproca é a norma – um equilíbrio que é satisfatório para ambos os lados. Às vezes as pessoas nos dizem: "Meu marido e eu gritamos e brigamos o tempo todo, mas depois passa. Vocês estão dizendo que isso não é bom?" Nossa resposta é que, se estiver funcionando para os dois, tudo bem. O que importa é que ambas as partes se sintam à vontade com qualquer nível de engajamento que ocorra e que estejam dando o mesmo sentido a ele.

Para muitas pessoas, esses relacionamentos *não* são confortáveis. O raciocínio delas é: "Se ela me trata assim, isso é sinal de desrespeito. Ela sabe quanto isso me incomoda." Assim como Colin, essas pessoas podem levar horas ou dias para se recuperar de uma discussão acalorada ou de um ataque pessoal.

O que pode ajudar

É fácil enxergar por que Colin se vê diante de um impasse. Se ceder raramente ajuda e reagir à altura também não, o que fazer?

Primeiro, é claro, pode ser útil imaginar como Matt está vendo a situação e procurar um possível ciclo vicioso de contribuições, do tipo "ação e reação". Por exemplo, talvez Matt ache que Colin está intimidando *ele* ao vetar todas as mudanças. Matt pode até mesmo enxergar isso como uma estratégia passivo-agressiva deliberada – e, portanto, irritante.

Hipóteses como essa oferecem um novo caminho potencialmente frutífero para a discussão. Mas, a título de exemplo, vamos supor que Matt decida manter sua abordagem do ultimato, na crença, consciente ou não, de que ela vai funcionar. O que mais Colin pode fazer?

Nomeie a dinâmica: explicite o problema. No capítulo 11 explicamos o poder dessa técnica. Nomear a dinâmica é algo a ser aplicado quando esforços persistentes em escutar e resolver problemas de boa-fé fracassaram.

Nomear a dinâmica requer que você coloque "em pauta, como tópico para discussão, algo que percebe que está acontecendo na própria conversa". É especialmente válido tornar explícita a regra implícita do outro lado quanto a como tomar decisões. Nesse caso, a regra implícita que Matt parece querer que Colin adote é: "Quando me irrito, eu consigo o que quero." Dito dessa maneira, é óbvio que essa seria uma péssima forma de administrar um negócio ou manter uma relação de trabalho. O problema fica ainda mais claro quando você aplica o teste de reciprocidade: *E se nós dois estivéssemos usando essa estratégia?* Uma empresa não vai ter sucesso alocando recursos ou escolhendo uma campanha de marketing com base em quem grita mais alto.

Ao nomear a dinâmica, Colin deve evitar atribuir intenções. Ele não deve dizer "Você sempre se irrita para tentar conseguir o que quer". Matt pode não admitir ou perceber que se irrita, e é muito provável que considere a ideia de que tenta conseguir o que quer fazendo birra como sendo exceção.

É muito provável que essa conversa se transforme em uma discussão inútil sobre a verdadeira intenção de Matt.

Em vez disso, Colin deve usar a Terceira História para descrever o dilema e fazer um convite para a solução conjunta de problemas: "Você tem um desejo muito forte de repensar a nossa marca do zero. Eu gosto dela do jeito que está. Quando você e eu discordamos totalmente, como podemos decidir o que fazer?" Se Matt responder dizendo "Bem, se não fizermos do meu jeito, estou fora", Colin pode nomear *esta* dinâmica: "Bom, então uma das formas de decidir é ver quem está mais disposto a pular fora. Não me parece um processo sustentável de tomada de decisões, nem com grandes chances de conduzir às melhores decisões. Acho que uma abordagem melhor é dar um passo para trás, olhar novamente para os nossos objetivos em relação a esses materiais e, a partir disso..."

Nomear a dinâmica é, ao mesmo tempo, neutro (a Terceira História) e neutralizador (Colin não pode forçar Matt a acreditar naquilo em que ele não acredita, mas Matt também não pode forçar Colin). A postura de Colin é firme e centrada: "Estou aberto a ser convencido, mas ainda não estou convencido. E sou eu quem determina se estou ou não. Sua raiva ressalta a certeza que você tem, mas não tem nenhuma influência sobre os dados legítimos, o raciocínio e os princípios que ajudariam a me fazer mudar de ideia."

Esclareça as consequências. Com base na descrição feita por Colin, é difícil saber ao certo quão chateado ele está. O comportamento de Matt é só um aborrecimento ou Colin se sente um saco de pancadas? No caso da última opção, existe o risco de Colin querer fazer o discurso do "Chega", no qual ele exige que Matt repense seu comportamento intempestivo: "Já estou de saco cheio de gritos e ameaças. Não vou mais tolerar isso! Chega!"

Isso soa bem dentro da sua cabeça quando você está ensaiando de que jeito vai dizer umas verdades para o outro. O problema surge quando você examina atentamente se vai ser uma estratégia eficaz. Quando Colin estiver falando, imagine o que pode estar dizendo a voz interior de Matt. Ele pode estar pensando "Você está maluco, eu não fico com raiva", ou "Mais uma prova de que você é sensível demais", ou "Não vem me dizer o que fazer", ou "Eu sou mais passional do que você, e daí?". E observe, do ponto de vista de Matt, que *ele* já estava usando o discurso do "Chega" quando disse a Colin que estava cansado de escolher a opção mais segura. Isso não teve um impacto muito bom sobre Colin, e há poucas razões para acreditar que Colin conseguiria alguma coisa tentando a mesma abordagem com Matt.

Portanto, recomendamos algo diferente. Colin pode decidir, dentro da própria cabeça, que chega – não há nada de errado em se sentir resoluto. Mas, em vez de tentar controlar Matt (dizendo, *literalmente*, que chega), ele deve se concentrar no que ele, Colin, vê, pensa, quer e pretende fazer. Os pontos principais podem incluir:

- Eis o que eu vejo.
- Esse é o impacto que isso tem em mim.
- Você pode discordar das minhas percepções ou achar que seu comportamento se justifica.
- Não importa qual de nós dois tem razão. Nossa maneira atual de interagir não está dando certo pra *mim*.
- Gostaria de pedir que você mude esse comportamento.
- Se isso continuar, eis o que vou fazer.

Colin não está insistindo em ter razão. Ele *acha* que tem, mas não tem como *saber*. O que ele sabe é que, do jeito que estão, as coisas não estão funcionando para ele. Colin precisa que Matt entenda isso não para controlá-lo, mas para fornecer as informações necessárias para ele fazer escolhas bem embasadas sobre se e como deve modificar seu comportamento. É claro que, para usar essa abordagem, Colin terá que refletir cuidadosamente sobre quais serão as consequências caso não haja nenhuma mudança e descrevê-las claramente para Matt.

Essas mesmas estratégias são igualmente úteis com outros comportamentos difíceis. Se o outro está sempre mudando de assunto ou transformando a conversa em um ataque a você, se esforce para entender o ponto de vista dele e esteja aberto, de boa-fé, a buscar soluções. Mas, se o outro continuar tomando atitudes que parecem tentativas intencionais de sabotagem ou de intimidação, nomeie a dinâmica (há mais exemplos no capítulo 11) e, se necessário, esclareça as consequências caso não haja nenhuma mudança.

3. E se a outra pessoa for genuinamente difícil, quem sabe até por transtornos psicológicos ou psiquiátricos?

Um ponto que se repete diversas vezes neste livro é que as interações humanas são complexas. Os problemas costumam surgir devido à *interseção* de estilos, comportamentos, suposições e interesses, não porque uma pessoa é totalmente boa e a outra é totalmente má.

Mesmo assim, algumas pessoas realmente são mais difíceis de lidar do que outras.

Depressão, ansiedade, transtorno bipolar, dependência química, transtorno obsessivo-compulsivo, narcisismo, transtorno de déficit de atenção e outras patologias subjacentes (que podem variar, em intensidade, de leves a graves)* podem contribuir para um sem-número de desafios interpessoais que geram preocupação, ineficiência, frustração e desespero em amigos e colegas. Quem vive ou trabalha com alguém com transtorno mental sabe quão desafiador isso pode ser. Uma boa habilidade de comunicação pode ajudar, especialmente quando pensamos nos muitos tipos de conversa que esses desafios exigem, mas o mais importante será o apoio da família, dos colegas e da comunidade, bem como dos profissionais de saúde mental.

Existem pelo menos duas coisas que podem ajudar. Primeiro, embora muitas vezes descrevamos a perspectiva e o comportamento da pessoa com transtorno mental como "loucos" ou "irracionais", a verdade é que muitas dessas síndromes têm, sim, uma lógica interna. Alguém com transtorno obsessivo-compulsivo sente que precisa seguir certos rituais, caso contrário enfrentará consequências extremamente graves (embora geralmente fantasiosas). Apesar de serem perturbadores e, em alguns casos, incapacitantes, esses rituais são uma forma de automedicação contra a intensa ansiedade.

---

* Tendemos a achar que as pessoas ou têm transtornos mentais ou não, que elas ou "têm alguma coisa" ou não. Mas não é uma questão de sim ou não. No livro *Shadow Syndromes*, os autores John Ratey e Catherine Johnson argumentam que pessoas que não foram clinicamente diagnosticadas com uma doença mental ou com um transtorno de personalidade mesmo assim podem sofrer de patologias fisiologicamente induzidas – versões "sombra" de distúrbios conhecidos, como transtorno obsessivo-compulsivo, depressão, ansiedade, dependência química e raiva – e que tais patologias são mais comuns do que se imagina.

A dependência química também tem uma lógica interna: o dependente escolhe o prazer a curto prazo (ou a redução da dor) em detrimento da dor a curto prazo. Ignorar o fato de que isso provavelmente vai provocar uma dor ainda maior amanhã faz sentido, de algum modo, quando seu objetivo é simplesmente atravessar aquele dia. Isso não torna essa lógica correta ou racional nem faz dela uma boa escolha. Mas, se formos capazes de entender a doença de dentro para fora, isso pode nos dar uma ideia de por que nossos entes queridos ou colegas estão se comportando daquele jeito, se e como podemos ajudá-los e sobre o que às vezes fazemos que, sem querer, agrava seus sintomas.

Afinal de contas, aqueles que lutam contra depressão, fobias e distúrbios mentais e emocionais não estão sendo difíceis de propósito, para ferir ou frustrar os que estão à sua volta. Eles fazem o que podem para lidar com a visão distorcida do mundo que a doença lhes impõe. Isso não os isenta de responsabilidade por suas ações. Mas ter em mente que é a doença que os leva a se comportarem de maneira nociva pode ajudar a diminuir o impacto que isso tem sobre nós.

E lembre que, além da doença mental diagnosticada clinicamente, desafios menos graves também podem provocar sérias desconexões em nossos relacionamentos. Algumas pessoas são imprevisivelmente emotivas, irritadiças, sensíveis, egoístas ou simplesmente não muito abertas a ver as coisas de outra forma. Você pergunta à sua colega de trabalho como foram as férias dela e ela dispara que "só ficou fora três dias!". A resposta dela parece estranhamente defensiva, até você perceber que ela "ouviu" sua pergunta como uma acusação: "Por que você ficou *tanto tempo* de férias?!" De vez em quando, todos nós presumimos que as intenções dos outros são excessivamente negativas. É disso que trata o capítulo 3. Mas algumas pessoas fazem isso com mais frequência do que a maioria e com maior certeza ("É *claro* que isso foi uma acusação!"). Os ciclos autorrealizáveis que resultam daí podem ser enlouquecedores e difíceis de romper.

Diante de tais desafios, é importante lembrar que não há como garantir um resultado específico. Você não pode forçar outra pessoa a mudar nem a fazer o que você quer. Além disso, se você medir seu êxito pelo seu potencial de induzir os outros a fazerem o que você quer, estará deixando o resultado inteiramente nas mãos deles e piorando a situação para você. Seu objetivo deve ser fazer o melhor possível para alimentar um intercâmbio produtivo e garantir que as suas próprias ações não sejam parte do problema, mas contribuam de alguma forma para as reações dos outros.

Com esse alerta em mente, muitas vezes conseguimos encontrar abordagens que ajudam a transformar dinâmicas difíceis. Os detalhes dependem de cada contexto, mas em todos os casos eles partem de primeiro tentar entrar na perspectiva do outro para entender o sentido que a situação tem para eles, por mais diferente ou bizarro que possa parecer para você. A título de ilustração, vamos dar uma olhada em três exemplos.

A história de Addy

Addy está no meio de uma briga entre a mãe e sua tia Robin, irmã da mãe:

> Tia Robin está sempre falando de quão egoísta minha mãe é, uma pessoa terrível, e tenta me fazer concordar com ela. Nos últimos cinco anos, defendi minha mãe com firmeza, mas sendo delicada, tentando ao mesmo tempo ajudar tia Robin a equilibrar sua visão. Mas tia Robin literalmente grita no telefone. Ela diz coisas quase aleatórias, como: "Sua mãe diz que eu nunca me lembro de mandar um cartão nos aniversários dos netos dela! Bem, sua mãe é uma grande mentirosa!" Explico calmamente a visão da minha mãe. Não adianta. Também tentei compartilhar os impactos: "Tia Robin, quando você diz coisas assim sobre a minha mãe, eu fico chateada." Não adianta. Tento a empatia, reconhecendo que ela está passando por um momento difícil. Não adianta. Aponto a contribuição que a tia Robin deu para aquela situação. Não adianta. E, às vezes, eu perco a paciência: "Como você ousa falar assim da minha mãe?!" Isso também não adianta.

O que pode ajudar

Fazer a distinção entre ajudar e resolver. Addy sabe que sua tia Robin é solitária e difícil, e parte de sua motivação ao interagir com a tia é tentar ajudar a aliviar esses sentimentos. Pelo menos, se questionada, é isso que Addy responderia, e é nisso que ela acredita. Mas, quando olha mais a fundo, ela descobre que sua motivação não é *apenas* ajudar a tia Robin, mas *corrigir* a tia, fazer com que ela ajuste o seu comportamento à visão de Addy de como as pessoas devem conversar e interagir.

Mas essa mudança está além da capacidade de Addy. Em sua mente, Addy é como o Max de *Onde vivem os monstros*, o menino-rei viajante que naufraga em uma ilha povoada por "monstros" incorrigíveis e assustadores. Max balança a varinha e pronuncia as palavras "Fiquem quietos". E eles ficam.

Infelizmente, nosso mundo não funciona assim. Embora seja difícil abrir mão dessa ilusão de controle, esse é o primeiro passo para encontrar uma abordagem que seja útil de verdade.

Pense no que pode estar acontecendo na cabeça da tia Robin. Algo importante está em jogo para Robin nessas conversas, caso contrário ela não insistiria tanto nelas. A *conexão* é importante para ela. A interação negativa é melhor do que nenhuma interação. Robin provavelmente quer sentir que é amada e que faz parte de uma família – na qual tem um papel importante. Além disso, podemos presumir, pelo seu nível de frustração, que Robin não se sente ouvida. Ela quer contar para alguém que está chateada com a irmã, mas não encontra ninguém disposto a escutar. Addy precisa achar uma abordagem que acolha esses interesses fundamentais e, ao mesmo tempo, dê uma direção diferente à conversa.

Experimente usar a Grande Reformulação. Essa abordagem tem como objetivo estremecer um pouco as bases da conversa. Isso geralmente não é uma boa ideia, mas, se as coisas estiverem empacadas ou indo numa direção catastrófica, às vezes trazer alguma energia poderosa vinda de uma direção diferente pode ajudar.

Eis um exemplo do que Addy pode dizer: "Bem, não tenho dúvida de que a minha mãe às vezes é um porre! Só Deus sabe os defeitos dela! Talvez todo mundo em nossa família seja um porre. Mas, se tem uma coisa que eu sei, é que a minha mãe ama você e que você a ama, e eu sei que isso significa muito para vocês duas."

Existem várias razões pelas quais uma declaração como essa pode ser útil. A primeira é que ela contém um pouco de humor, uma leveza que serve como um lembrete de que aquilo não é o fim do mundo. A segunda é que há uma grande carga de empatia desde o princípio. Concordar com a afirmação de que a mãe de Addy às vezes é um porre pode parecer desleal, mas provavelmente é verdade (já que todo mundo pode ser um porre às vezes, especialmente em família). Robin passou anos tentando convencer *alguém* a ouvir a frustração dela, não apenas defender sua irmã.

A terceira é que ela expressa amor. Ao verbalizar que as duas se amam e que isso é importante para ambas, Addy está assegurando a Robin que ela é amada e dando a ela um papel importante na família, o que deve ajudar a atenuar seu medo de ficar sozinha.*

A história de Peter

Peter é chefe de Lucera em uma grande empresa farmacêutica. Como o próprio Peter explica:

> Lucera é uma cientista brilhante, extremamente trabalhadora, e tem um instinto muito forte no trabalho em laboratório. Mas é muito difícil trabalhar com ela. Quando alguém tenta lhe dar um feedback, ela o rejeita de forma quase agressiva, listando os motivos pelos quais aquilo é errado, tendencioso, politicagem, qualquer coisa. Pouco tempo atrás, conversei com ela sobre dois de seus subordinados diretos que a consideravam excessivamente crítica e a resposta dela, em ambos os casos, foi: "Olhe bem pra fonte." A seguir ela acrescentou que, na verdade, havia atenuado suas críticas sobre atrasos e tentado demonstrar mais apreço pelos colegas, por isso achava especialmente desagradável eles estarem tentando sabotá-la daquela forma. Perguntei se era possível que houvesse alguma

---

* Há um artigo de Tad Frien na edição de 13 de outubro de 2003 da revista *The New Yorker* sobre pessoas que pulam da Golden Gate Bridge tentando cometer suicídio. O artigo menciona Kevin Briggs, um patrulheiro motorizado, que "tem um talento especial para localizar essas pessoas e fazê-las desistir de pular; ele persuadiu mais de duzentos suicidas potenciais sem perder um único...". Briggs não fala diretamente com as pessoas sobre pular ou não pular. Em vez disso, ele usa a Grande Reformulação: "Quais são seus planos pro dia de amanhã?", pergunta. Se as pessoas não tiverem nenhum, ele diz: "Bem, então vamos fazer um." (Essa história chamou nossa atenção por causa da música "Gatekeeper", de Meg Hutchinson.)

validade no que eles estavam sentindo e ela disse que não, que era óbvio que o ataque era motivado por ciúmes profissionais.

O que pode ajudar

Identifique os "pontos cegos". A história de Peter sugere que Lucera pode estar sendo influenciada pela falta de uma visão mais ampla. Nessa dinâmica, os sinais que comunicam claramente raiva, postura defensiva, repulsa ou vulnerabilidade passam despercebidos ao interlocutor, no que chamamos de "ponto cego". Os três principais pontos cegos são o tom de voz, as expressões faciais e a linguagem corporal. Quem ouve tem muita consciência deles, mas quem fala, não. "Sim, achei o erro dele abominável, mas não falei nada, então como foi que ele percebeu?" A outra pessoa sabe porque, para ela, é óbvio. Mensagens vazam de maneira não verbal, escapando da consciência do interlocutor.

O que isso significa para Lucera é que ela está deixando passar muitas informações sobre por que as pessoas estão fazendo aquilo. Do ponto de vista dela, a "nova Lucera" é amigável e tolerante, mesmo diante de toda a incompetência que a rodeia. Ela não presta atenção em suas contribuições contínuas mais sutis (porém igualmente impactantes) para o problema – por exemplo, a forma como ela comunica repulsa ao revirar os olhos e mudar o tom de voz. Quando uma pessoa diz que se sente maltratada por Lucera, ela pensa: "Mas eu *não* estou maltratando ninguém." Ela então se pergunta por que uma pessoa alega estar sendo maltratada quando não está. A resposta só pode ser que a pessoa tem outra motivação para dar aquele feedback negativo – ciúmes, ambição, avareza ou uma personalidade difícil.

A explicação para o fato de Lucera achar que todo comentário feito sobre ela é injusto é que ela realmente acredita nisso. É a única justificativa na qual ela consegue pensar.

Duas coisas podem ajudar Peter a romper o déficit de percepção que faz Lucera se fechar em si mesma.

Fornecer a Lucera os dados que faltam. Lucera pode ser capaz de perceber os comportamentos dos quais não está ciente ao assistir a uma gravação de si mesma em vídeo. Supondo que Lucera seja sensível a esse comportamento nos outros quando direcionado a ela,* talvez seja capaz de identificá-lo ao assistir a si mesma, ainda que perceber isso possa ser doloroso. Se ficar provado que Lucera está se comunicando de uma forma da qual não está ciente, deve ser mais fácil para ela processar outras explicações para os comentários a seu respeito. Peter pode trabalhar em conjunto com ela para repensar o que dizem os relatórios sobre ela e a forma como ela lida com eles.

Debater as implicações de outro ponto de vista. Outra coisa que Peter pode dizer é: "Vamos deixar de lado por um minuto a questão de definir se a reclamação *é ou não é* legítima e, em vez disso, nos perguntar *E se ela for* legítima? Que significado isso teria? Quais seriam as implicações disso para você?"

Como sabemos, uma das razões pelas quais as pessoas discutem sobre o que aconteceu é quando o ponto de vista de uma ameaça a identidade da outra. Essa abordagem toca diretamente nessa questão, talvez permitindo que Peter ajude Lucera a encontrar uma forma de se sentir menos ameaçada pela perspectiva de descobrir que seu comportamento teve consequências não intencionais.

A história de Matamba

Matamba estava trabalhando em um grupo que não gostava muito do novo chefe:

> Nosso antigo chefe era muito colaborativo e tentava tomar todas as decisões com base no mérito. E, caso você discordasse dele, era muito fácil expor isso. Você no mínimo seria ouvido. Esse cara novo é muito vertical, até um pouco autoritário. Fazer perguntas é algo tolerado, porém raramente bem-vindo. E às vezes ele se torna absolutamente rígido e fica a sensação de que haverá retaliações caso você insista. Como não queremos recompensar mau comportamento, o grupo tenta confrontá-lo nessas

---

* Se Lucera *não* for sensível a tais indícios em outras pessoas, existe a possibilidade de que ela sofra de algum distúrbio, como a síndrome de Asperger no espectro autista. Como ela costuma ser fucional a maior parte do tempo, é provável que, com dedicação, consiga aumentar sua consciência em relação a tais indícios em si mesma e nos outros.

ocasiões, mas isso parece sempre colocar o conflito numa escalada muito rápida e destrutiva. "Explicitar o problema" e pedir para falar sobre ele também não parecem funcionar!

O que ajudou

Lembrar que a agressividade pode brotar do medo. No caso de Matamba, um consultor amigo dele levantou a hipótese de que, nessas situações difíceis, o novo chefe poderia estar verdadeiramente assustado. Matamba sabia que o chefe era ambicioso e muito preocupado em sempre parecer bem-sucedido, e as perguntas do consultor ressaltaram o fato de que os momentos difíceis com o chefe costumavam ocorrer quando seus subordinados propunham um curso de ação não testado. O consultor sugeriu que o chefe tinha medo de que as ideias de seus subordinados pudessem resultar em humilhação, vergonha e "fracasso" público.

Esclarecer e legitimar a preocupação. Em vez de marcar posição e se opor ao chefe com mais firmeza ainda, como o grupo vinha fazendo, o consultor recomendou que Matamba e seus colegas perguntassem ao chefe o que o estava deixando preocupado: "Você tem receio de que algo aconteça se seguirmos nessa direção?" Quando experimentaram isso, ficaram surpresos ao ver que ele tinha a resposta na ponta da língua. Ele expôs um cenário conturbado que era plausível, porém pouco provável. Compreender esse receio permitiu que eles o legitimassem e falassem sobre ele: "Uau, isso também me preocuparia! Portanto, vamos garantir que não aconteça. E se concordarmos em fazer de tal forma que *não tenha* como isso acontecer?" Por sua vez, isso levou o chefe a dar uma resposta pela qual o grupo não esperava: "Ah. Seria ótimo. Desde que isso esteja claro, façam o que quiserem."

Dois pensamentos finais

Lembre-se da contribuição conjunta. Reconhecer que algumas pessoas *são* mesmo mais difíceis que outras pode fazer com que sejamos displicentes. Mesmo uma personalidade genuinamente desafiadora pode se tornar ainda mais desafiadora quando provocada. O fato de uma pessoa ser paranoica não significa que não haja ninguém tentando prejudicá-la. Você deve estar sempre atento – consciente ou inconscientemente – às formas como pode estar ajudando a criar ou manter uma dinâmica difícil. E, como é difícil enxergarmos nossas próprias contribuições, pode ser necessário recorrer aos olhos e às impressões de observadores neutros, sem nenhum interesse no resultado.

Paciência e persistência compensam. Muitas vezes, quando alguém resiste em admitir que contribuiu para determinada situação, é porque isso ameaçaria sua identidade. Nesses momentos, essa pessoa pode precisar da sua ajuda para encontrar um jeito de analisar a contribuição dela que preserve a própria identidade ou a ajude a ter uma visão menos rigorosa de si mesma.

Para muitos de nós, os conceitos de múltiplas perspectivas válidas, contribuição conjunta, contribuição sem culpa e identidade sem perfeição podem ser novos. Pode levar algum tempo para que essas ideias sejam assimiladas e deixem de ser desconfortáveis. Não desista fácil nem se surpreenda quando a mudança chegar. É trágico, mas muito comum, que, quando alguém começa a mostrar um pouco de abertura ao diálogo colaborativo, nós já estejamos tão desanimados que deixamos de perceber esses sinais.

4. Como isso funciona diante de alguém que detém todo o poder – um chefe, por exemplo?

Seja no contexto de discordar do seu chefe em uma reunião ou de falar com ele em particular para entender melhor uma tarefa, empregar as habilidades ensinadas neste livro, sem dúvida, parece mais difícil de baixo para cima do que de cima para baixo na hierarquia. Muitos chefes dizem que querem ser desafiados por seus funcionários, mas poucos desejam isso de verdade. Se os funcionários forem punidos – ainda que de maneira sutil – por fazerem perguntas difíceis, não as farão. As pessoas alinham suas ações aos incentivos implícitos, não à retórica oficial.

Não incentivamos você a correr riscos apenas pela adrenalina, nem porque é "a coisa certa a ser feita". Este não é um livro sobre o direito de se expressar e ser despedido. É uma questão de custo e benefício. Em raras ocasiões vale a pena botar todos os pingos nos is, mesmo que você seja demitido; na maioria dos casos, não vale. São poucas as situações em que se expressar tem consequências tão graves, e muitas vezes há benefícios invisíveis. Expressar-se abertamente, com confiança e habilidade, pode gerar tensões a curto prazo, mas gera respeito a longo prazo entre os seus pares e, muitas vezes, até mesmo com seu chefe. E, em muitas ocasiões, não gera nenhuma tensão.

Existem algumas ideias preconcebidas que tornam o desafio ainda mais difícil. Pesquisas indicam que a grande maioria dos chefes acredita que seus funcionários os consideram eficazes, competentes e atenciosos, mas apenas uma minoria de funcionários afirma enxergá-los de maneira positiva. Isso não é surpresa; ter que dar feedbacks negativos e más notícias para subir numa empresa é como fazer a água de uma cachoeira correr de baixo para cima.

O que fazer?

Use o poder da influência. Façamos distinção entre dois tipos de poder: o controle e a influência. Controle é a capacidade unilateral de fazer algo acontecer. Influência é a capacidade de afetar o que outra pessoa pensa. Dentro de certo limite, seu chefe tem o poder do controle. Ele pode demiti-lo, transferi-lo ou designá-lo para projetos com pouco apelo sem que precise negociar. (É claro que isso é uma caricatura. Geralmente existem limites, formais e informais, à capacidade das pessoas de tomar essas decisões unilaterais.)

Por outro lado, você não pode demitir nem transferir seu chefe. Contudo, reconhecer explicitamente que é ele que toma as decisões pode torná-lo muito mais receptivo a ouvir suas opiniões. De modo que você pode dizer ao seu chefe: "Eu sei que há muitos fatores que você tem que levar em consideração e que, no fim das contas, estou dentro, não importa o que você decida. Queria só me certificar de que, ao refletir sobre isso, você esteja ciente de que..."

Nesse momento, é mais provável que seu chefe esteja aberto à influência, porque não precisa contra-atacar, defender o território dele ou deixar claro que essa decisão cabe a ele. Você deu um sinal claro de que está ciente da hierarquia, o que lhe permitirá relaxar e ser mais receptivo.

Agora diga ao seu chefe o que é importante para você e por quê. É surpreendente quantas vezes as pessoas nos dizem que "tentaram de tudo" para influenciar o chefe, mas, quando perguntamos "Você já falou pro seu chefe que isso é importante para você?", elas respondem: "Bem, acho que ele devia saber." Mas ninguém nunca disse com todas as letras: "Isso é importante pra mim." Deixar claro por que algo é importante para você tem impacto no outro. Ele pode ficar convencido ou não– isso vai depender da força do seu argumento e das outras opções –, mas sofrerá um impacto. O objetivo não é ameaçar, mas oferecer ao seu chefe as informações necessárias para tomar uma decisão bem embasada.

As pessoas muitas vezes nos perguntam como discutir "contribuição conjunta" quando quem está do outro lado é o seu chefe. Na maioria dos casos, provavelmente não é uma boa ideia dizer ao seu chefe: "Claro, contribuí para este problema, mas você contribuiu ainda mais!" No entanto, isso não significa que você tenha que abandonar completamente esse tópico. Independentemente de seu chefe admitir ou não, ele *contribuiu* para qualquer que seja o problema, em maior ou menor medida. Ele pode ter sido fechado demais, pode ter confiado demais no ponto de vista dele, esperado que você fosse capaz de ler pensamentos ou deixado claro que você não devia fazer perguntas. Talvez a "política de portas abertas" dele inclua multas para quem de fato cruzar essas portas para conversar.

Use a linguagem da solicitação. Como abordar essas preocupações? Uma forma é usar o que chamamos de *linguagem da solicitação* no lugar da linguagem da contribuição conjunta. Em vez de dizer "Parte do motivo pelo qual não consegui preparar isso a tempo foi que você esperou até sexta-feira à tarde para me pedir", diga "Estou totalmente comprometido em garantir que isso não se repita. Identificamos três coisas que preciso fazer de maneira diferente: [a, b e c]. Outra coisa que seria muito útil para mim é se eu tivesse prazos maiores nos projetos mais complicados. Se eu receber as tarefas na quarta-feira em vez de na sexta, isso vai me permitir conjugar os novos projetos com os que estão em andamento e com outros compromissos difíceis de reagendar. Não sei até que ponto isso seria possível. O que você acha?"

Lembre-se de ouvir! Paradoxalmente, também existe um enorme poder de persuasão em fazer perguntas e escutar. Como dissemos no capítulo 9, escutar não é apenas captar informações. Quando escutamos bem, isso provoca um impacto na outra pessoa – acalma a voz interior dela. Quando ela se sente ouvida e legitimada, é mais provável que você também seja ouvido. Isso permite que você saiba com que ela se importa, e estabelece as bases para a solução criativa de problemas.

Diga para o seu chefe o que está em jogo. Mostre que ter uma conversa também é do interesse do seu chefe: "Quero que essa iniciativa seja um grande sucesso. Para que isso aconteça, preciso de um pouco mais de ajuda para garantir que eu compreenda a lógica suficientemente bem para pô-la em prática com maior eficácia." É claro que, para que essa abordagem dê certo, você precisa estar aberto ao aprendizado. Se seu verdadeiro objetivo ao propor a conversa for mostrar a seu chefe que ele está errado, você está em terreno perigoso e é provável que enfrente todos os problemas típicos de quando passamos uma mensagem com uma postura de certeza.

Estar aberto ao aprendizado não significa renunciar à sua visão. Se você não consegue ver como a ideia do novo chefe pode dar certo, seu objetivo deve ser descobrir o que você pode estar deixando passar – assim como o que talvez você saiba, mas seu chefe, não. Afinal, se o seu chefe é o terceiro novo gerente que chega e recomenda determinada abordagem, provavelmente existe alguma validade nesse ponto de vista, ainda que os demais veteranos do departamento achem que é loucura.

Se a perspectiva de "mais conversa" parecer frustrante mas provavelmente necessária para o sucesso coletivo, você poderá admitir esses dois fatos ao estruturar a conversa: "Tenho certeza de que todos nós gostaríamos de seguir adiante logo. Ao mesmo tempo, imagino que é ainda mais importante para todo mundo que isso dê certo. Eu gostaria muito que essa iniciativa tivesse sucesso, mas ainda não estou confiante na minha capacidade para executá-la. Especificamente, seria útil se definíssemos como responder a algumas das objeções que imagino que surgirão. Por exemplo…"

E se o meu chefe simplesmente se recusar a falar sobre as minhas preocupações/o nosso relacionamento?

Primeiro, no processo, é crucial não usar a tática de "fugir da cena do crime" ao dar início a uma conversa com seu chefe. Você *tem que* reservar um horário na agenda dele. Você precisa de total atenção e de um intervalo de tempo definido.

Uma vez cara a cara, como começar? Diga o que você está pensando, estruturado a partir da Terceira História, e explique por que isso deveria ser motivo de preocupação para o seu chefe. Por exemplo: "Quero falar sobre a forma como os assuntos estão sendo abordados, pois acho que está afetando o moral e a produtividade", "Quero falar sobre a melhor maneira de discordar de você durante uma reunião. O que você recomenda?".

Você não pode obrigar o seu chefe a falar com você sobre uma preocupação específica, mas pode marcar sua posição de maneira assertiva. Isso é especialmente complicado quando seu chefe insiste em achar que discutir o assunto mais a fundo é sinal de incompetência ou fraqueza da sua parte. Nesse momento, é crucial estar bem preparado. Faça a leitura ou a pesquisa necessária e experimente tudo que for possível para lidar com o problema por conta própria. Dessa forma, quando você abordar seu chefe, poderá dizer com segurança que esgotou todas as alternativas possíveis e que está recorrendo a ele porque ele é a pessoa certa com quem tratar.

E se o meu chefe for abusivo?

Em seu livro provocador intitulado *Chega de babaquice! – Como transformar um inferno em um ambiente de trabalho sensacional!*, Robert Sutton, professor da Stanford Business School, mostra como lidar com "*bullies*, pervertidos, idiotas, tiranos, chatos, déspotas, traidores,ególatras e todas as outras [pessoas]" no trabalho que podem fazer da nossa vida uma desgraça.* Tomando como exemplo o caos emocional, físico e financeiro que essas pessoas provocam, o conselho do autor é o seguinte: *Não importa a*

---

* Robert I. Sutton, *Chega de babaquice! – Como transformar um inferno em um ambiente de trabalho sensacional!* (Campus Elsevier, 2007).

relevância que essas pessoas tiverem para os seus negócios: não as tolere. Mas é claro que muitas empresas as toleram, por razões que variam do medo da perda de competitividade à complexidade inerente à tarefa de analisar reivindicações e pontos de vista conflitantes.

Há uma miríade de razões pelas quais as pessoas praticam bullying. (A propósito, os *bullies* nem sempre são os chefes, e estudos demonstram que a probabilidade de que eles sejam do sexo feminino ou masculino é praticamente a mesma.) Os *bullies* podem padecer de algum sofrimento mental ou transtorno de humor. Podem ter "aprendido" que tais comportamentos simplesmente são a melhor maneira de conseguir o que querem ou presumir que sua cultura de negócios específica exige essa postura. Para alguns, essa atitude resulta da crença de que o direito de dar vazão plena ao próprio mau humor é uma das vantagens do sucesso.

Para piorar, as pessoas com comportamentos difíceis costumam ser cegas para esse fato. Vejamos o seguinte exemplo: você informa ao seu chefe que a sua equipe não bateu as metas do terceiro trimestre. Seu chefe explode. Ele ataca verbalmente você, os seus colegas de equipe e os seus clientes – qualquer pessoa que na hora ele consiga pensar que possa ter sido responsável por aquele déficit. Você comenta com seu chefe que ele parece estar irritado demais. Ele responde dizendo "Eu não estou irritado; os números é que estão ruins", como se uma coisa pudesse anular a outra. E é assim que ele enxerga aquilo de verdade. Para ele, a raiva é uma emoção que se autojustifica: de alguma forma ela "não conta" se houver um "motivo". O que torna a tentativa de abordar o problema ainda mais desafiadora.

Boa parte da batalha contra uma pessoa abusiva está relacionada à sua conversa sobre a identidade. A tática dela de recorrer à raiva e de constranger os outros pode minar o seu senso de competência, autoconfiança e valor. Você não deve aceitar o feedback dela na forma bruta – nem rejeitá-lo por completo. Em vez disso, tente encontrar formas de avaliar o seu trabalho que sejam independentes da avaliação da pessoa abusiva. A gente sabe que isso é o tipo de coisa mais fácil de falar do que fazer. Mas trabalhar nesse sentido ajuda.

Às vezes a melhor estratégia é ser evasivo. Lidar com a pessoa apenas quando necessário, cultivar o maior número possível de relacionamentos e tentar evitar qualquer gatilho óbvio. Em paralelo a isso, tenha em mente que a maioria das situações não é do tipo "ou tudo ou nada". Você pode não conseguir tirar a semana de folga que queria, mas pode ter um fim de semana de três dias. Você pode não conseguir o trabalho dos sonhos que acha que merece, mas pode receber algum reconhecimento. Acumular pequenas vitórias pode fazer uma grande diferença para sua paz de espírito a longo prazo.

Esteja ciente dos canais estruturais e formais que existem dentro de uma organização. Se o seu chefe é difícil ou abusivo, você pode conversar com o RH ou registrar uma reclamação formal no seu sindicato. Se o seu chefe reprimir uma comunicação autêntica, vários trabalhadores (ou vários grupos de trabalhadores) podem se unir para colocar a questão em pauta. Se você acha o comportamento do seu chefe intolerável, pode avisar que deixará o emprego ou que tomará outras medidas caso ele não mude.

No fim das contas, pode ser que você se depare com perguntas como "Que alternativas eu tenho?" e "Será que isso vale a pena?". Não estamos dizendo que você deve largar o emprego sem ter outras perspectivas à vista (principalmente se você tiver dependentes). Mas, às vezes, apenas saber que existe *alguma* saída já lhe dá confiança para se posicionar contra as táticas de bullying. Nada gera mais segurança com maior rapidez do que perceber que você é capaz de sobreviver ao pior dos cenários.

Sutton resume de modo eloquente a complexidade de lidar com essas questões difíceis. Caso se sinta empacado, você pode...

> (...) proteger seu corpo e sua mente reestruturando o abuso como algo que não é culpa sua e que não vai desaparecer de uma hora para outra. (...) Você também pode (...) procurar aqueles pequenos combates nos quais tem boas chances de vitória. Essas vitórias modestas vão ajudar você a se sentir no controle e podem deixar as coisas um pouco melhores. Se você for indo aos poucos e outras pessoas se juntarem à sua missão, as coisas poderão melhorar muito para todo mundo a longo prazo. (...) Mas essa abordagem tem um lado sombrio. Ela pode acabar por fornecer um mínimo de proteção (...) para impedir que as pessoas

se libertem de (...) situações persistentemente humilhantes – mesmo quando existem opções de saída.*

5. Se eu sou o chefe/pai/mãe, por que não posso simplesmente dizer aos meus subordinados/filhos o que fazer?

Você pode. Entre os mais frustrantes equívocos com os quais nos deparamos em relação a este livro estão a ideia de que nós, os autores, somos contra pessoas que tomam e implementam decisões; de que falar é mais importante do que fazer; de que a opinião de todo mundo deveria ter o mesmo peso; de que, a menos que todos estejam de acordo, nada vai para a frente. Nosso ponto de vista não é esse. Seja você um CEO, um pai ou uma mãe, recomendamos que tome decisões o mais cedo possível e do modo mais eficaz, explique claramente essas decisões e assuma a responsabilidade pela implementação e pela eficiência delas.

É igualmente verdade que, esteja você tomando uma decisão, implementando-a ou solucionando problemas, nem sempre (ou sequer eventualmente) terá sucesso apenas ao "dizer o que fazer". Na verdade, na hora da tomada de decisões, é útil distinguir os momentos em que você

- *determina* (eu decido, eu comunico minha decisão ao outro)

das situações em que você

- *consulta* (peço opinião ao outro, em seguida tomo minha decisão e a comunico);
- *colabora* ou *negocia* (eu decido em conjunto com o outro); ou
- *delega* (o outro decide).**

---

* *Op. cit.*
** Essas distinções, ou o que ele chama de "compartimentos" [*buckets*], foram elaboradas por Mark Gordon, consultor sênior do Projeto de Negociação de Harvard e um dos diretores da Vantage Partners, LLC.

Independentemente da categoria que você escolher, certifique-se de comunicar ao outro o que você espera. Se você está apenas consultando e a outra pessoa acha que vocês estão colaborando, ela pode ficar surpresa ao saber que, embora você tenha *ouvido* os conselhos dela, optou por *não segui-los*. É fundamental deixar isso claro logo de saída. Ainda que seja necessária uma conversa um pouco difícil quando você coloca alguém em um compartimento diferente do esperado, é muito mais fácil ter essa conversa de antemão do que esperar chegar ao ponto em que você toma uma decisão que não agrada ao outro.

Mas a frustração é legítima. Todos nós já passamos por situações assim: "Eu estou no comando. Eu *tenho* o poder de lhe dizer o que fazer, e você tem que *obedecer*", "Faça esta tarefa aqui, bem-feita e no prazo", "Esteja de volta em casa antes da meia-noite e sóbrio", "Coloque sua equipe alinhada de corpo e alma à minha visão".

Não importa se essas coisas *têm* que acontecer ou não, a pura verdade é que elas geralmente *não* acontecem. É como um carro que não responde quando você pisa no acelerador. O carro não se importa com as suas regras sobre o que carros têm que fazer. O carro não se importa se você precisa ir a algum lugar. O carro não se importa se você está com raiva. A única coisa que a gente sabe que não ajuda é simplesmente continuar a pisar no acelerador. No entanto, é o que fazemos no papel de chefes e pais. Continuamos "dizendo o que fazer", mesmo quando não estamos obtendo os resultados esperados.

Se o seu carro parasse de funcionar, a primeira coisa que você faria seria investigar o motivo: acabou o combustível? A transmissão está com defeito? A bateria descarregou?

Esse é o passo que costumamos pular ao tentar influenciar o comportamento de outra pessoa. Por que ela não está fazendo o que eu quero? Uma possível resposta que destacamos anteriormente no livro é a contribuição conjunta. Quando algo vai mal, o conserto raramente é de responsabilidade de uma única pessoa. Se você *e* seu funcionário deram suas respectivas contribuições para o problema, é pouco provável que ordens unilaterais resolvam.

Mas envolver-se em uma comunicação de mão dupla não significa renunciar ao seu papel, aos seus direitos e às suas responsabilidades como chefe ou pai. Tudo gira em torno da "postura do *e*". Vejamos um exemplo entre pai e filho. Seu filho adolescente deve ter permissão para beber e dirigir? Não. Essa não é uma pergunta sobre a qual seu filho precisa ser consultado. Contudo, transmitir essa mensagem de forma clara e firme não encerra a conversa. É preciso ouvir os pensamentos, os sentimentos e as perguntas do seu filho. *Não* porque você esteja negociando essa condição, mas porque existem problemas relacionados a ela – e, principalmente, à confiança na sua implementação – que podem exigir esclarecimentos adicionais e talvez alguma solução de problemas. Fumar maconha está na mesma categoria que beber? Ir só três quarteirões adiante é considerado dirigir? Qual é a melhor maneira de seu filho ou sua filha entrarem em contato com você? Qual será a punição caso seu filho consuma bebida alcoólica, apesar de ser menor de idade, e ligue pedindo que você vá buscá-lo? Que pressões seu filho enfrenta em relação à bebida, à popularidade e à privacidade e como elas podem ser administradas?

Vejamos um exemplo relacionado ao ambiente de trabalho. Você decidiu colocar um funcionário em observação. Além de informá-lo disso, o que mais precisa ser discutido? Afinal de contas, sua decisão já está tomada.

Use a "postura do *e*" como guia. No papel de chefe, você tomou uma decisão clara, firme e definitiva. *E*, para entender as diversas causas do problema, para criar uma conexão humana e melhorar a relação profissional e para garantir que a sua decisão e as consequências dela estejam indiscutivelmente claras, é necessário ter uma conversa de mão dupla. Ela pode soar mais ou menos assim: "Eu entendo que você não ache justo ser colocado em observação. A gente pode falar sobre isso. Quero ouvir a sua opinião e compartilhar a minha. Mas, antes, quero esclarecer que isso não está em negociação e que também não é um processo de colaboração. Eu já tomei a minha decisão. O objetivo da conversa é descobrir por que tivemos uma desconexão nesse aspecto, pra que a gente possa evitar que isso aconteça de novo daqui pra frente e talvez pra que eu possa orientar melhor você."

Esse exemplo ilustra como é possível ter tomado uma decisão e mesmo assim precisar ter uma conversa de mão dupla. Podemos imaginar também o caminho inverso: ter uma conversa de mão dupla e ainda assim precisar tomar uma decisão. Imagine que você acabou de ter uma conversa-aprendizado eficiente e profunda com um funcionário sobre por que ele sempre leva o dobro do tempo para concluir as tarefas dele em comparação com os colegas de equipe. Você identificou as suas contribuições para isso, bem como as dele, e analisou alguns empecilhos institucionais e estruturais que afetam a produtividade dele. Você "mapeou o sistema de contribuição", conforme descrito no capítulo 4.

Agora é hora da decisão. O desfecho pelo qual seu funcionário espera é que esses vários empecilhos sejam corrigidos – ele vai mudar a contribuição dele, você vai mudar a sua e os impedimentos institucionais e estruturais serão debatidos. Ele está certo de que a produtividade dele vai aumentar drasticamente.

Você vê as coisas de outra forma. Depois de refletir profundamente sobre o assunto, sua conclusão é que, embora existam fatores relevantes para o problema e sobre os quais ele não tem controle, seu funcionário ocupa um cargo dentro da empresa que não condiz com a capacidade dele. Ajustar outras contribuições será útil, mas não suficiente. Você acredita que ele precisa ser transferido para um cargo de menor responsabilidade.

O que fazer? Se cabe a você tomar a decisão, tome. Ter uma conversa sobre a contribuição conjunta oferece um panorama mais claro dos fatores subjacentes ao problema e ajuda você a tomar uma decisão sábia, mas isso não faz com que apenas uma solução seja possível nem altera a sua responsabilidade por tomar essa decisão.

Eu sempre tenho que começar escutando e perguntando?

Não. No capítulo 11 dissemos que "qualquer hora é a hora certa para escutar" e, de fato, em circunstâncias normais, escutar primeiro é *mesmo* a melhor coisa. Mas nem sempre as circunstâncias são normais, portanto existem exceções. Os leitores que interpretam nossa recomendação de escutar como uma proibição de afirmar seus pontos de vista inevitavelmente se enrolam. Um chefe que deseja, por exemplo, tratar da incapacidade de seu funcionário em cumprir os cronogramas pode acabar em uma conversa assim:

> CHEFE: Como você acha que está indo em termos de cumprimento de prazos?

Funcionário: Acho que estou indo muito bem.
Chefe: Mas você não acha que algumas vezes se atrasou em tarefas importantes?
Funcionário: Pra ser sincero, não.
Chefe: Bem, e em relação ao projeto de Vancouver?
Funcionário: Eu acho que correu tudo bem.
Chefe: Mas você não acha que houve um atraso?

Em vez de fazer essa sequência absurda de indiretas disfarçadas de perguntas, o chefe precisa ser assertivo: "Vamos falar sobre o projeto de Vancouver. Houve um atraso de três dias. Vamos entender o porquê disso, avaliar o impacto que teve e decidir como evitar isso daqui para a frente." Uma vez que o problema está sobre a mesa e você compartilhou sua opinião, caso tenha uma, é hora de mudar para o modo de perguntas e, a partir daí, usar um misto de curiosidade e assertividade.

O segredo, como sempre, é ter um objetivo. Poderíamos imaginar uma conversa em que o único objetivo do chefe fosse descobrir o ponto de vista do funcionário, mas não é esse o caso na conversa anterior. Use perguntas quando quiser descobrir alguma coisa e afirmações quando tiver algo a afirmar. Em última instância, é a combinação de assertividade e curiosidade que nos ajuda a reunir nossos insights, descobrir coisas que não sabíamos e estabelecer as bases para soluções criativas e eficazes de problemas.

Damos ênfase aqui ao ato de escutar porque, sem dúvida, o erro mais comum nas conversas não é não saber afirmar, mas não saber escutar. Quando estamos em uma conversa em que sentimos raiva, mágoa, medo ou pressão, nossa voz interior ruge a todo vapor e a curiosidade desaparece. É por isso que, para escutar bem durante uma conversa difícil, você precisa se lembrar repetidas vezes (e talvez pedir aos outros que também lembrem a você no calor da discussão): "Posso estar chateado, posso ter a sensação de que já sei qual é a opinião do outro, mas sempre existe alguma coisa que preciso aprender. Além de afirmar, preciso perguntar e, depois disso, perguntar um pouco mais."

6. Essa abordagem não é muito americana? Como funciona em outras culturas?

Pessoas de fora dos Estados Unidos costumam acusar este livro de oferecer um método "americano" demais.

"Nós não falamos assim na Coreia/no Cazaquistão/na Colômbia/no [insira aqui seu país]", eles dizem.

"Bem, a maioria dos americanos também não fala assim", respondemos. A linguagem que usamos em nossos exemplos de diálogos não reproduz a forma como as pessoas costumam falar em país *nenhum*. Usamos uma linguagem estilizada para maior clareza em termos conceituais – para ajudar, por exemplo, os leitores a notar a diferença entre uma pergunta feita com legítima curiosidade e uma pergunta "carregada", que é, na verdade, uma acusação. Nossa expectativa é que, depois de entender os conceitos, você faça a adaptação para uma linguagem que seja mais confortável e adequada para você, levando em conta a forma como as pessoas falam na sua família, na sua empresa e no seu país.

De todo modo, a análise de como esses conceitos se aplicam a diferentes culturas é uma questão relevante, principalmente diante do impacto da globalização.

O que descobrimos é que a *estrutura subjacente* das conversas difíceis – as coisas com as quais sua voz interior se ocupa durante uma conversa – parece ser a mesma em todo o mundo. Pessoas na África do Sul e na Carolina do Sul estão igualmente focadas em quem tem razão e em quem tem culpa. Pessoas na Índia e no Iowa lidam com sentimentos fortes. Pessoas na Turquia e no Tennessee reagem aos terremotos particulares em suas identidades (às vezes descritos como uma luta para "evitar a humilhação").

O fenômeno da voz interior e das Três Conversas que ela entabula parece ser um aspecto universal e fundamental do ser humano. O que difere entre culturas é quando e como a voz interior *se expressa*.

Os americanos têm a reputação de ser diretos e de não dar muita importância à hierarquia. Nós nos sentimos à vontade para criticar nossos líderes políticos e para confessar nossos pecados e nossos sentimentos em reality shows. Por outro lado, os britânicos têm a reputação de ser relativamente contidos em relação aos sentimentos e existe a visão de que muitos países asiáticos desencorajam a atitude de discordar ou de falar o que se pensa para alguém em posição superior. Portanto, é fácil ver nosso incentivo a abordar as questões diretamente, em vez de evitá-las e deixá-las apodrecerem, como mera parte integrante de nossa imersão na cultura americana.

Mas, é claro, cultura é algo mais complexo do que esses estereótipos. Há uma grande variação nos graus de franqueza entre regiões dos Estados Unidos e até mesmo entre uma família e outra no mesmo quarteirão. Algumas empresas americanas valorizam a hierarquia; outras se orgulham de ser horizontais. Algumas indústrias adotam a cultura da "polidez"; outras têm um padrão de comunicação direto e agressivo. A igualdade de gênero é lei, mas nem sempre é realidade, e as suposições sobre os papéis adequados a cada gênero ainda variam largamente.

Para aumentar essa complexidade, quem vê de fora as normas de comunicação de outra cultura geralmente se baseia em interpretações simplesmente equivocadas. Por exemplo, um americano pode concluir que no Japão as pessoas não podem falar o que pensam para seus chefes. Mas muitos japoneses argumentam que, embora não falem abertamente, enviam sinais claros ao chefe quando não estão de acordo com uma decisão. Às vezes esses sinais são transmitidos por meio da linguagem corporal, pela escolha de palavras ou pelo simples silêncio. A comunicação está lá – ela simplesmente foi traduzida para um idioma adequado àquela cultura. O americano presente na reunião não capta esses sinais e presume que nada está sendo "dito". É tudo uma questão de hora, local e modo de expressão adequados.

O grau de intensidade da franqueza que as pessoas julgam ser adequado geralmente está relacionado a suposições sobre o que é necessário para proteger o relacionamento (ou sobre a importância disso). Em algumas culturas (e famílias), a norma é o debate intenso e, às vezes, acalorado: "Esqueça a delicadeza. Se eu gosto de você e respeito você, eu vou te dizer o que eu penso. Esse é o sinal de um relacionamento saudável!" Em outras, nutrir e proteger o relacionamento significa ser indireto quanto a qualquer tipo de conflito. Ele pode ser meramente sugerido, sinalizado com a ajuda de terceiros ou mencionado por meio de metáforas, por medo de que qualquer coisa mais direta possa provocar uma fissura desastrosa. Em alguns contextos e para algumas pessoas, o relacionamento inteiro está subordinado aos resultados: "Se você quer ter um relacionamento, me dê o que eu quero." Para outras, é o contrário: "Em vez de colocar o relacionamento em risco, vou simplesmente lhe dar o que você deseja."

No entanto, em nossa opinião, você não precisa optar entre proteger o relacionamento e ter uma boa conversa com a outra pessoa sobre os problemas de vocês. É possível ter respeito e cuidado com o relacionamento mesmo que vocês discordem. O que preserva e fortalece o relacionamento não é o grau de concordância, mas saber escutar de maneira genuína, ter empatia e estar aberto à persuasão que preserva e fortalece o relacionamento. Você pode argumentar sobre como enxerga as coisas, explicar como, por que e em que medida o argumento da outra pessoa modifica sua opinião e concordar apenas se estiver convencido, sem jamais dizer – nem pensar – "Eu estou certo e você está errado". Em vez disso, você pode pensar: "Pode ser que ele tenha razão, e pode ser que eu não esteja percebendo alguma coisa (não seria a primeira vez), no entanto, até agora não percebi o que é."

Para conseguir isso, independentemente da sua cultura, você primeiro precisa fazer as mudanças de mentalidade em sua voz interior das quais falamos nos capítulos 2 a 6:

	Conversa difícil	Conversa-aprendizado
A conversa sobre o que aconteceu	A questão é qual história está certa e qual está errada. É "ou isso ou aquilo".	Eu fico me perguntando por que a gente enxerga as coisas de maneiras diferentes. Quais são as informações e o raciocínio de cada um?
	O outro tinha a intenção de provocar esse impacto em mim.	Não gosto do impacto que ele está provocando em mim; eu me pergunto qual seria a intenção dele. Eu sei qual era a minha intenção; será que o impacto tem a ver com ela?
	A culpa é dele.	Nós dois contribuímos para esse resultado. Vamos identificar essas contribuições e descobrir como corrigir isso.

A conversa sobre os sentimentos	É culpa dele eu estar me sentindo assim, e devo botar tudo pra fora ou me calar (já que provavelmente não vai adiantar nada).	O que estou sentindo diz algo sobre mim e algo sobre as ações dele. Posso compartilhar meus sentimentos sem culpa e abrir espaço para os dele com empatia, sem ter que dizer que a história dele é que está certa.
A conversa sobre a identidade	A minha identidade está sendo atacada injustamente! Eu não sou _____!	Sendo realista, parte do que ele está dizendo talvez faça sentido, apesar de doloroso. De que eu tenho medo? Como a história dele pode ter validade sem que isso anule quem eu sou e vice-versa?

Sem essas mudanças, apenas ser "direto" não vai ajudar em nada. Granadas diplomáticas não existem, não importa se você está falando francês, árabe ou tupi-guarani. Misturar culpa e orgulho próprio sem filtros na conversa não cai bem em lugar algum do mundo.

Por outro lado, depois de fazer essas mudanças de mentalidade, é mais fácil ser mais direto em qualquer cultura, mesmo diante de quem está mais alto na hierarquia. Nos últimos 10 anos trabalhamos com pessoas espalhadas por seis continentes, ouvimos suas vozes interiores e as ajudamos a mudar de mentalidade e a se engajar em questões importantes com êxito. Às vezes as pessoas se preocupam com o risco de jogar o problema nas costas de alguém, mas logo relaxam ao perceber que colocam uma questão em comum sobre a mesa (partindo da Terceira História, claro) sem nenhum indício de busca por culpados.

Mais significativo ainda, justamente por conta das diferenças entre culturas, essas habilidades se mostraram fundamentais para enfrentar com êxito os desafios interculturais de comunicação. À medida que trabalhamos em contextos multinacionais e principalmente em equipes virtuais espalhadas pelo mundo, trocando e-mails e fazendo videoconferências, descobrimos que estamos sempre pisando nos calos uns dos outros. Ser capaz de falar sobre os impactos não intencionais que estamos provocando uns nos outros se torna essencial para manter boas relações de trabalho. Enxergar nossa contribuição para a confusão ou a frustração e manter a curiosidade sobre os motivos pelos quais nossos colegas no Uruguai ou em Uganda dão tanta importância a uma questão que nos parece insignificante nos permite repensar nossas diferenças em relação a interesses, valores, suposições e regras implícitas.

7. E as conversas que não são cara a cara? O que devo fazer de diferente se eu estiver ao telefone ou numa troca de e-mails?

E-mails e mensagens de texto se tornaram os principais canais de comunicação para muitos de nós, tanto na vida profissional quanto na vida pessoal. Curiosamente, isso vale quer estejamos falando com colegas separados por horas de diferença de fuso horário ou a apenas alguns passos de distância. O e-mail tem vantagens e desvantagens: devemos aprender a usá-lo com sabedoria e evitar a tendência de deixar que os conflitos cresçam.

O e-mail é um meio extremamente eficiente de manter contato; ele dá tempo para a reflexão e permite que elaboremos respostas com cuidado, além de manter um registro contínuo de uma conversa. Se você estiver com raiva, pode esperar a cabeça esfriar um pouco antes de escrever. Se está cansado, pode responder mais tarde. Se está realmente sem tempo para conversar, pode enviar um e-mail para pelo menos dizer à sua mãe que está pensando nela. Muitas pessoas usam o e-mail para dar início a conversas difíceis que não têm coragem de encarar ao vivo. Para as tarefas diárias de ter notícias de um amigo ou avançar em um projeto, é uma ferramenta praticamente perfeita.

Mas, se você esperar que um e-mail faça algo um pouco mais complexo em um relacionamento, logo vai estar diante de um problema. Por quê? Justamente por causa dos benefícios citados. Um e-mail não é um diálogo – é um monólogo em série. Não oferece a oportunidade de interromper para pedir um esclarecimento, observar a reação do outro e corrigir o curso da conversa ou testar nossas suposições sobre as intenções alheias antes de nos aferrarmos a interpretações e reações emocionais.

O e-mail não transmite tom de voz, expressão facial nem linguagem corporal – todos os fatores que nos ajudariam a entender as intenções do remetente (o que, como vimos no capítulo 3, é difícil mesmo quando estamos numa conversa cara a cara). Quando você recebe um e-mail que diz "Eu queria ver o seu relatório agora", será que isso significa "Estou ansioso para lê-lo" ou "Você está encrencado"? Sua vizinha escreve em maiúsculas porque está irritada, emocionada ou porque é um pouco sem noção? Quando seu amigo escreve "Você é muito idiota!☺", isso é uma intimidade lúdica ou um golpe de verdade? Você escreve de volta para tirar a dúvida e seu amigo responde: "Se achasse mesmo que você é idiota, eu jamais diria isso por e-mail – quer dizer, talvez eu dissesse, sim ☺." Hum. Mesmo usando emojis, não é fácil saber ao certo quais são as intenções dos outros.

É tentador pensar no e-mail como uma zona isenta de emoções; afinal de contas, é apenas texto. Mas, na prática, o e-mail pode ser o canal de comunicação mais emotivo de uma empresa. Embora seja raro verbalizá-las diretamente, as emoções costumam permear o texto, desencadeando reações emocionais nos destinatários, que então reagem, seja de maneira direta ou indireta. Com o tempo, o simples fato de ver o nome de certas pessoas na sua caixa de entrada provoca medo ou ansiedade. Quando de fato abrimos o e-mail, lemos as palavras do remetente pelas lentes da nossa frustração, do nosso ressentimento e das nossas suposições.

E isso geralmente acontece à vista de todos. O e-mail é usado com frequência para a comunicação com diversos colegas de trabalho, familiares ou amigos, de modo que as interações têm audiência, o que faz com que haja mais coisas em jogo e com que as identidades de todo mundo estejam ainda mais em risco. "Como assim, ele está insinuando que *eu* é que sou a pessoa difícil nessa questão?", pensamos antes de rebater com a versão "correta" da história para que o chefe, em cópia, possa ver. Mesmo quando a troca é particular, ambos os lados sabem que ela pode ser encaminhada a qualquer momento, acompanhada do comentário: "*Dá para acreditar nisso?*"

Fora isso, porém, o e-mail funciona muito bem, certo? As mensagens de texto também têm seus desafios. O uso de meias frases e abreviações aumenta as chances de haver ambiguidade e mal-entendidos.

Portanto, como evitar cair numa espiral interminável de suposições e equívocos?

Ao ler:

1. **Questione suas suposições.** Uma vez acionado o gatilho, suas suposições em relação às intenções e à personalidade do remetente entram em ação. E quando você está cansado, estressado ou se sentindo um pouco vulnerável, é mais provável que veja as coisas pelo lado negativo. Lembre que você *não sabe* quais são as intenções do outro. Sua primeira leitura pode tanto ser acertada quanto imprecisa. O remetente pode ter tido intenções contraditórias, boas ou, como na maioria das vezes, nenhuma intenção específica em relação a você. Se já se passou uma semana e você ainda não recebeu nenhuma resposta, é muito mais provável que a outra pessoa esteja ocupada do que querendo provocar ansiedade em você. E o que você interpreta como um ataque pode, na cabeça dela, ser uma defesa contra o *seu* ataque. "Como assim?", você se pergunta. Você nunca atacou ninguém. Bem, é aí que está o problema.

2. **Faça uma pausa.** Se um e-mail provocar uma forte emoção negativa, pare. Não faça nada. A menos que haja uma razão urgente pela qual você precise responder de imediato – e "porque estou furioso agora" não conta –, espere. Pelo menos uma hora ou, se possível, até o dia seguinte. Retorne ao e-mail quando se sentir mais equilibrado. Muitas vezes você vai ter uma sensação estranha e se perguntar por que ficou tão fora de si. Mas se depois de algum tempo você ainda estiver agitado, siga para o passo 3.

3. **Pegue o telefone ou fale pessoalmente.** Moral da história: é impossível resolver um conflito gerado por e-mails usando e-mails. Para todos os fins práticos, não há exceção a essa regra. Quando qualquer tipo de emoção – aborrecimento, confusão, mágoa, ansiedade – entra em jogo, é hora de mudar o meio de comunicação. "Mas eu escrevo bem e de maneira clara", você pensa. "Vou redobrar o cuidado e a atenção e não vou nem mesmo responder às ofensas." Não se deixe enganar. *Qualquer coisa* que você escrever durante

um conflito pode ser lida de maneira equivocada. Quando seu colega receber seu e-mail generoso, ponderado e bem escrito, pode ser que ele pense "Que gentil". Ou talvez "É bem a cara dela enviar esse tipo de e-mail falso, com toda essa porcaria de 'Eu sou racional e mantenho a calma'. Que nojo ela me dá!" Portanto, se poupe de uma avalanche de problemas e use o telefone ou fale pessoalmente.

Ao escrever:

1. Seja o mais explícito possível sobre suas intenções, seu raciocínio e (quando for adequado compartilhá-las) suas emoções. Faça tudo que estiver ao seu alcance para escrever com clareza. Ser claro sobre seus objetivos, seu raciocínio e seus sentimentos pode ajudar a evitar mal-entendidos, não importa se o seu e-mail tem como destinatário um colega próximo ou um fornecedor de outra cultura do outro lado do mundo: "Estou perguntando porque sei que meu chefe vai perguntar e quero me assegurar de que estamos em sintonia", ou "Não está claro para mim se nem quando eu devo fazer isso", ou "Estou com a impressão de que não há nenhuma desvantagem significativa em fazer isso agora, ao passo que, se esperarmos e tivermos de fazer isso mais adiante, o prejuízo pode ser alto", ou "Estou frustrado com o fato de isso ter acontecido de novo, por isso é importante de verdade para mim que a gente passe algum tempo diagnosticando o que aconteceu e elaborando uma forma confiável de reduzir as chances de mais uma repetição". Mesmo um simples "Eu fico frustrado quando isso acontece" é melhor que um "TÁ BOM! VAMOS FAZER DO SEU JEITO". Se você vai incluir os seus sentimentos, ser explícito faz um convite a uma conversa, enquanto ser ríspido soa como um julgamento, do qual o outro certamente vai se ressentir, prejudicando ainda mais o relacionamento.

2. Se for demorar, avise – não deixe o outro esperando. Um dos descompassos mais comuns das trocas de e-mails surge da demora em responder. Alguém escreve fazendo uma pergunta. A pessoa que recebe pensa: "Boa pergunta. Não sei a resposta. Vou ter que pensar um pouco ou perguntar pro Fulano." Então ela não escreve de volta até ter uma resposta substancial, o que muitas vezes acaba levando mais tempo do que o previsto inicialmente. Enquanto isso, a pessoa que está esperando a resposta tem que interpretar esse silêncio sozinha, indagando "Por que não chegou nenhuma resposta?" e inserindo os próprios medos nas respostas – "Eu devo ter dito alguma coisa", ou "Ela não está nem aí, é claro", ou "Ela está me evitando" – e talvez concluindo: "Não consigo trabalhar com essa pessoa." Esse padrão é previsível e evitável. Se você não puder responder de imediato, envie uma mensagem breve explicando o motivo e dando uma previsão de quando imagina que vai conseguir. "Deixa eu verificar com o Dan e te dou um retorno daqui a alguns dias. Se eu não responder até terça, me manda um lembrete. Obrigado!"

3. Siga passo a passo. Se você está intrigado com o tom ou a intenção do último e-mail que recebeu, em vez de ficar fazendo suposições, escreva uma mensagem breve para desfazer a confusão: "Fiquei com a impressão de que você pode estar irritado. Eu deveria ter respondido mais rápido?" Desfaça a ambiguidade antes de acabar retrucando de um jeito que vai deixar a conversa ainda mais tensa.

4. Pergunte sobre reações, pensamentos e o que quer que você não tenha captado. Dada a natureza monológica do e-mail, trabalhe no sentido de fazer um convite ao diálogo franco e a reações honestas. Cogitar a sério a possibilidade de haver algo importante que você não sabe e se mostrar genuinamente aberto a escutar o que o outro pensa ajudam o outro a compartilhar com você a voz interior dele e a desfazer mal-entendidos ou suposições equivocadas quanto antes.

Ao telefone:

Como meio de comunicação para conversas difíceis, o telefone é menos perigoso que o e-mail, mas ainda assim é perigoso. Embora transmita o tom de voz (uma vantagem em relação ao e-mail), ele não transmite expressões faciais. Isso dificulta a compreensão de emoções e significados mais sutis. Você escuta a outra pessoa reclamar, mas não vê a vulnerabilidade e a tristeza nos olhos dela. Se você está conversando com sua mãe idosa sobre como ela está lidando com o avanço da demência de seu pai, é fácil cair no modo solução de problemas ("Você precisa de ajuda") ou torcida ("Vai ficar tudo bem!"). É preciso um esforço extra para oferecer empatia ("Mãe, eu não consigo nem imaginar quão estressante isso deve estar sendo pra você") e valorização ("Levando em conta tudo isso por que você está passando, você está fazendo um excelente trabalho; isso é extremamente inspirador pra mim").

8. Por que vocês aconselham as pessoas a "levar os sentimentos para o ambiente de trabalho"? Não sou terapeuta. As decisões profissionais não deveriam ser tomadas por mérito?

Toda empresa tem uma gama de sentimentos que são aceitos e expressados com frequência e outros que devem permanecer ocultos. Estresse, frustração, orgulho, lealdade e entusiasmo costumam fazer parte do grupo que é aceito na cultura empresarial. Decepção, insegurança, ciúmes e mágoa em geral são menos aceitáveis, e é menos provável que sejam expressos abertamente.

Quaisquer que sejam as regras implícitas, na maioria das empresas a orientação oficial costuma ser algo como: concentre-se no trabalho e deixe os sentimentos do lado de fora. Eles só servem como distração na hora em que temos uma tarefa para concluir.

No entanto, como seres humanos, é simplesmente *impossível* deixar os sentimentos de lado. Eles são parte integrante do funcionamento do nosso cérebro e do nosso corpo. Dessa forma, lemos nossos e-mails, participamos de reuniões e ouvimos as pessoas falarem sobre o nosso trabalho – e as reações emocionais aparecem. Surpresa, raiva, confusão, traição, ansiedade, pavor, indignação... a lista é grande.

Ao contrário, portanto, da orientação oficial, o seu ambiente de trabalho já é repleto de sentimentos. Aliás, nós argumentamos que deixá-los de fora (caso fosse possível) seria, na verdade, algo nocivo. É *graças* a sentimentos como determinação, orgulho, satisfação, comprometimento e até mesmo ansiedade e frustração que as pessoas saem de casa para ir trabalhar, agem com perseverança diante de problemas aparentemente insolúveis e encontram soluções criativas. E, por outro lado, não são os sentimentos negativos em si que nos distraem da produtividade, mas deixar de dar espaço a eles e de lidar com eles de maneira direta, eficaz e honesta.

Além disso, uma certa dose de emoção é essencial à tomada de decisões. Pessoas com lesões cerebrais que prejudicam o acesso aos sentimentos costumam ter problemas para fazer escolhas simples, como decidir o horário de uma reunião. Elas podem listar as implicações de cada uma das alternativas, mas não são capazes de escolher a preferida.*

Dado que os sentimentos já estão presentes no local de trabalho, a questão passa a ser como lidar com eles. Normalmente permitimos que eles influenciem os ânimos de uma conversa – vozes elevadas, e-mails lacônicos ou críticas veladas – sem que falemos explicitamente sobre eles. Costumamos traduzir sentimentos em argumentos, acusações ou apenas em silêncio e retração, e, ao fazermos isso, deixamos de lidar diretamente com o que está de fato acontecendo (os sentimentos e suas causas). Como resultado, as pessoas se sentem maltratadas, as relações de trabalho ficam tensas, o moral diminui e os sentimentos começam a *atrapalhar* o trabalho que precisa ser feito.

Por quê? Porque, no momento em que um problema se torna objeto de uma conversa difícil, ficamos diante de pelo menos dois fatores: a questão (ou divergência) em relação ao trabalho em si (qual é a melhor estratégia, quem deve lidar com a questão ou quanto devemos pagar, considerando que os erros já foram cometidos) *e* a questão de como as pessoas se sentiram tratadas nas conversas até agora (ignoradas, constrangidas em público, deixadas de fora ou acusadas injustamente).

É difícil resolver a questão em relação ao trabalho e seguir adiante com ele sem entender nem abordar o que deu errado na interação profissional. Pode ser algo tão simples quanto dizer "Estou frustrado. Tenho a sensação de que estamos andando em círculos", ou "Fiquei decepcionado por não ter sido escolhido para essa tarefa", ou "Não sei por que está

---

* Ver Antonio R. Damásio, *O erro de Descartes: emoção, razão e o cérebro humano* (Companhia das Letras, 2012).

sendo tão difícil terminar esse trabalho". Ou pode ser mais trabalhoso, explorando as percepções em relação ao que aconteceu e o significado que diferentes histórias têm para cada pessoa, de acordo com suas experiências prévias.

Não estamos defendendo um ambiente de trabalho no qual as pessoas fiquem sentadas jogando conversa fora sobre cada uma das emoções que elas sentem. Estamos dizendo que, muitas vezes, lidar de modo mais direto com os sentimentos permite que você chegue ao cerne da questão com maior rapidez – e com maiores chances de encontrar uma solução satisfatória.

Não é arriscado compartilhar sentimentos no trabalho?

Pode ser, dependendo daquilo que você compartilha, de quando e como. Se na cultura corporativa da sua empresa as pessoas não falam diretamente sobre sentimentos, a quebra desse padrão pode provocar constrangimento. Às vezes é dito abertamente que falar sobre sentimentos é considerado fraqueza, falta de profissionalismo ou perda de tempo.

Numa cultura assim, é importante usar uma linguagem adequada e deixar claro que o objetivo de qualquer debate que envolva sentimentos colabora para o cumprimento das metas. Se dizer "Eu me sinto magoado, como se não recebesse o devido valor" for mal recebido, experimente algo como "Eu queria encontrar uma forma de concluir essa tarefa com maior antecedência a cada trimestre. Sei que muitas vezes saio dessas reuniões me sentindo frustrado e imagino que vocês também se sintam assim de tempos em tempos. Será que podemos falar sobre os motivos por trás disso e como poderíamos elaborar um procedimento mais eficaz?".

Tempo, espaço e contexto também são relevantes. Se você está a poucos dias de uma data de entrega, provavelmente esse não é um bom momento para dar início a um debate sobre como você se sente em relação ao seu trabalho. Um bate-papo no meio do corredor também não é. Mas a sessão trimestral de aconselhamento com o seu chefe talvez seja.

Por fim, o *modo* como você aborda a questão dos sentimentos é fundamental. Falar sobre emoções *sendo* emotivo – chorando, gritando, fazendo beicinho, revirando os olhos ou batendo o pé – geralmente faz você parecer fraco, descontrolado ou não profissional.*

Em relação ao *que* é compartilhado, alguns sentimentos são menos arriscados que outros. Expressar uma apreciação legítima pelo trabalho realizado por seus colegas ou pelos seus subordinados raramente é malvisto. Compartilhar o entusiasmo diante de um projeto novo ou o orgulho por um trabalho bem-feito quase sempre é bem-vindo. Até mesmo admitir que você não entendeu direito o seu papel numa tarefa ou o escopo dela, que está ansioso pelo potencial impacto de uma decisão que tomou em relação aos seus colegas de equipe ou curioso sobre as perspectivas dos outros, todas essas manifestações podem ser recebidas como um convite para solucionar problemas em conjunto de maneira construtiva.

Passar a compartilhar esse tipo de sentimento pode ser uma forma de baixo risco de começar a mudar o modo como você e seus colegas de trabalho lidam uns com os outros. Seu exemplo pode incentivar outras pessoas a fazerem o mesmo e em pouco tempo você vai ter influenciado em alguma medida a cultura corporativa da empresa inteira. Afinal de contas, uma "cultura corporativa" é, na verdade, composta por um conjunto de relacionamentos, e, sempre que você altera um deles, melhora a cultura como um todo.

Decisões corporativas não deveriam ser tomadas "racionalmente", de acordo com os méritos? Como é que falar sobre sentimentos serve de alguma coisa nesse aspecto?

As pessoas costumam ter o receio de que falar sobre sentimentos resulte em más escolhas. E isso de fato pode acontecer, caso você não tome cuidado.

Vejamos a decisão que os engenheiros da Nasa e da Morton Thiokol

---

* Nós, os autores, diríamos, porém, que em alguns contextos chorar é não apenas razoável, mas também recomendável. Não é raro, por exemplo, ver jogadores de futebol chorarem quando anunciam sua aposentadoria. É visto como algo autêntico e humano. Da mesma forma, no ambiente de trabalho a tristeza ou outra emoção avassaladora, seja ela pessoal ou profissional, pode levar a lágrimas que acabam por aproximar duas pessoas ou por permitir que uma dê um apoio importante à outra. Mas o contexto importa. Não é muito bom, por exemplo, chorar porque o advogado do outro lado da mesa está "sendo rude".

tiveram que tomar, em 1986, para saber se, diante do tempo frio, seria seguro ir adiante com o lançamento do ônibus espacial *Challenger*. Em uma teleconferência, os engenheiros da Morton Thiokol inicialmente informaram à Nasa que eles haviam determinado que não era seguro. Na discussão que se seguiu em relação aos dados de segurança, um membro importante da equipe da Nasa disse que concordaria com a decisão da Morton Thiokol, mas que estava "horrorizado" com a leitura que eles faziam dos dados e que as informações sobre o tempo frio tinham sido comunicadas com muito atraso no processo. A palavra em si – "horrorizado" –, tão forte e visceral, parece ter desempenhado um papel significativo na mudança de opinião da Morton Thiokol, embora, como observadores externos, saibamos que a descrição do estado emocional de uma pessoa não tem relação alguma com o grau de segurança de um lançamento.*

No entanto, *não* falar sobre sentimentos também pode resultar em más decisões. Admitir que há sentimentos em jogo – para que possam ser debatidos – permite que eles sejam encarados como mais um fator a ser levado em conta de acordo com seus méritos.

Vale a pena estar ciente das preferências de um cliente em relação à equipe, por exemplo, e compreendê-las antes de tomar qualquer decisão sobre uma mudança. Identificar os medos e as preocupações das pessoas em relação a como uma reorganização afetaria a carreira delas pode facilitar o surgimento de alguma solução criativa para um problema ou fazer com que um simples esclarecimento reduza em muito a resistência. Ou talvez dê destaque aos efeitos dos incentivos a longo prazo que ajudariam a evitar consequências indesejadas. Se, por exemplo, os funcionários se sentem penalizados ao assumir riscos, e essas penalidades prejudicam o moral e a disposição de correr riscos no futuro, a gerência precisa ser capaz de dar início a esse debate. Se os trabalhadores estiverem retraídos, sem permissão para falar sobre a sensação de que estão sendo tratados injustamente, a

---

* A decisão de ir adiante com o lançamento terminou em desastre, com a explosão do ônibus espacial 73 segundos após o lançamento. Esse relato foi extraído de um artigo de Roger M. Boisjoly, engenheiro da Morton Thiokol e um dos principais responsáveis pela decisão (www.onlineethics.org/Topics/ProfPractice/PPEssays/thiokolshuttle/shuttle_telecon.aspx).

gerência não terá como saber que o sistema atual desencoraja exatamente o comportamento que ela espera.

Nesses casos, a presença do sentimento em si pode não ser o motivo para a tomada de uma decisão específica, mas pode ser uma pista que aponta para um motivo legítimo em termos corporativos para que outras abordagens sejam testadas. É algo que precisa ser explorado e analisado. Por exemplo, na conversa sobre o lançamento do *Challenger*, a Morton Thiokol poderia ter reagido ao comentário "horrorizado" não mudando a sua recomendação, mas legitimando a preocupação e fazendo mais perguntas: "Quanto à chegada da informação, *de fato* houve um atraso, e isso deposita uma enorme pressão sobre todos nós. Acabamos de ser informados sobre a temperatura esperada para a hora do lançamento, que é mais baixa do que qualquer previsão feita, mas nossa preocupação foi aumentando com o passar do tempo. Devíamos analisar nosso processo de comunicação daqui pra frente e garantir que isso não aconteça de novo. Quanto à nossa interpretação dos dados, gostaríamos de saber mais sobre o que vocês acharam problemático ou por que vocês os interpretaram de maneira distinta."

E, é claro, o engenheiro da Nasa poderia fazer o mesmo: "Percebo a sua preocupação e sei que você está mais familiarizado com os dados, por isso me incomoda que eles me pareçam tão pouco claros. Imagino que exista algo que você está vendo, mas nós, não. Por que você não repassa sua linha de raciocínio ponto a ponto?" A emoção faz parte da discussão, mas a simples presença de emoções intensas não deve orientar a tomada de decisões.

Talvez um motivo ainda mais importante para incluir os sentimentos nas conversas corporativas seja justamente para que eles *não* sobrecarreguem o raciocínio das pessoas. Escutar, compreender e demonstrar empatia com os sentimentos são coisas que ajudam a dissipá-los, permitindo que a pessoa que está sentindo tudo aquilo se acalme e se abra a outras perspectivas.

Se um funcionário não conseguiu uma promoção, por exemplo, é muito provável que ele fique decepcionado e magoado independentemente de qualquer coisa. Mas, se ele não puder falar com você sobre a reação dele, também pode se sentir traído, desprezado, frustrado e ignorado. É muito provável que ele comece a fazer suposições a seu respeito – que você é uma pessoa difícil de trabalhar ou que talvez tenha um grupinho de preferidos, do qual ele não faz parte. Se, por outro lado, você desperta os sentimentos dele e demonstra que se importa com a reação dele, é muito mais provável que consiga entender os seus motivos ao não promovê-lo e que ele trabalhe em parceria com você para melhorar o próprio desempenho. Escutar quais são os sentimentos dele e procurar genuinamente entendê-los ajuda a melhorar os relacionamentos e o moral, mesmo que isso não altere em nada a sua decisão. E, é claro, é possível que, ao escutar, você descubra algo que venha a mudar o seu ponto de vista.

Além do constrangimento, a principal razão pela qual receamos incluir os sentimentos nas conversas profissionais (ou pessoais) é o medo instintivo de que a única forma que exista de lidar com os sentimentos é dar à outra pessoa o que ela deseja – de que, por exemplo, a única maneira de "consertar" a raiva do funcionário seja promovê-lo.

Mas é claro que não é. O segredo para administrar os sentimentos da melhor forma possível é separar o ato de escutar do ato de decidir e se desapegar da responsabilidade de consertá-los. Ser explícito sobre suas intenções ajuda muito: "Gostaria de conversar sobre como cada um de nós se sentiu e o que pensou em relação a essa situação, para que eu tenha o máximo possível de informações ao tomar essa decisão. É claro que, no fim das contas, vou ter que decidir com base na minha avaliação do seu desempenho, nos requisitos para o cargo e naquilo que acredito ser o melhor para a empresa." Isso permite que você escute o seu funcionário e entenda quão decepcionado e irritado ele está *e*, apesar disso, decida promovê-lo ou não, com base nos méritos dele.

9. Quem tem tempo para tudo isso na vida real?

Ninguém.

Ninguém quer gastar tempo se esforçando para entender por que alguém discorda de sua (obviamente) brilhante solução estratégica. Ninguém quer dedicar parte da tarde a lidar com um colega implicante ou, pior, com duas pessoas difíceis que não se dão bem e estão atrapalhando a capacidade da equipe de trabalhar de maneira eficaz ou a capacidade de todos aproveitarem o feriado da melhor forma.

Afinal de contas, você tem dados para processar, apresentações para montar, experimentos para executar, e-mails para responder e crianças para buscar na escola. Todas essas tarefas são urgentes e têm resultados tangíveis que podem ser satisfatoriamente riscados da sua lista de afazeres. Em contraste, dar início a uma conversa delicada não é nem um pouco atraente. A carga emocional envolvida torna isso exaustivo e não há nenhuma garantia de que o desfecho será bom. Não é de admirar que, a curto prazo, optemos por focar em tarefas menos desagradáveis e evitar as sandices intrínsecas a uma conversa.

Mas essa é uma falsa dicotomia. Imaginamos que o dilema seja mais ou menos assim. Será que eu devo

(a) gastar meu tempo lidando com essa conversa difícil *ou*
(b) poupar tempo e aborrecimento e deixar que o problema desapareça num passe de mágica?

Se *fosse* assim, bem, não precisaríamos deste livro, para começo de conversa. Eis uma análise um pouco mais realista desse dilema.

Nós já estamos gastando tempo e energia lidando com o problema. Conflitos não resolvidos no trabalho e nos relacionamentos pessoais sugam energia e atenção de formas sorrateiras que muitas vezes passam despercebidas. Devíamos acrescentar, ainda, o tempo que passamos bufando sozinhos, desabafando com colegas, reclamando com nosso cônjuge, inventando uma alternativa, sonhando acordados com o que *deveríamos* ter dito e pesquisando na internet sobre os distúrbios de personalidade do outro para fortalecer nosso argumento.

A forma como gastamos nosso tempo está, na verdade, piorando as coisas. Desabafar com um colega alivia um pouco a nossa frustração, mas pode acabar nos distraindo da necessidade de lidar com o problema diretamente. E agora nosso colega é arrastado para dentro do conflito, seja porque o contaminamos com nosso ponto de vista negativo e nosso aborrecimento, seja porque ele está ouvindo ambos os lados e ficou preso entre os dois. Reclamar com um amigo ou com o cônjuge geralmente reforça nossa história unilateral sobre por que a outra pessoa é "impossível" e nós somos a vítima inocente. Ainda que esse amigo seja capaz de enxergar o que estamos fazendo para piorar a situação, raramente damos permissão para que os outros nos desafiem – para que nos ajudem a ver a perspectiva do outro lado e a nossa contribuição. Por isso vamos embora convencidos de que o nosso amigo está do nosso lado, o que é um motivo a mais para a nossa justa indignação. Por sua vez, isso nos deixa mais propensos a disparar um conjunto de acusações e afirmações distorcidas, se e quando a conversa de fato ocorrer.

Em vez disso, direcione a energia para fins mais úteis e eficazes. Visto que já estamos tendo que lidar com o problema, é melhor usar esse tempo e essa energia de maneiras que ajudem, não que prejudiquem. Em vez de apenas desabafar com terceiros e (implicitamente) pedir que eles concordem conosco, por que não recorremos aos conselhos e ensinamentos genuínos deles? Amigos e colegas podem nos ajudar a examinar a perspectiva do outro, a entender a nossa contribuição e a pensar nas intenções do outro ou nas questões de identidade que estão nos fazendo reagir de maneira desmedida. Eles podem nos ajudar a refletir sobre o cerne da questão e como podemos compartilhar nossa perspectiva com clareza.

À medida que você se acostuma a usar o checklist de preparação apresentado no capítulo 12 e a adaptá-lo ao seu estilo e aos seus hábitos específicos, a elaboração dele fica cada vez mais rápida e eficiente. Em breve você será capaz de elaborar esse checklist no caminho para o trabalho pela manhã ou ao colocar a chamada em conferência no mudo por um ou dois minutos. Quando menos esperar, você estará usando o seu tempo para se sentir melhor em relação a determinada situação e para formular um plano para enfrentá-la em vez de mergulhar no desespero.

Invista sete minutos agora e economize sete horas depois

Às vezes temos receio de que os leitores fiquem com a impressão de que estamos sugerindo que lidemos com todas as conversas que surjam diante de nós e que cada uma delas seja um empreendimento contínuo, talvez até infinito. Sejamos claros: a vida é muito curta e ninguém tem esse tipo de energia emocional.

Na verdade, acreditamos que muitas dessas conversas podem ser bem rápidas. Quanto mais rápido você aborda uma questão, percebe um mal-entendido ou faz uma pergunta para esclarecer as intenções envolvidas, mais cedo você a esclarece e segue em frente. Quanto mais você permite que as coisas se deteriorem, mais o problema cresce. Portanto, investir sete minutos agora para descobrir por que você e o seu cliente parecem ter expectativas diferentes em relação ao escopo de um projeto vai economizar sete horas (ou sete meses) de confusão, frustração e excesso de custos ao longo do caminho.

E, quanto mais habilidoso você conseguer ser sobre *como* abordar e discutir um assunto, mais eficaz e produtiva é a conversa. Perguntar ao fornecedor por que seu pedido representa um problema em vez de simplesmente insistir que ele seja honrado vai ajudá-lo a esclarecer a relutância dele e a colocar vocês dois lado a lado na busca de soluções. Você se esquiva de dedicar dez minutos a debater o assunto, fica frustrado e, por fim, tem que fazer diversas outras ligações para o seu chefe, para o chefe do fornecedor ou para fornecedores alternativos.

Por fim, como diz o nosso colega Stevenson Carlebach, o tempo que dedicamos a conversas fáceis em comparação ao que dedicamos a conversas difíceis é como a diferença entre anos humanos e anos caninos. Pode até parecer que a conversa dura sete vezes mais, mas isso não é verdade. Aliás, algumas pessoas com quem trabalhamos começaram a corrigir sua noção interior de tempo gasto. Depois de cada ligação telefônica que parecia ter durado uma eternidade, eles olhavam o visor do telefone ao desligar e observavam exatamente quanto tempo a ligação tinha durado. Por repetidas vezes, eles se deram conta de que o telefonema "eterno" tinha levado apenas quatro minutos – e que tinha abordado as verdadeiras questões.

Isso, sim, é tempo bem gasto.

10. Minha conversa sobre a identidade fica empacada em um "ou isso ou aquilo": ou eu sou perfeito ou eu sou um desastre. Não consigo superar isso. O que eu faço?

Comecemos por um exemplo.

A história de Antonio

> Quando sou criticado, seja no trabalho ou em casa, costumo reagir criticando de volta. Ou a situação se agrava ou a outra pessoa se retira. A parte triste é que isso acontece mesmo quando eu sei que o feedback está certo! Eu sempre digo pra mim mesmo que da próxima vez vou responder com um simples "Isso pode ajudar, vou pensar nisso" ou "Obrigado, me fale mais sobre isso", mas, quando chega a hora, repito o padrão como se eu jamais tivesse refletido sobre a questão. Sei que isso está prejudicando meus relacionamentos, mas não consigo mudar.

Ao refletir sobre isso, Antonio descobriu que esse comportamento está enraizado na crença de que uma pessoa boa e de valor não erra nem decepciona os outros. Ele tem receio de ser rejeitado ou até mesmo excluído caso *de fato* decepcione alguém. E, talvez o mais importante, ele teme não conseguir conviver com o erro: "Se há uma coisa que eu conheço sobre mim é que não magoo os outros, não decepciono os outros." Para evitar esse sentimento insuportável de culpa ou vergonha, Antonio determina, pelo menos no momento, que as críticas *só podem* ser equivocadas ou mal-intencionadas. Irritado, ele tenta mostrar que a situação, na verdade, é o resultado de erros cometidos por *outras* pessoas, especialmente pela pessoa que apontou as preocupações.

Mais tarde, quando seus ânimos se acalmam, Antonio consegue enxergar como a resposta que deu foi provocativa e cheia de insegurança, mas não é capaz de fazer isso *na hora* em que acontece nem de pensar no que mais ele pode fazer. No campo racional, ele entende que mesmo pessoas boas, competentes e valorizadas às vezes têm dias ruins, fazem escolhas impensadas ou egoístas ou simplesmente são desatentas. Mas no campo emocional, no momento, ele não se sente autorizado a ser outra coisa senão perfeito.

Seu coração dispara de medo e desespero e seus instintos mais profundos assumem o comando.

Todos nós conhecemos essa sensação.

Por que é tão difícil mudar tais comportamentos e suposições sobre nós mesmos e as relações que os alimentam? Existe alguma coisa que possa ser feita quanto a isso?

De onde vem a identidade

A identidade se desenvolve a partir da interação complexa de nossas experiências mais marcantes* e daquilo que *escolhemos* fazer dessas experiências (em outras palavras, a história que contamos). Não podemos mudar essas marcas (embora a nova ciência da neuroplasticidade venha questionando essa hipótese de maneira oportuna) nem nossas experiências. Mas podemos mudar nossa história sobre essas experiências.

Quando ainda somos bebês ou crianças, presumimos merecer tudo que recebemos – de bom e de ruim – de nossos pais e construímos uma história para explicar o *porquê* disso. "Eu apanhei porque sou mau." "Meus pais me amam porque eu sou muito fofo." "Eu tenho valor porque sou sempre gentil com a minha irmã."

Mesmo antes de aprender a falar, começamos a desenvolver imagens de nós mesmos *em relação* aos outros.** Sendo a irmã do meio de uma família conturbada, por exemplo, uma colega nossa percebeu que era recompensada por ser a pacificadora. Ela desenvolveu uma imagem de si mesma como "uma pessoa racional, que nunca perde a paciência". Quando adulta, passou a ser muito procurada por amigos que valorizam sua abordagem imparcial em situações estressantes, mas tem dificuldade em dizer o que ela mesma quer de verdade ou de expressar emoções intensas. Ela se vê como a pessoa que faz os conflitos desaparecerem, não a que dá origem a eles.

---

* Jerome Kagan, por exemplo, afirma que a intensidade da "reação de alarme" nos bebês é um forte indicador de se a pessoa será aventureira ou retraída, extrovertida ou tímida. Ver *The Long Shadow of Temperament*, de Jerome Kagan e Nancy Snidman (Belknap Press, 2004).

** Ver, por exemplo, o livro *Inside the Family*, de David Kantor e William Lehr (Meredith Winter Press, 2003).

Essas imagens podem se desenvolver a partir de nossas experiências e nossos relacionamentos cotidianos, mas também de eventos traumáticos e transformadores. Antonio, cujos pais se divorciaram quando ele tinha 5 anos, acreditava que havia sido ele a causa do rompimento. A lição: "Meu pai foi embora porque eu era mau. Eu nunca vou me permitir ser mau de novo." Isso ajuda a explicar por que é tão ameaçador para Antonio sentir que ele é outra coisa que não perfeito. É claro que outra pessoa poderia ter aprendido uma lição diferente com o divórcio: "Ser bom não ajudou. As pessoas vão embora de qualquer jeito, então não confie nelas." Isso pode contribuir tanto para uma identidade ferozmente independente quanto para uma de vítima.

À medida que a vida continua a expor Antonio a novas experiências, ele tenta – como todos fazemos – interpretar essas experiências de modo consistente com a forma como vê a si mesmo. Se ele recebe o feedback de que provocou um desastre, isso ameaça um pilar fundamental de sua identidade: "Nunca mais serei mau." Se esse pilar for destruído, não há mais nada que o mantenha de pé. Para protegê-lo, ele dispara: "Não fui eu! É impossível!"

Embora Antonio agora reconheça as desvantagens dessa parte de sua autoimagem, ainda assim é difícil mudar. Ela é familiar, está profundamente arraigada – quase inconsciente –, e as alternativas parecem assustadoras e pouco nítidas. Embora não esteja totalmente ciente disso, Antonio enxerga duas opções: preservar o pilar (negação) ou deixar que as coisas desmoronem (exagero).

O que ajuda?

Como falamos no capítulo 6, é importante trazer esse dilema à tona, identificar suposições irrealistas do tipo "ou tudo ou nada" e redefinir nossas expectativas em torno de algo mais viável. Mas e se, como Antonio, isso não for o bastante?

A raiz dessa dificuldade é que, embora Antonio admita que tem um problema recorrente de identidade e responda pelas consequências, ele ainda não encontrou uma forma de se aceitar como alguém que às vezes decepciona os outros. Há diversas coisas que podem ser feitas para ajudar nesse tipo de desafio.

Explore e ressignifique as raízes do problema. Muitas vezes, refletir sobre onde e como aprendemos a ser do jeito que somos é de grande ajuda. Além do divórcio, Antonio cita outras duas lembranças importantes que provavelmente moldaram sua identidade. Uma é o momento em que seu irmão mais velho, Hector, tirou notas tão ruins que foi expulso da escola. Antonio ouviu o pai expressar sua decepção e chamar o irmão de "fracassado" e passou dias escutando o irmão chorar antes de dormir. A outra foi quando Antonio ganhou um prêmio da escola por um trabalho que escreveu quando estava na quinta série. Ele ficou surpreso e magoado quando a única reação que os pais tiveram foi: "Legal, Antonio." A partir dessas duas experiências, Antonio estabeleceu que o amor dependia do sucesso e que mesmo um desempenho sensacional pode não ser suficiente para conquistá-lo.

Imagine o choque de Antonio, anos depois, quando ele questionou a mãe sobre a reação dela e do pai ao prêmio: "Estávamos tão orgulhosos de você! Ninguém na nossa família jamais teve tanto sucesso acadêmico. Mas tentamos não exagerar em relação à sua conquista porque o psicólogo da escola nos disse que crianças superdotadas que são elogiadas demais podem receber a mensagem de que só são amadas por causa de suas conquistas." Quanto à reação do pai ao irmão, foi um pouco mais complexa. Ele confessou seu pesar por ter sido muito severo: "Eu só não queria ver Hector cometer os mesmos erros que eu cometi", admitiu.

Portanto, o amor não era tão condicional quanto Antonio achava, apenas estava sendo expressado de maneiras que ele não compreendia. Antonio vivia confinado por normas estritas que aprendeu quando criança sobre como funcionam os relacionamentos. Perceber isso e encontrar maneiras diferentes de interpretar suas memórias-chave ajudou-o a diminuir a força dos abalos em sua identidade.

O irmão de Antonio enfrentou um desafio diferente. Tendo internalizado o julgamento de seu pai de que era um "fracassado", Hector resiste a se candidatar a cargos de liderança no trabalho ou em sua comunidade e os recusa quando lhe são oferecidos. Com o tempo, ele aprendeu que seu problema na escola se devia em parte à dislexia e, em parte, a um estilo de aprendizado em que precisava primeiro compreender um contexto mais amplo para que depois os detalhes fizessem sentido. Mas, em alguma camada, Hector ainda via a si mesmo como o garoto de 15 anos que havia "fracassado" de maneira tão constrangedora. A consequência disso é que ele estava determinado a não se colocar novamente nessa posição e era incapaz de enxergar a si mesmo como alguém digno de responsabilidade.

Os colegas, que viam Hector como um sujeito atencioso e sábio ao qual muitas vezes recorriam em busca de conselhos, tinham dificuldade em entender a reticência dele. O insight veio apenas quando Hector se abriu para um amigo próximo que queria que ele se juntasse a um grupo de liderança da comunidade. "Hector", disse o amigo, "o que *você* diria pra um garoto de 15 anos nessa mesma situação? Você diria que ele está eternamente fadado ao fracasso? Ou que ele deveria aprender com a experiência e fazer melhor da próxima vez? Você não tem mais nada a ver com a criança que era naquela época." Graças a essa insistência, Hector passou a se ver de outra forma, como o homem no qual aquele garoto se transformara. Então, com certa dose de espanto e um orgulho inédito, embora não isento de ansiedade, ele começou a assumir os papéis de liderança que lhe eram oferecidos. A cada êxito, a confiança de Hector aumentava e o garoto medroso recuava.

Só que nada disso é fácil. Alguns de nós sofrem abusos físicos ou emocionais de pais, professores, colegas de escola ou vizinhos, e os impactos disso sobre a nossa identidade podem ser profundos. No caso de um trauma, especificamente, podem ocorrer mudanças fisiológicas que inibem nossa capacidade de contar uma história mais empoderadora ou mais otimista em relação ao que aconteceu.

Mas, mesmo na ausência de trauma, a flexibilidade não é infinita; há limites para a forma como podemos reinterpretar experiências. Se você tinha poucos amigos no ensino médio, não faz sentido decidir, anos depois, que você era o mais popular da escola. Se você tirava notas ruins, não serve de nada "lembrar" que você foi o orador da turma.

Fazer as pazes com a sua experiência não é inventar coisas; é analisar com atenção os rótulos de identidade simplistas que colamos em nós mesmos, colocar os eventos em contexto e, se necessário, lamentar o fato de que as coisas aconteceram da forma como aconteceram. Se você decidir que ter tirado notas baixas no ensino médio significa que você é "burro", isso é uma generalização exagerada e inútil. Da mesma forma, e talvez surpreendentemente, ser rotulado como "inteligente" faz com que algumas pessoas se tornem avessas ao risco e se frustrem com mais facilidade ao terem de solucionar problemas. Essas pessoas temem que sua reputação esteja ameaçada a cada novo desafio. Na verdade, ao longo do tempo somos todos rápidos e lentos, fortes e fracos, motivados e preguiçosos, de milhares de formas tão minúsculas que generalizações simplesmente não conseguem dar conta.

Tampouco são claras as lições "certas" a serem extraídas de nossas experiências. Uma pessoa pode atribuir a força do seu casamento às primeiras lições de resiliência durante uma infância emocionalmente conturbada, enquanto outra pode ver seus relacionamentos conturbados como consequência inevitável da mesma condição.

No caso de Antonio, suas reflexões o ajudaram a relaxar a visão "ou isso ou aquilo" que tinha em relação à própria identidade, reduzindo o pânico que ele tradicionalmente sentia diante da perspectiva de decepcionar alguém. Nesse espaço mais calmo, ele é um pouco mais capaz de se lembrar das respostas alternativas que gostaria de dar. E, a cada experiência positiva, os esforços subsequentes vão se tornando mais fáceis.

Crie experiências positivas. Além de reinterpretar as experiências passadas, você também pode criar novas experiências que ofereçam reforço positivo para se comportar e se enxergar de outras maneiras. Isso pode envolver agir como se algo fosse verdade mesmo sem ter certeza, apenas para ver o que acontece. Antonio pode *correr atrás* do feedback negativo dos colegas com a mentalidade de ser "uma pessoa que aprende muito bem com feedbacks". Ele sabe que essa não é uma descrição precisa de si, mas, a título de experimento, ele pode agir *como se fosse*. E, se ele ouvir os feedbacks e trabalhar os aspectos apontados, isso será verdade, pelo menos daquela vez; nesse ponto, ele terá uma experiência positiva na qual se apoiar – fabricada, mas real.

Peça ajuda para estimular e reforçar novos comportamentos. Sob estresse, é provável voltarmos às velhas formas de agir. São vias neurais muito consolidadas. Sem ajuda externa, não temos como perceber esse padrão nem como interrompê-lo de maneira duradoura. Para evitar isso, muitas vezes é útil contar com a assistência de um amigo ou colega. Antonio pediu a ajuda de dois deles: "Estou tentando aprender a receber feedbacks. Não acho isso fácil nem natural, mas você pode me ajudar sinalizando quando eu ficar na defensiva. Você tem minha permissão explícita para me orientar em relação a isso, para ser direto. Ao mesmo tempo, quero pedir que você seja paciente. É bem provável que eu faça alguma besteira, e, quando isso acontecer, lembre-se que estou me esforçando muito."

Tenha um pouco de empatia consigo mesmo. Todos nós damos sentido às nossas experiências da melhor maneira possível – geralmente com muito pouca orientação – e já fizemos escolhas que deram certo ou deram errado.

A vida não é fácil. O que precisamos é de um pouco de empatia com nós mesmos.

Aceitar *por completo* o nosso ser – nossos erros, falhas e deficiências, nossos momentos de fraqueza, egoísmo e estupidez – e perdoar a nós mesmos é um passo essencial para encontrar o equilíbrio no presente e o crescimento no futuro. Para alguns, esse sentimento de profundo cuidado consigo mesmo surge num breve insight; para a maioria, é um projeto de vida, composto de pequenos ajustes e lembretes diários. Não se trata de inventar desculpas nem de jogar a responsabilidade para cima dos outros. É a simples intenção de aceitar e cuidar daquilo que *é*.

Se não estivermos satisfeitos, podemos nos desculpar, lamentar e tentar fazer melhor daqui para a frente.

• • •

Uma última reflexão

Muitas vezes somos abordados por leitores que compartilham conosco como é impossível lidar com o filho, irmão, chefe ou sócio. Eles parecem desesperados por ajuda. Fazemos algumas perguntas e damos algumas sugestões, todas rapidamente descartadas: "Já tentei", "Nem pensar", "Não funciona".

Levou alguns anos para percebermos que eles, na verdade, não estavam pedindo conselhos; estavam pedindo permissão para desistir. "Estou exausto. Já chega. Tudo bem se eu desistir?" Portanto, passamos a dar uma resposta diferente: "Parece que você já deu o melhor de si e já tentou quase tudo."

As pessoas *amaram* essa resposta; muitas delas mal conseguiam disfarçar a alegria. Quase dava para ouvir a conversa que elas teriam quando chegassem em casa: "Querida, fui a uma palestra e ouvi a opinião de um profissional: sua mãe é *oficialmente impossível*!"

Abrir caminho por meio de conversas difíceis é um trabalho árduo e, muitas vezes, desanimador – principalmente quando você não vê reciprocidade ao se abrir nem gratidão pela disposição de se responsabilizar pelas suas contribuições. Em muitos casos, você está lutando para romper padrões profundamente arraigados e para aplainar anos e anos de atrito. A mudança pode até estar vindo, mas no tempo dela.

Mas então, depois de meses estendendo a mão e se sentindo rejeitado, você percebe um ligeiro tremor; finalmente algo está mudando. Você recebe uma mensagem simpática no fim do ano ou, pelo menos, uma mensagem de voz menos irritada. Tem vislumbres de candura ou nota que a típica deixa para uma briga passou batida.

Se você acredita que esses gestos estão fazendo uma diferença genuína e for capaz de negociar consigo mesmo para ter paciência, essas pequenas mudanças iniciais podem ser suficientes para manter a esperança.

Mas não temos nenhuma intenção de sugerir que você fique dando murro em ponta de faca nem que permaneça por tempo indefinido em um relacionamento que prejudica sua autoestima. Você pode estar fazendo progressos com o seu chefe paranoico, mas sua família ainda sofre com o pavor que você tem das segundas-feiras. Você tem empatia com as circunstâncias problemáticas de sua irmã, mas o vício dela continua provocando estragos no seu casamento. Você já deu o melhor de si. Não adiantou.

Você tem permissão para desistir.

Como dissemos, você não tem como mudar os outros. Quando você finalmente abre mão da ideia de que tem o poder de mudar os outros, está abrindo mão de algo que nunca teve, no fim das contas – controle. Se uma pessoa não está disposta a examinar a contribuição que deu para um problema ou se responsabilizar pelos impactos de suas ações, não é possível forçá-la a isso. Tudo que você pode fazer é olhar para si mesmo, estar aberto a ver as coisas de outra forma, mudar sua contribuição e ser honesto quanto ao que é importante para você.

Você pode fazer um convite para os outros se juntarem a você na tarefa de melhorar as coisas. Cabe a eles confirmar presença ou não.

Desistir é difícil. Você quer ser o tipo de pessoa que é leal e solidária, um colega atencioso e um filho amoroso. Você está profundamente comprometido com as outras pessoas, com a comunidade, o bairro e a escola. Desistir exige que você tenha uma conversa difícil consigo mesmo sobre fazer uma escolha saudável – para si e para aqueles que você ama – e que seja capaz de se perdoar. Essa pode ser a conversa mais difícil de todas, mas ela vale a pena.

Boa sorte.

Um guia para
Conversas difíceis

Nota dos autores	6
Sumário	7
Prefácio à edição de dez anos	9
Prefácio	16
Introdução	18
Uma conversa difícil é qualquer assunto que você ache complicado abordar	18
O dilema: entre evitar e enfrentar, parece que não há um caminho ideal	19
Não existe granada diplomática	20
Este livro pode ajudar	21
O esforço compensa	21
Não acredita? Eis algumas reflexões	22
Precisamos procurar em novos lugares	23
Conversas difíceis fazem parte da vida	23
O problema	25
1. Aprenda a reconhecer as Três Conversas	26
Decodificando a estrutura das conversas difíceis	27
Uma conversa não é apenas o que chega aos seus ouvidos	28
Cada conversa difícil é, na verdade, três	29
1. A conversa sobre o que aconteceu.	29
2. A conversa sobre os sentimentos.	30
3. A conversa sobre a identidade.	30
O que podemos e o que não podemos mudar	30
A conversa sobre o que aconteceu: qual é a história, afinal?	31
A suposição da verdade	31
A invenção da intenção	33
O foco na culpa	33

A conversa sobre os sentimentos: o que fazer com
as nossas emoções? 35
    Uma ópera sem música 35
A conversa sobre a identidade: o que isso diz sobre mim? 36
    Mantendo o equilíbrio 38
O caminho rumo à conversa-aprendizado 38

Adotando uma postura de aprendizado 43
A conversa sobre o que aconteceu 45

2. Pare de discutir sobre quem está certo: *Explore as histórias de cada um* 46

Por que argumentamos e por que isso não ajuda 47
    Achamos que *os outros* são o problema 47
    Os outros acham que *nós* somos o problema 48
    Nossa versão sobre o que aconteceu sempre faz
    sentido para nós 49
    Discutir nos impede de explorar a história do outro 50
    Argumentar sem compreender não convence ninguém .. 50
Histórias diferentes: por que cada um vê o mundo de
uma forma 51
    1. Temos informações diferentes 52
        Prestamos atenção em coisas diferentes. 52
        Ninguém é capaz de nos conhecer melhor do
        que nós mesmos. 54
    2. Temos interpretações diferentes 55
        Somos influenciados por nossas experiências. 55
        Aplicamos diferentes regras implícitas. 56
    3. Nossas conclusões refletem nossos interesses 57
Passe da certeza à curiosidade 58
    Curiosidade: a porta de entrada para as histórias
    dos outros 59
    Qual é a *sua* história? 60
Abrace as duas histórias: adote a "postura do *e*" 61
Duas exceções que não são exceções 62
    Eu tenho *mesmo* razão 62
    Quando é preciso dar más notícias 63
Antes de seguir em frente, primeiro descubra onde está 64

3. Não presuma o que o outro quis dizer: *Faça distinção entre intenção e impacto* 66

A batalha das intenções 66
Dois erros fatais 67
O primeiro erro: nossas suposições sobre as intenções do outro costumam estar erradas 68

    Fazemos suposições sobre intenções a partir do impacto que elas nos causam 68
        Prensamos o pior sobre o outro. 68
        Somos condescendentes com nós mesmos. 69
        Más intenções não existem nunca? 70
    Errar ao fazer suposições tem um preço alto 70
        Presumimos que má intenção é sinônimo de falta de caráter. 70
        Acusar os outros de ter más intenções os põe na defensiva. 71
        Suposições podem ser profecias autorrealizáveis. 72

O segundo erro: boas intenções não desfazem impactos negativos 72
    Não escutamos o que os outros estão tentando dizer 72
    Ignoramos a complexidade das motivações humanas 73
    Agravamos a hostilidade – principalmente entre grupos 74

Como evitar os dois erros 75
    Como evitar o primeiro erro: faça distinção entre impacto e intenção 75
        Encare sua opinião como uma hipótese. 76
        Explique o impacto que algo teve em você; pergunte sobre as intenções dos outros. 76
        Não finja que você não tem uma hipótese. 77
        É inevitável ficar um pouco na defensiva. 77

Como evitar o segundo erro: dê ouvidos aos sentimentos e reflita sobre suas intenções 78
    Procure ouvir os sentimentos que estão por trás da acusação. 78
    Esteja aberto a refletir sobre a complexidade das suas intenções. 78

4. Esqueça a culpa: *Mapeie o sistema de contribuição* 80

Na nossa história, a culpa parece óbvia 80
Ficamos presos na teia da culpa 81
Fazendo distinção entre culpa e contribuição 81
    Culpa é julgamento e aponta para o passado 81

Contribuição é compreensão e aponta para o futuro	82
A contribuição é conjunta e interativa	85
O preço do foco na culpa	86
Quando a culpa se torna o objetivo, quem sofre é a compreensão	86
Focar na culpa dificulta a solução dos problemas	87
A culpa pode mascarar um sistema defeituoso	87
Os benefícios de entender a contribuição	88
A contribuição é mais fácil de ser abordada	88
A contribuição estimula o aprendizado e a mudança	89
Três equívocos sobre a contribuição	90
Equívoco #1: Tenho que me concentrar apenas na minha contribuição	90
Equívoco #2: Deixar a culpa de lado significa deixar meus sentimentos de lado	90
Equívoco #3: Explorar a contribuição significa "culpar a vítima"	91
Como descobrir a sua parte: quatro contribuições difíceis de identificar	92
1. Não abordar o problema	93
2. Não ser acessível	94
3. Interseções	94
4. Fazer suposições problemáticas quanto ao papel de cada um	97
Duas ferramentas para identificar a contribuição	98
Inversão de papéis	98
Perspectiva do observador	98
Passando da culpa à contribuição – um exemplo	98
Mapeie o sistema de contribuição	100
Com que o outro está contribuindo?	100
Com que estou contribuindo?	100
Quem mais está envolvido?	101
Assuma primeiro a responsabilidade pela sua contribuição	101
Ajude o outro a entender a contribuição dele	102
Exponha todas as suas observações e a sua linha de raciocínio.	103
Diga com clareza o que você gostaria que o outro fizesse de maneira diferente.	103

A conversa sobre os sentimentos   105

5. Domine os seus sentimentos *(ou eles dominam você)*   106

    Sentimentos importam: eles quase sempre estão no cerne das conversas difíceis   106

    Tentamos deixar os sentimentos de fora das questões   107

        Sentimentos não expressados podem se infiltrar na conversa   108

        Sentimentos não expressados podem invadir a conversa   110

        Sentimentos não expressados tornam mais difícil ouvir   110

        Sentimentos não expressados afetam nossa autoestima e nossos relacionamentos   111

    Como escapar do impasse dos sentimentos   111

    Onde os sentimentos se escondem   112

        Analise sua pegada emocional   112

            Aceite que sentimentos são algo normal e natural.   113

            Compreenda que pessoas boas podem ter sentimentos ruins.   113

            Aprenda que seus sentimentos são tão importantes quanto os dos outros.   114

        Identifique a legião de sentimentos por trás dos rótulos simplistas   116

            Não deixe que sentimentos ocultos travem outras emoções.   117

        Encontre os sentimentos escondidos por trás de suposições, julgamentos e acusações   119

            A verdade sobre as suposições e os julgamentos.   119

            Use o impulso de acusar como uma pista para descobrir sentimentos importantes.   120

    Sentimentos não são intocáveis: negocie com eles   121

    Não despeje: *descreva* os sentimentos com cuidado   123

        1. Incorpore os sentimentos no problema   123

        2. Expresse integralmente os seus sentimentos   124

        3. Não julgue – apenas compartilhe   125

            Expresse seus sentimentos sem julgamentos, suposições ou culpa.   125

            Não seja intransigente: os dois lados podem ter sentimentos fortes ao mesmo tempo.   126

            Um lembrete fácil: diga "Eu me sinto…"   127

    A importância de dar espaço aos sentimentos   127

    Às vezes os sentimentos são a única coisa que importa   129

A conversa sobre a identidade — 131

6. Consolide a sua identidade: *Pergunte a si mesmo o que está em jogo* — 132

Conversas difíceis ameaçam nossa identidade — 133
    As três identidades principais — 133
        Será que sou competente? — 133
        Será que sou uma boa pessoa? — 133
        Será que sou digno de amor? — 134
    Um abalo na nossa identidade nos leva a perder o equilíbrio — 134
    Não existe solução rápida — 134
Identidades vulneráveis: a síndrome do "ou tudo ou nada" — 135
    Negação — 136
    Exagero — 136
        Permitimos que o feedback dos outros defina quem nós somos. — 137
Consolide a sua identidade — 137
    Primeiro passo: esteja atento às suas questões de identidade — 137
    Segundo passo: dê maior complexidade à sua identidade (adote a "postura do e") — 139
    Três coisas a aceitar sobre si mesmo — 140
        1. Você vai cometer erros. — 140
        2. Suas intenções são complexas. — 141
        3. Você contribuiu para o problema. — 142
Durante a conversa, aprenda a recuperar o equilíbrio — 143
    Pare de tentar controlar a reação do outro — 144
    Esteja preparado para a reação do outro — 145
    Imagine que já se passaram três meses ou dez anos — 146
    Faça uma pausa — 146
A identidade do outro também está em jogo — 147
Falando abertamente sobre questões de identidade — 148
Tenha coragem de pedir ajuda — 148

Crie uma conversa-aprendizado — 151

7. Qual é o seu objetivo? *A hora certa de abordar uma questão ou deixá-la de lado* — 152

Tocar no assunto ou não: como decidir? — 152
    Como saber se fiz a escolha certa? — 153

Trabalhe as Três Conversas	153
Três tipos de conversa que *não* fazem sentido	153
O verdadeiro conflito está dentro de você?	154
Existe algum modo melhor de resolver um problema?	155
Seus objetivos fazem sentido?	158
Lembre que você não pode mudar os outros.	158
Não se concentre no alívio a curto prazo em detrimento do longo prazo.	159
Não fuja da cena do crime.	160
Abrir mão	161
Adote algumas premissas libertadoras	163
Eu não tenho obrigação de melhorar as coisas; minha obrigação é fazer o melhor que posso.	163
As outras pessoas também têm limitações.	163
Esse conflito não me define.	164
Não levantar o assunto não significa parar de se importar.	165
Abordando a questão: três objetivos que funcionam	166
1. Conhecer a história do outro	166
2. Expressar suas opiniões e sentimentos	167
3. Solucionar os problemas em conjunto	167
Postura e objetivo andam de mãos dadas	167
8. Primeiros passos: *Comece pela Terceira História*	**168**
Por que as nossas introduções típicas não servem	168
Partimos da nossa história	169
Disparamos a conversa sobre a identidade já no primeiro momento	169
Primeiro passo: comece pela Terceira História	170
Pense como um mediador	171
Nem certo nem errado, nem melhor nem pior – apenas diferente	171
A história de Jason.	172
A história de Jill.	172
A Terceira História.	172
Mesmo que o outro dê início à conversa, você pode se valer da Terceira História	175
Segundo passo: faça um convite	176
Explique quais são seus objetivos	176

Não obrigue, convide	176
Faça do outro um parceiro nessa busca	176
Seja persistente	177
Alguns tipos específicos de conversa	178
Dar más notícias	179
Fazer um pedido	179
"Será que não faria sentido...?"	179
Retomar conversas que não acabaram bem	180
Fale sobre como falar sobre isso.	180
Um mapa para o progresso: a Terceira História, a história do outro, a sua história	181
Sobre o que falar: as Três Conversas	181
Como falar: escutar, compartilhar e buscar soluções	183

9. Aprender: *Como escutar de dentro para fora*   184

Escutar transforma a conversa	185
Escutar o outro ajuda a fazer com que o outro escute você	187
A postura da curiosidade: como escutar de dentro para fora	188
Esqueça as palavras, concentre-se na autenticidade	188
O comentarista em sua mente: esteja mais consciente da sua voz interior	189
Aumente o volume	190
Gerenciando a sua voz interior	190
Abra caminho para a curiosidade.	190
Não escute: fale.	191
Três habilidades: perguntar, repetir e aceitar	193
Faça perguntas visando a aprender	193
Não faça afirmações disfarçadas de perguntas	193
Não use perguntas para acusar	194
Faça perguntas abertas	195
Peça mais informações concretas	195
Faça perguntas sobre as Três Conversas	197
Crie um ambiente seguro para o caso de o outro não querer responder	198
Repita com as suas palavras para esclarecer	198
Conferir se você entendeu mesmo	199
Mostrar que você escutou	199
Aceite os sentimentos do outro	201

Responda às perguntas ocultas	201
Como abrir esse espaço	202
A ordem importa: abra espaço para os sentimentos antes de buscar soluções	203
Abrir espaço não é sinônimo de concordar	203
Uma última reflexão: a empatia é uma jornada, não um destino	204

10. Compartilhar: *Expresse o que você tem a dizer com clareza e força* — 206

Não é preciso ser eloquente	206
Você tem direito (sim, você mesmo)	207
Nem mais nem menos	207
Cuidado com a autossabotagem	208
Não se expressar deixa você de fora do relacionamento	209
Ter direito não é sinônimo de ter obrigação	210
Vá ao cerne da questão	210
Comece pelo que mais importa	210
Diga o que você quer dizer: não espere que o outro adivinhe	212
Não conte com as entrelinhas.	212
Evite rodeios.	214
Não simplifique a sua história: use o "e particular"	215
Como contar a sua história com clareza: três diretrizes	216
1. Não apresente suas conclusões como se fossem A Grande Verdade	216
2. Explique de onde vêm as suas conclusões	217
3. Não generalize com "sempre" ou "nunca": dê espaço para o outro mudar	218
Ajude o outro a compreender você	219
Peça ao outro que repita o que você disse	220
Pergunte como – e por que – a outra pessoa vê a situação de modo diferente	220

11. Buscar soluções: *Conduza a conversa* — 222

Habilidades para conduzir a conversa	222
Reformular, reformular, reformular	223
Tudo pode ser reformulado	225
O "e conjunto"	226

Qualquer hora é a hora certa para escutar ... 227
    Seja persistente em escutar ... 228
Explicite o problema: deixe claro o que está acontecendo de errado na conversa ... 230
E agora? Comece a buscar soluções ... 231
    Quando um não quer, dois não... concordam ... 232
    Reunir informações e pôr à prova os pontos de vista de cada um ... 232
        Proponha um teste. ... 233
        Diga o que ainda está faltando. ... 233
        Diga o que faria você mudar de ideia. ... 234
        Pergunte o que (caso exista) faria o outro mudar de ideia. ... 234
        Peça conselho ao outro. ... 234
    Concebendo alternativas ... 235
    Pergunte quais parâmetros devem ser usados ... 236
        O princípio do cuidado mútuo. ... 236
    Se ainda não houve acordo, repense as alternativas ... 237
É preciso tempo ... 238

12. Juntando todas as pontas ... 239
    Primeiro passo: repasse as Três Conversas para se preparar ... 239
    Segundo passo: confira seus objetivos e decida se eles devem ser abordados ... 241
    Terceiro passo: comece pela Terceira História ... 242
    Quarto passo: explore a história do outro e a sua ... 243
    Quinto passo: solução de problemas ... 251

Dez perguntas que as pessoas fazem sobre *Conversas difíceis* ... 255

    1. Tenho a impressão de que vocês estão dizendo que tudo é relativo. Mas será mesmo que não existe verdade e que às vezes algumas pessoas simplesmente estão erradas? ... 257
    2. E se a outra pessoa de fato tiver más intenções – de mentir, intimidar ou inviabilizar propositalmente a conversa – para conseguir o que quer? ... 263
    3. E se a outra pessoa for genuinamente difícil, quem sabe até por transtornos psicológicos ou psiquiátricos? ... 269
    4. Como isso funciona diante de alguém que detém todo o poder – um chefe, por exemplo? ... 277

5. Se eu sou o chefe/pai/mãe, por que não posso simplesmente
   dizer aos meus subordinados/filhos o que fazer? 284
6. Essa abordagem não é muito americana? Como funciona
   em outras culturas? 289
7. E as conversas que não são cara a cara? O que devo fazer
   de diferente se eu estiver ao telefone ou numa troca de e-mails? 293
8. Por que vocês aconselham as pessoas a "levar os
   sentimentos para o ambiente de trabalho"? Não sou terapeuta.
   As decisões profissionais não deveriam ser tomadas por mérito? 298
9. Quem tem tempo para tudo isso na vida real? 304
10. Minha conversa sobre a identidade fica empacada em um
    "ou isso ou aquilo": ou eu sou perfeito ou eu sou um desastre.
    Não consigo superar isso. O que eu faço? 308

Notas sobre algumas organizações relevantes

Projeto de Negociação de Harvard

O Projeto de Negociação de Harvard (ou HNP, sigla de Harvard Negotiation Project) é um projeto de pesquisa fundado em 1979 na Universidade Harvard para desenvolver e difundir métodos aprimorados para lidar com conflitos. Ele estimulou a fundação e faz parte do Programa de Negociação da Harvard Law School, um consórcio interuniversitário de acadêmicos e de atividades com uma abordagem multidisciplinar da teoria e da prática da negociação e da gestão de conflitos. As atividades do HNP incluem pesquisa-ação, desenvolvimento de teorias, educação/treinamento e publicações.

Pesquisa-ação. O HNP trabalha com pessoas envolvidas em problemas reais para oferecer ajuda, aprender a partir da experiência e desenvolver novas teorias. O HNP contribuiu, por exemplo, para a resolução de conflitos como a crise dos reféns americanos no Irã, em 1980, ajudou a criar um relacionamento substancialmente melhor entre os Estados Unidos e a União Soviética e colaborou na estruturação dos processos de negociação e paz na América Central e na África do Sul.

Desenvolvimento de teorias. Entre as ideias desenvolvidas no HNP estão o procedimento de mediação de texto único utilizado pelos Estados Unidos nas negociações de paz no Oriente Médio desde os acordos de Camp David, em 1978, o método de negociação com "princípios" ou "ganhos mútuos", a estrutura das "preocupações principais" no gerenciamento das emoções em negociações e a abordagem das conversas produtivas resumida neste livro.

Educação e treinamento. O HNP desenvolveu o Seminal Negotiation Workshop, ministrado na Harvard Law School, que influenciou educadores do mundo todo. Todo ano, em junho, o HNP oferece cursos intensivos de uma semana sobre negociação e conversas difíceis para advogados e o público em geral, como parte do Harvard Negotiation Institute. (Para informações, acesse www.pon.harvard.edu.)

Publicações. O trabalho no HNP gerou muitas publicações, que incluem *International Mediation: A Working Guide; Como chegar ao sim: como negociar acordos sem fazer concessões; Getting Together: Building Relationships as We Negotiate; Getting Ready to Negotiate; Getting Past No: Dealing with Difficult People and Situations; Beyond Machiavelli; Coping with International Conflict; The Third Side; Em ação!; Fazendo as coisas acontecerem: como liderar sem estar no comando; Além da razão: a força da emoção na solução de conflitos; The Power of a Positive No* e este livro, bem como artigos, guias do professor, currículos e exercícios de negociação. (Para obter informações sobre materiais didáticos, entre em contato com o Program on Negotiation Clearinghouse pelo e-mail chouse@law.harvard.edu ou acesse www.pon.org.) Para saber as ideias mais recentes no campo, assine o Program's Negotiation Journal ou a Negotiation Newsletter (acesse www.pon.harvard.edu/publications).

As duas organizações a seguir foram fundadas por membros do Projeto de Negociação de Harvard e por autores deste livro. Embora tenham focos estratégicos um pouco distintos, elas são as duas únicas fornecedoras licenciadas de cursos e coaching da marca Difficult Conversations®.

Vantage Partners, LLC

Bruce Patton é um dos cinco fundadores da Vantage Partners, uma empresa global de consultoria de gerenciamento. É a empresa líder em ajudar outras empresas a alcançar resultados comerciais mensuráveis e inovadores, transformando a maneira como negociam e gerenciam relacionamentos com os principais parceiros de negócios. Além de oferecer consultoria estratégica de negociação, as áreas de atuação da Vantage incluem estratégia e gerenciamento de alianças estratégicas, gerenciamento de sourcing e de fornecedores, administração de terceirizados e gerenciamento de relacionamentos, negociação de vendas e gerenciamento de contas-chave, gerenciamento de conflitos internos e educação corporativa.

Os sócios da Vantage trabalharam com empresas do ranking *Fortune 500/Global 1000* durante mais de 25 anos para gerar bilhões de dólares em economia e aumentar lucros, adotando uma abordagem integrada que trata da forma como a estratégia, a estrutura organizacional, as ferramentas e os procedimentos corporativos, as premissas culturais, as mensagens de liderança e as habilidades comportamentais trabalham em conjunto para alavancar ou impedir o sucesso de negociações, relacionamentos resilientes, eficiência entre matrizes, inovação e vantagem competitiva. Enquanto isso, os workshops personalizados de educação corporativa da Vantage permitiram que mais de 100 mil participantes se tornassem mais confiantes e eficazes no gerenciamento de negociações e relacionamentos internos e externos e em tornar conversas difíceis mais produtivas.

Os sócios da Vantage lecionam na Harvard Law School, na Tuck School of Business at Dartmouth e na Academia Militar dos Estados Unidos em West Point; publicam regularmente em periódicos do setor e na *Harvard Business Review*, além de ser coautores dos livros *Como chegar ao sim*, *Getting Ready to Negociate* e *The Point of the Deal: How to Negotiate When Yes Is Not Enough*, e se envolvem em ações *pro bono* de acordos de paz por meio do braço de gerenciamento de conflitos da Mercy Corps.

Para mais informações, acesse www.vantagepartners.com.

Triad Consulting Group

Douglas Stone e Sheila Heen fundaram o Triad Consulting Group, uma empresa de consultoria em educação e comunicação corporativa. Como líderes no setor de conversas difíceis e de treinamento em comunicação gerencial no mundo todo, acreditamos que as principais iniciativas organizacionais costumam experimentar êxito ou fracasso uma conversa de cada vez – de colega com colega, entre equipes e cargos (ou dentro deles). Esteja você fazendo escolhas estratégicas difíceis, criando uma cultura em que dar feedbacks honestos é importante, gerenciando conflitos entre membros de uma equipe, implementando uma grande iniciativa de mudança ou buscando melhorar as habilidades de gerenciamento diárias de executivos seniores, a Triad pode ajudar.

Seus clientes estão espalhados por seis continentes e uma dezena de setores e incluem Boeing, Capital One, Citigroup, Fidelity, General Mills, Honda, Merck, Microsoft, Prudential, PwC, Ropes & Gray, Time Warner e Unilever. No setor público, já trabalhamos com a Casa Branca, o Departamento de Justiça dos Estados Unidos, o Supremo Tribunal de Cingapura, o Parlamento da Etiópia, a Unaids, The Nature Conservancy, The Citadel e New England Organ Bank. Os consultores da Triad realizaram cursos e mediações na África do Sul, no Oriente Médio, na Caxemira, no Iraque, no Afeganistão e em Chipre e lecionaram na Harvard Law School, nas universidades Georgetown, Wisconsin e Dartmouth e na MIT Sloan. Os consultores da Triad publicaram dezenas de livros e artigos sobre o tema, tanto acadêmicos quanto para o público geral.

A Triad gera capacitação por meio de educação corporativa, apresentações externas, design de sistemas, treinamento executivo, consultoria, mediação, facilitação e intervenções em equipe. Projetamos nossos programas para responder às necessidades e ao contexto de cada cliente, garantindo que a abordagem seja relevante, realista e útil.

Para obter mais informações, acesse www.diffcon.com.

Agradecimentos

Este livro bebeu em muitas fontes.

As histórias e conversas que compartilhamos ao longo do livro são oriundas de nossas próprias vidas e de nosso trabalho junto a um grupo diversificado de estudantes, colegas e clientes. Por questões de privacidade e para gerar maior variedade, muitas dessas histórias são amálgamas de experiências vividas por pessoas diferentes, mas que apresentavam os mesmos padrões de comportamento, e tomamos por regra adaptar quaisquer fatos que pudessem levar à identificação dessas pessoas. Somos profundamente gratos a todos com quem trabalhamos por terem compartilhado conosco, de maneira tão generosa, conversas conflituosas para eles. Graças à abertura e à coragem dessas pessoas em tentar algo novo, pudemos ampliar nosso aprendizado. Além de nossa pesquisa e nossa reflexão, este trabalho incorpora e desenvolve conceitos de muitas outras disciplinas. Nossa formação é, originalmente, em negociação, mediação e direito, mas este livro bebe quase em igual medida nas áreas do comportamento organizacional; das terapias cognitivas, centradas no paciente e nos familiares; da psicologia social; da teoria da comunicação; e do volume cada vez maior de trabalhos em torno do conceito de "diálogo".

Esta obra teve início graças a uma colaboração de ensino promovida pelo Instituto da Família de Cambridge, que contribuiu de inúmeras maneiras. O Dr. Richard Chasin e o Dr. Richard Lee trabalharam em parceria com Bruce Patton e Roger Fisher para desenvolver o que chamamos de Exercício de Habilidades Interpessoais (inspirado em uma demonstração feita pelos especialistas em psicodrama doutores Carl e Sharon Hollander), que prepara os participantes para as mais difíceis conversas. Esse exercício está no âmago do Workshop de Negociação da Faculdade de Direito de Harvard e no de nosso aprendizado há mais de uma década. Ao ministrar esse exercício em parceria conosco, Dick, Rick, Sallyann Roth, Jody Scheier e seus parceiros do Instituto da Família nos ensinaram sobre dinâmica familiar e influência, sobre os motivos mais comuns pelos quais as pessoas ficam "empacadas" e sobre como cuidar de pessoas que estão sofrendo.

Somos gratos também a Chris Argyris e aos parceiros do Design de Ação: Diana McLain Smith, Bob Putnam e Phil McArthur. Seus insights sobre os dilemas do universo corporativo e sobre estruturas interpessoais se mostraram inestimáveis à nossa compreensão das conversas – como elas dão errado e como colocá-las de volta nos eixos. Muitos conceitos apresentados neste livro, como contribuição conjunta, impacto *versus* intenção e interseções interpessoais, são derivados do trabalho deles. Eles também são a fonte da ferramenta das duas colunas, das metáforas da escada e da pegada e dos métodos de mapeamento. As duas regras para expressar sentimentos vieram de Bob Putnam. Nosso entendimento sobre como contar a própria história e começar bem espelha o trabalho de Don Schön e Diana Smith no enquadramento, com a contribuição de John Richardson nos papéis. Diana e nossos colegas da Vantage Partners ofereceram muitos exemplos úteis de como essas ideias explicam os desafios do universo corporativo e nos ajudam a enfrentá-los.

Da área da terapia cognitiva, nos beneficiamos das pesquisas e dos escritos de Aaron Beck e David Burns. Somos especialmente gratos a eles pelas pesquisas sobre como as distorções cognitivas afetam nossa autoimagem e nossas emoções. David Kantor, criador da terapia familiar e fundador do Instituto da Família, nos ajudou a compreender o cenário do que chamamos de conversa sobre a identidade e a forma como ela se faz presente na dinâmica de grupo.

Insights sobre psicologia social e teoria da comunicação são difundidos demais para serem creditados. Talvez seja uma prova do poder desses insights o fato de muitos deles não serem mais terreno exclusivo de especialistas. No entanto, temos uma enorme dívida com o saudoso Jeff Rubin por chamar nossa atenção para muitos desses conceitos, bem como por seu apoio e seu incentivo incessantes. Nosso trabalho sobre saber escutar e sobre o poder da autenticidade foi influenciado por Carl Rogers, Sheila Reindl e Suzanne Repetto. John Grinder nos deu o conceito dos três pontos de vista, ou "posições", que correspondem à própria perspectiva, à perspectiva do outro e à perspectiva de um observador externo.

Na área do diálogo, somos imensamente gratos a Laura Chasin e a seus colaboradores no Projeto de Conversas Públicas, a nossos amigos do Grupo de Gestão de Conflitos e a Erica Fox. Com eles, aprendemos sobre o poder transformador de contar a história de alguém e falar de coração do assunto, um tema sobre o qual Bill Isaacs, Louise Diamond, Richard Moon e outros também estão fazendo um trabalho relevante.

Por oferecerem incentivos e oportunidades para ensinar o que estávamos aprendendo, gostaríamos de agradecer a Roger Fisher, Bob Mnookin, Frank Sander e David Herwitz, da Faculdade de Direito da Harvard; a Rob Ricigliano, Joe Stanford e Don Thompson, do Grupo de Gestão de Conflitos; a Eric Kornhauser, da Conflict Management Australasia; a Shirley Knight, do Canadian Imperial Bank of Commerce; a Archie Epps, reitor do Harvard College; aos coronéis Denny Carpenter e Joe Trez, da The Citadel School of Engineering, na Carolina do Sul; a Gary Jusela e Nancy Ann Stebbins, da Boeing (e a Carolyn Gellerman, que nos apresentou a eles); a Deborah Kolb, do Programa de Negociação; e aos nossos colegas da Conflict Management, Inc. Nosso amigo e sócio Stephen Smith nos ajudou a desenvolver o trabalho com empresas e fundações familiares e nos apresentou à nossa agente, Esther Newberg, que, juntamente com sua equipe na ICM, tem sido sensacional. Somos gratos por sua confiança e por seu apoio ao longo dos anos.

Também fomos abençoados com um grupo talentoso e atencioso de amigos e colegas de trabalho, que abriram espaço em suas agendas lotadas para ler rascunhos, fazer sugestões e nos incentivar ao longo do caminho. Roger Fisher, Erica Fox, Michael Moffitt, Scott Peppet, John Richardson, Rob Ricigliano e Diana Smith conviveram conosco e com o trabalho talvez por mais tempo do que gostariam. Ao ler de forma crítica, reescrever ou esboçar novos trechos ou até capítulos inteiros, cada um teve um impacto significativo e duradouro no resultado. Pelas histórias, pelos comentários e pelo apoio, agradecemos a Denis Achacoso, Lisle Baker, Bob Bordone, Bill Breslin, Scott Brown, Stevenson Carlbach, Toni Chayes, Diana Chigas, Amy Edmondson e George Daley, Elizabeth England, Danny Ertel, Keith Fitzgerald, Ron Fortgang, Brian Ganson, Lori Goldenthal, Mark Gordon, Sherlock Graham-Haynes, Eric Hall, Terry Hill, Ed Hillis, Ted Johnson, Helen Kim, Stu Kliman, Linda Kluz, Diane Koskinas, Jim Lawrence, Susan McCafferty, Charlotte McCormick, Patrick McWhinney, Jamie Moffitt, Linda Netsch, Monica Parker, Robert e Susan Richardson, Don Rubenstein e Sylvie Carr, Carol Rubin, Jeff Seul, Drew Tulumello, Robin Weatherill, Jeff Weiss, Jim Young, Louisa Hackett e muitos outros.

Nossos familiares passaram anos se perguntando se, no fim das contas, algum livro seria realmente publicado. Leram os rascunhos, fizeram comentários, deram conselhos maravilhosos e apoio moral incondicional, e educadamente concordaram com as nossas versões de histórias de família, razões pelas quais nós os amamos ainda mais e somos profundamente gratos: Robbie e David Blackett, Jack e Joyce Heen, Jill e Jason Grennan, Stacy Heen, Bill e Carol Patton, Bryan Patton e Devra Sisitsky, John e Benjamin Richardson, Diana Smith, Don e Anne Stone, Julie Stone e Dennis Doherty, e Randy Stone.

Não poderíamos ter um editor e uma equipe melhores na Viking Penguin. Nossa editora, Jane von Mehren, não é apenas inteligente e perspicaz, mas também divertida, uma pessoa com quem é fácil trabalhar. Jane, Susan Petersen, Barbara Grossman, Ivan Held, Alisa Wyatt e o restante da equipe entenderam imediatamente o que estávamos produzindo e lhes agradecemos muito o compromisso de colocar este trabalho nas mãos do máximo de pessoas possível. Nossa editora de conteúdo, Beena Kamlani, e nossa preparadora de texto, Janet Renard, tiveram a coragem de enfrentar nós três e o manuscrito ficou melhor graças a isso. Por fim, Maggie Payette e Francesca Belanger, nossas designers, fizeram um excelente trabalho de tornar a capa e o texto elegantes, acessíveis e bonitos.

Como sempre, tudo que há de bom neste livro se deve em grande medida a outras pessoas, enquanto erros e omissões são exclusivamente de nossa responsabilidade.

Doug, Bruce & Sheila
Cambridge, Massachusetts

CONHEÇA ALGUNS DESTAQUES DE NOSSO CATÁLOGO

- Augusto Cury: Você é insubstituível (2,8 milhões de livros vendidos), Nunca desista de seus sonhos (2,7 milhões de livros vendidos) e O médico da emoção
- Dale Carnegie: Como fazer amigos e influenciar pessoas (16 milhões de livros vendidos) e Como evitar preocupações e começar a viver
- Brené Brown: A coragem de ser imperfeito – Como aceitar a própria vulnerabilidade e vencer a vergonha (900 mil livros vendidos)
- T. Harv Eker: Os segredos da mente milionária (3 milhões de livros vendidos)
- Gustavo Cerbasi: Casais inteligentes enriquecem juntos (1,2 milhão de livros vendidos) e Como organizar sua vida financeira
- Greg McKeown: Essencialismo – A disciplinada busca por menos (700 mil livros vendidos) e Sem esforço – Torne mais fácil o que é mais importante
- Haemin Sunim: As coisas que você só vê quando desacelera (700 mil livros vendidos) e Amor pelas coisas imperfeitas
- Ana Claudia Quintana Arantes: A morte é um dia que vale a pena viver (650 mil livros vendidos) e Pra vida toda valer a pena viver
- Ichiro Kishimi e Fumitake Koga: A coragem de não agradar – Como se libertar da opinião dos outros (350 mil livros vendidos)
- Simon Sinek: Comece pelo porquê (350 mil livros vendidos) e O jogo infinito
- Robert B. Cialdini: As armas da persuasão (500 mil livros vendidos)
- Eckhart Tolle: O poder do agora (1,2 milhão de livros vendidos)
- Edith Eva Eger: A bailarina de Auschwitz (600 mil livros vendidos)
- Cristina Núñez Pereira e Rafael R. Valcárcel: Emocionário – Um guia lúdico para lidar com as emoções (800 mil livros vendidos)
- Nizan Guanaes e Arthur Guerra: Você aguenta ser feliz? – Como cuidar da saúde mental e física para ter qualidade de vida
- Suhas Kshirsagar: Mude seus horários, mude sua vida – Como usar o relógio biológico para perder peso, reduzir o estresse e ter mais saúde e energia

sextante.com.br